ET QUE LE VASTE MONDE POURSUIVE SA COURSE FOLLE

COLUM McCANN

ET QUE LE VASTE MONDE POURSUIVE SA COURSE FOLLE

*Traduit de l'anglais (Irlande)
par Jean-Luc Piningre*

belfond
12, avenue d'Italie
75013 Paris

Titre original :
LET THE GREAT WORLD SPIN
publié par Random House, an imprint of The Random
House Publishing Group, a division of Random House,
Inc., New York

Cet ouvrage a été traduit avec le concours
de l'Ireland Literature Exchange (aide à la
traduction), Dublin, Irlande.
www.irelandliterature.com
info@irelandliterature.com

Et que le vaste monde poursuive sa course folle est une œuvre de fiction.
Tous les événements, dialogues et personnages, à l'exception de
certaines figures historiques célèbres et personnalités publiques, sont
le fruit de l'imagination de l'auteur et utilisés fictivement. Les
situations, événements et dialogues concernant des personnages
publics ou historiques sont complètement fictifs et ne sont pas
destinés à dépeindre des faits réels ou à changer la nature fictive de
cette œuvre. À tout autre égard, la ressemblance avec des personnes
réelles, vivantes ou mortes, est purement fortuite.

Si vous souhaitez recevoir notre catalogue
et être tenu au courant de nos publications,
vous pouvez consulter notre site internet,
www.belfond.fr
ou envoyer votre nom et adresse, en citant ce livre,
aux Éditions Belfond,
12, avenue d'Italie, 75013 Paris.
Et, pour le Canada,
à Interforum Canada Inc.,
1055, bd René-Lévesque-Est,
Bureau 1100,
Montréal, Québec, H2L 4S5.

ISBN 978-2-7144-4506-3

Pour John, Franck et Jim.
Et, bien sûr Allison.

« Les vies que nous pourrions vivre, les gens que nous ne connaîtrons jamais et qui n'existeront pas, tout ça est partout. C'est le monde. »

Aleksandar HEMON, *The Lazarus Project*

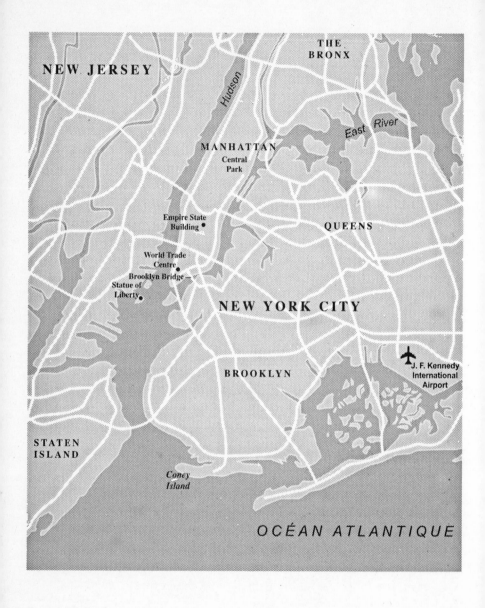

CEUX QUI LE VIRENT SE TURENT. Depuis Church, Liberty, Cort-landt, West, Fulton ou Vesey Street. Un silence terrible, superbe, à l'écoute de lui-même. Certains pensèrent à une illusion d'optique, une ombre mal placée, un effet d'atmosphère. D'autres prirent ça pour la blague éculée du type qui se plante sur l'asphalte, le doigt pointé, et on s'attroupe autour, les têtes se renversent, hochent, confirment, mais les yeux sont levés pour rien, et on attend comme on attend la chute d'un gag de Lenny Bruce. Seulement, plus ils regardaient, plus c'était clair. À l'extrême limite du toit, la silhouette se détachait sur la grisaille du matin. Sans doute un laveur de vitres. Un ouvrier du bâtiment. Ou un suicidaire.

Cent dix étages plus haut, parfaitement immobile, une miniature noire dans le ciel nuageux.

On ne le remarquait pas de n'importe où. Ou alors les passants s'arrêtaient au coin de la rue, repéraient une brèche entre les immeubles, zigzaguaient dans la pénombre, se frayaient une perspective sans corniche, sans gargouille, sans balustrade, sans garde-corps. Et si une ligne partait de son pied vers la tour jumelle, ils ne comprenaient pas bien pourquoi. Mais la figurine les clouait. Le cou tendu, ils oscillaient entre la fatalité de l'évidence et la promesse du quotidien.

Le dilemme de l'observateur : ne pas rester là sans raison – ça n'est qu'un imbécile penché sur le vide –, mais ne pas

11

rater le moment où la police viendra l'arrêter, où il tombera, plongera peut-être, les bras en croix.

La ville rassemblait ses bruits autour des passants. Klaxons. Camions d'éboueurs. Cornes de brume. Le ramdam des métros. Un bus de la ligne M22 qui freine, se range le long du caniveau et gémit dans l'ornière. Le vent plaque un emballage de chocolat sur une bouche d'incendie. Le claquement des portières de taxi. Des poubelles se bagarrent au fond de l'impasse. Les baskets qui repartent au petit trot. Le cartable en cuir qui frotte sur un pantalon. Le cliquetis des parapluies sur le bitume. Une porte à tambour qui propulse au-dehors un début de conversation.

Mais le tohu-bohu n'aurait été qu'un son compact, on n'y aurait quand même pas prêté attention – et ceux qui maugréaient le faisaient à voix basse, respectueusement.

Ils formaient soudain de petits groupes au carrefour de Church et Dey Street. Sous l'auvent de Sam's Barber Shop. À la porte de Charlie's Audio. Ici un minuscule théâtre d'hommes et de femmes, serrés contre la rambarde de St. Paul's Chapel. Là on se disputait une place devant les vitrines de Woolworth. Avocats. Liftiers. Médecins. Teinturiers. Cuisiniers. Diamantaires. Poissonniers. Putes avec leurs jeans tristes. Tous rassurés par la présence d'autres autour d'eux. Dactylos. Courtiers. Livreurs. Hommes-sandwichs. Tricheurs rangeant leurs cartes. De building en building ; de Con Ed à Ma Bell, jusqu'à Wall Street. Un serrurier dans sa camionnette au coin de Dey et de Broadway. Un coursier à moto adossé à un réverbère de West Street. Un poivrot rougeaud en quête de son premier verre.

On l'apercevait depuis le ferry de Staten Island. Depuis les abattoirs du West Side. Des gratte-ciel neufs de Battery Park. Des stands à bretzels en bas de Broadway. Du parvis en dessous. Des tours elles-mêmes.

D'accord, certains ne voulaient rien savoir, préféraient l'ignorer. À 07:47, ceux-là étaient bien trop amorphes pour penser à autre chose qu'un bureau, un stylo, un téléphone. Sortis des bouches de métro, des limousines, des autobus, ils traversaient ensemble au feu, et pas question de lever bêtement la tête. À chaque jour suffit sa peine. Mais en voyant les attroupements, l'agitation, ils commencèrent à ralentir. S'arrêtaient net ou, haussant les épaules, se retournaient lentement, revenaient au carrefour, butaient contre les nez en l'air, se hissaient sur la pointe des pieds, dominaient un instant la foule et c'était waouh, putain, nom de Dieu.

Cette fine silhouette et le mystère s'épaississait. Elle se dressait sur la tour sud, à la limite de la terrasse panoramique, comme prête à s'élancer.

Un petit peu plus bas, anticipant la chute peut-être, un pigeon amorça un piqué depuis le dernier étage du Federal Office. Son irruption attira les regards qui suivirent ses ailes grises. L'oiseau filant de saillie en saillie, les passants s'attardèrent sur les étages de bureaux, où on levait les stores et remontait les fenêtres. On distinguait des coudes, une manchette, un poignet, puis apparaissaient un visage, deux mains gauches affairées sur une glissière bloquée. Dans les bâtiments voisins, d'autres silhouettes regardaient audehors – des hommes sans leur veston, des femmes aux corsages clairs, vacillant comme les spectres d'un miroir déformant.

À basse altitude, l'hélicoptère de la météo fit un virage plongeant au-dessus de l'Hudson – saluant une journée d'été qui s'entêterait à rester fraîche, couverte. Les syncopes des rotors retentirent un instant sur les entrepôts du West Side. L'appareil semblait avancer de guingois et un panneau soudain s'ouvrit, comme si on étouffait dans la cabine. Surgissant dans l'ouverture, un objectif renvoya un bref éclat de lumière. Puis, se redressant gracieusement, l'hélico fila le long du fleuve.

Leur flambeau de misère allumé sur le toit, plusieurs voitures de flics quittaient la voie express à toute allure, renforçant l'étrange pouvoir de cette matinée.

L'air autour des badauds se chargeait d'électricité et – les sirènes officialisant l'événement – les commentaires jaillirent. Agacé, déstabilisé, on se tournait vers le voisin, une question à la bouche. Sautera ? Tombera ? Un petit tour et puis s'en va ? Il travaille là ? Il est seul ? Ce n'est pas un gag, au moins ? Il porte un uniforme ? Quelqu'un a des jumelles ? Coude contre coude, de parfaits inconnus juraient, parlaient de cambriolage foiré, d'un monte-en-l'air qui aurait raté son affaire... et il n'avait pas pris des otages ? Est-ce un Arabe, un Juif, un Chypriote, un combattant de l'IRA ? Mais non, c'est un coup de pub, une grosse boîte qui fait de l'épate, *Buvez plus de Coca, Mangez plus de Fruitos, Fumez plus de Winston, Vaporisez plus de Lysol, Allez plus à l'église.* Ou un contestataire qui allait dérouler sa longue banderole, la laisserait flotter, sécher comme la grande lessive du ciel : *Casse-toi, Nixon ! L'Oncle Sam hors du Vietnam ! Indépendance pour l'Indochine !* Un type a pensé à un libériste en deltaplane, ou à un parachutiste, et on s'est esclaffé, mais quand même il avait un fil à ses pieds, et les rumeurs enflèrent, gros mots contre murmures, les sirènes approchaient, les cœurs battaient plus fort, l'hélico s'attardait à l'ouest des tours. Dans le hall du World Trade Centre, les policiers couraient sur le sol marbré, les collègues en civil sortaient leur insigne des pans de leur chemise, les camions des pompiers arrivaient sur le parvis, le rouge et bleu des gyrophares éblouissait l'herbe, un semi-remorque apportait une grue télescopique, ses roues épaisses butèrent contre le trottoir, la grue a vacillé et un mec s'est marré, le chauffeur a levé la tête – comme si la misérable nacelle allait se mesurer à l'immensité – et les gardes s'époumonaient dans leurs talkies-walkies, une brèche s'ouvrait dans le matin d'août, les spectateurs prenaient racine, rien d'autre à faire pour l'instant, le crescendo des voix, toutes sortes d'accents, une Babel, et soudain un type roux de la Home Title Guarantee a remonté la fenêtre de son bureau et, les coudes posés sur le rebord, s'est penché en prenant son souffle avant de crier de toutes ses forces :

— Vas-y, connard !

Les rires n'ont pas fusé tout de suite – un temps d'appréciation – mais l'irrespect était bienvenu car beaucoup pensaient la même chose – « Mais oui, putain, vas-y ! » – et alors des torrents de paroles, la réponse à l'appel, une onde se propage de la fenêtre au goudron, le long de la chaussée fissurée jusqu'à l'angle de Fulton, elle continue vers Broadway, sinue dans John Street, fait le tour jusqu'à Nassau, et ainsi de suite, les dominos du rire, un rire tendu où pointent le manque et la fascination, et bien des passants ont compris que, quoi qu'ils disent, ils ont envie d'assister à cette chute phénoménale, un corps qui virevolte d'aussi haut, brise les lignes de mire, fend l'air, s'écrase, donne à ce mercredi une charge et un sens. Ils n'avaient besoin que d'une milliseconde, d'une imperceptible glissade pour devenir une famille, alors que les autres – ceux qui tiennent à ce qu'il reste, qu'il s'accroche, qu'il se fonde dans le béton, ceux-là se sentent habilités à mépriser les cris et leurs auteurs. Que cet homme sauve sa vie, deux pas en arrière, les bras des flics et adieu le vide.

Tout excités maintenant.

En pleine forme.

La bataille allait commencer.

Vas-y, connard !

Non, arrête !

En haut, le mouvement. Le moindre frémissement compte sous le vêtement noir. Une demi-chose pliée en deux, qui semble étudier ses chaussons, tels deux traits de crayon évanouis sous la gomme. La posture du plongeur. Alors, figés et silencieux, ils virent. Même ceux qui désiraient sa perte sentirent leurs poumons se vider. Ils reculèrent en gémissant.

Un corps naviguait dans les airs.

Il s'était mis en marche. Quelques-uns se signèrent. Les yeux fermés, en l'attente d'un bruit sourd. Agitée par le vent, la figurine dansait, sursautait, sautillait.

Un cri retentit parmi les spectateurs, une voix de femme :

— Mon Dieu, oh mon Dieu… Ah non, c'est un vêtement, une chemise !

Qui tombait, tombait, tombait – les manches d'un chandail qu'on laissa à ses tourbillons, l'homme accroupi dans le ciel étant maintenant debout, les flics en haut et les regards en bas se taisaient, parcourus de vagues d'émotions, car la silhouette se redressait, munie d'une barre longue et fine qu'elle soupesait dans ses paumes, appréciait dans les airs, une longue barre noire, si souple qu'elle oscillait à ses extrémités, et l'homme ne regardait que la tour jumelle dans un cocon d'échafaudages – comme un objet blessé en attente des secours – et l'on saisissait bien toute la portée du câble sous ses pieds, tous comprenaient et, quoi qu'il se passe ailleurs, impossible de partir, ni tasse de café, ni cigarette dans le couloir, ni pas traînants sur la moquette, l'attente avait été un voyage enchanté, et l'on voyait le pied chaussé de noir aborder de chauds rivages gris.

Tous ont repris leur souffle au même instant, avec la sensation de partager le même air. Cet homme était un mot qu'ils croyaient connaître, mais n'avaient jamais entendu.

Il commençait.

LIVRE UN

Tous mes hommages au Ciel,
j'aime mieux rester ici

MA MÈRE ÉTAIT BONNE MUSICIENNE, c'est l'une des nombreuses choses que nous aimions chez elle, Corrigan et moi. Dans notre salon à Dublin, elle avait installé un petit poste sur le Steinway et, le dimanche après-midi, elle essayait de capter Radio Éireann, la BBC ou autre, puis elle soulevait le grand couvercle laqué, déployait sa robe autour du tabouret de bois et reproduisait le morceau à l'oreille – un thème de jazz, une ballade irlandaise et, si on avait de la chance, une vieille chanson d'Hoagy Carmichael. Elle avait un joli toucher, malgré une douleur à la main qu'elle s'était cassée plusieurs fois. Nous n'avons jamais su quand ou comment, c'était de l'ordre du non-dit. Lorsqu'elle avait fini, elle se massait le poignet et je pensais que les notes résonnaient dans ses os, ricochaient de l'un à l'autre par-dessus les fractures. Tant d'années ont passé, et toujours je retourne au musée de ces après-midi, où le soleil encore illumine le tapis. Parfois elle nous mettait à chacun un bras sur l'épaule, et elle guidait nos doigts maladroits sur les touches.

Ces choses-là paraîtront sans doute démodées, mais c'était le milieu des années 50 et nous avions beaucoup de respect pour maman. Dehors, nous entendions surtout le vent et le carillon de la mer. On cherche le défaut dans la cuirasse, le pied trop court du tabouret devant le piano, la tristesse qui nous aurait détachés d'elle, mais à la vérité nous aimions être ensemble, tous les trois – et jamais si ouvertement que ces dimanches-là, lorsqu'une pluie grise enveloppait Dublin, que la bise cinglait les carreaux.

Notre maison de Sandymount donnait sur le rivage. Une petite allée couverte de mauvaises herbes fendait un carré de pelouse, vers la clôture noire en ferronnerie. Il suffisait de traverser la rue pour atteindre la jetée, d'où on dominait la baie. Convié au spectacle humide de l'Irlande, un bosquet de palmiers était planté au bout de la promenade. Maigrichons, rabougris, mais exotiques quand même. Assis sur la digue, Corrigan contemplait la grève en faisant claquer ses talons sur la pierre. J'aurais dû comprendre, dès cette époque, que la mer était gravée en lui, qu'il s'en irait un jour ou l'autre. Peu à peu, la marée gonflait à ses pieds. Il s'en allait le soir à la tour Martello, puis aux anciens bains-douches, où il se dressait les bras en croix à la pointe de la jetée.

Le week-end, nous partions le matin avec maman. Les chevilles dans l'écume, nous nous retournions pour observer la rangée de maisons, la tour, les foulards de fumée sur les toits. Les deux immenses cheminées rouge et blanc de la centrale électrique brisaient la ligne de l'horizon à l'est, mais le reste formait une jolie courbe, avec des mouettes dans le ciel, les paquebots-poste quittant le port de Dun Laoghaire, et les nuages filant à toute allure. Le sable était ridé au départ de la marée, et parfois l'on pouvait parcourir jusqu'à cinq cents mètres entre les flaques éparses et les vieux détritus, les barreaux de lit en fer. les couteaux de mer.

Comme la ville en son sein, la baie était toute de lenteur, un poumon somnolent capable de se fâcher sans prévenir. Les tempêtes précipitaient les vagues qui escaladaient la jetée et s'y maintenaient. Le sel recouvrait les vitres et le marteau de la porte était rouge de rouille.

Par gros temps, Corrigan et moi occupions l'escalier. Notre père, un physicien, nous avait quittés des années plus tôt. Un chèque arrivait dans la boîte toutes les semaines, avec le tampon d'un bureau de poste à Londres. Jamais un mot, seulement le chèque, portant l'adresse d'une banque à Oxford. L'enveloppe virevoltait en tombant. Nous courions l'apporter à maman, qui la calait sous un pot de fleurs devant la fenêtre de la cuisine. Elle n'y était plus le lendemain et rien d'autre n'était dit.

Nous n'avions pour nous souvenir de lui qu'une armoire pleine de ses vieux vêtements, dans la chambre de ma mère. Corrigan l'ouvrait, puis, assis dans le noir contre les grosses portes en bois, nous glissions nos pieds dans les chaussures. Les manches nous frôlaient les oreilles, les boutons de manchette étaient froids. Un après-midi, maman nous a surpris vêtus de costumes gris, retroussés à chaque bras, les pantalons serrés à la taille avec des élastiques. Nous paradions dans d'énormes richelieus lorsqu'elle a ouvert la porte et s'est figée. On n'entendait plus que le radiateur cliqueter.

— Eh bien ! a-t-elle dit en s'agenouillant devant nous, avec un grand sourire qui semblait lui faire mal. Venez là.

Elle nous a embrassés tous les deux sur la joue, et donné une petite claque sur les fesses.

— Allez, filez.

Nous avons tout laissé en tas par terre.

Ce soir-là, les cintres ont claqué un bon moment tandis qu'elle raccrochait un costume après l'autre.

Les années ont passé avec les habituels caprices, les saignements de nez, la tête cassée du cheval à bascule. Maman faisait son affaire des murmures des voisins, des attentions des veufs du quartier. Une vie douillette se dessinait apparemment devant nous : calme, ouverte, une étendue grise et sableuse.

Corr et moi avions une chambre avec vue sur la mer, et des lits superposés. Je ne me rappelle toujours pas comment il s'est débrouillé mais, sans livrer bataille, il s'était attribué celui du haut, alors que j'étais son aîné de deux ans. Allongé sur le ventre, les yeux dans la nuit, il récitait ses prières. Les « couplets du sommeil », comme il les appelait – pour la plupart hermétiques, des incantations saccadées qu'il inventait, ponctuées de petits rires et de longs soupirs. Plus le sommeil approchait, plus leur rythme s'intensifiait, cela ressemblait à du jazz, et au milieu de tout ça je l'entendais parfois jurer et c'en était fini, du sacré. Je connaissais le hit-parade catholique – *Notre Père, Je vous salue, Marie* – mais rien de plus. Je n'étais qu'un gosse, calme et pas compliqué, et déjà leur Seigneur m'assommait. Je tapais sous le lit de Corr, il se taisait un moment avant de recommencer. Certains matins, je le trouvais allongé près de moi, un bras sur mon épaule, égrenant ses fameuses prières dans un souffle.

Je me retournais :

— Putain, Corr, la ferme, bon Dieu !

Il avait la peau claire, les cheveux noirs, les yeux bleus. Le genre d'enfant à qui tout le monde sourit. Il suffisait d'un regard et on tombait sous le charme, on sortait de sa coquille. Dans la rue, les femmes lui ébouriffaient les cheveux, les ouvriers lui tapaient affectueusement sur l'épaule. Il ne se rendait pas compte que sa présence, tout simplement, les réconfortait. Il réveillait des désirs enfouis, sans doute impossibles, les gens s'animaient, mais lui, tranquille, poursuivait son chemin.

À l'âge de onze ans, j'ai été réveillé une nuit par un courant d'air glacial. Je me suis traîné à la fenêtre, qui était fermée, alors j'ai allumé la lumière et l'ampoule jaune a embrasé la chambre. Une forme était pliée en deux.

— Corr ?

Il portait le froid sur lui. Les joues rouges, un voile d'humidité sur les cheveux, et il sentait la cigarette. Il a mis un doigt à sa bouche avant de monter l'échelle en bois.

— Rendors-toi, a-t-il chuchoté dans ses draps.

L'odeur du tabac flottait dans la pièce.

Quand il a bondi du lit le lendemain, il avait son gros anorak par-dessus son pyjama. Il a ouvert la fenêtre et, grelottant, vidé le sable de ses chaussures en les frappant sur le rebord.

— Où es-tu allé ?

— J'ai marché sur la grève.

— Tu as fumé ?

Il a détourné les yeux en se frottant les bras.

— Non.

— T'es pas censé fumer, tu sais ?

— Je n'ai pas fumé.

Maman nous a accompagnés à l'école. Nous avions nos cartables en cuir sur le dos. Un vent violent s'engouffrait dans les rues. Posant un genou à terre devant le portail, elle a ajusté nos écharpes et nous a embrassés l'un après l'autre. Lorsqu'elle s'est redressée, une chose a retenu son attention sur le trottoir en face, près de la clôture de l'église : une silhouette dans une grande couverture rouge. L'homme a salué de la main. Corrigan lui a répondu. Les vieux ivrognes allaient souvent s'échouer à Ringsend, c'était notoire, pourtant ma mère restait interloquée. J'ai redouté l'existence d'un secret quelque part.

— Qui c'est, m'man ? ai-je demandé.

— Allez, dépêche-toi. On s'occupera de ça après l'école.

Mon frère est entré avec moi sans rien dire.

— Qui est-ce, Corrie ?

Je l'ai bousculé un peu en insistant :

— Qui c'est ?

Il a disparu dans sa salle de classe.

J'ai rongé mon crayon toute la journée, à me poser des questions devant le pupitre en bois – imaginant un oncle oublié, ou notre père revenant brisé. Rien à cette époque ne paraissait impossible. L'horloge était au fond de la classe mais, en me plaçant dans le bon angle, je voyais les aiguilles tourner à l'envers dans le vieux miroir tacheté au-dessus du lavabo. J'ai couru dehors dès la sonnerie, mais Corrigan avait déjà atteint les HLM. À petits pas prudents, il fuyait vers la digue et les palmiers.

Emballé de papier brun, un paquet l'attendait sur ses draps. Je le lui ai jeté. Il a haussé les épaules, passé un doigt hésitant sur la ficelle qu'il a retirée. C'était une nouvelle couverture, une Foxford d'un bleu tendre. La déroulant jusqu'en bas du lit, il a regardé maman en hochant la tête.

Elle lui a caressé la joue de ses doigts repliés.

— Plus jamais, tu m'entends ?

L'incident était clos, mais deux ans plus tard il donnait cette couverture-là encore à un sans-logis, par une de ces nuits glaciales où, sur la pointe des pieds, il descendait l'escalier et filait au bord du canal. Son équation était simple : d'autres en avaient plus besoin que lui, et il acceptait par avance d'être puni. J'ai pris là ma première leçon de ce qu'il deviendrait, de ce que je constaterais plus tard chez les marginaux de New York, putes, rabatteurs et sans-espoir – tous ceux qui s'accrocheraient à lui comme à l'étoile de la miséricorde, plantée au-dessus d'un sac à merde qui porte le nom de monde.

*

* *

Corrigan a commencé à boire jeune – douze ou treize ans – une fois par semaine, le vendredi après les cours. Depuis le terrain de rugby, je le voyais se dépêcher, la cravate défaite et le blazer roulé, vers l'arrêt du bus. Il sautait dans le 45 ou le 7A, sa silhouette courait au fond du véhicule qui redémarrait.

Il aimait les endroits qui manquent de lumière. Les docks. Les asiles de nuit. Les coins de rue aux pavés brisés. Il traînait souvent avec les ivrognes de Frenchman's Lane et de Spencer Row. Il apportait une bouteille, faisait passer. Lorsqu'elle revenait à lui, il buvait une rasade d'un geste exagéré et s'essuyait la bouche du revers de la main, comme un vrai pochetron. Ils voyaient bien qu'il n'y tenait pas vraiment, qu'il attendait sagement son tour. Je suppose qu'il se croyait à sa place. Les plus rosses se payaient sa tête mais il s'en fichait. Bien sûr qu'ils se servaient de lui : un morveux qui se mouchait dans les chaussures des pauvres.

Mais il avait toujours trois sous en poche qu'il voulait bien donner, alors ils l'envoyaient chercher une autre boutanche à l'épicerie, et des cigarettes à l'unité.

Certains soirs, il rentrait à la maison sans chaussettes, d'autres fois sans sa chemise, et il montait l'escalier en courant avant que maman l'attrape. Il se lavait les dents, les joues, et redescendait habillé, innocent, l'œil brillant, pas assez soûl pour se faire engueuler.

— Où étais-tu ?

— Aux bonnes œuvres.

— C'est pour ça que tu négliges ta mère ?

Elle ajustait le col de sa chemise et il s'asseyait pour dîner.

Ils ont fini par la lui faire, sa place. Il se glissait dans le paysage, se fondait dans la masse. Il les accompagnait à l'asile de Rutland, se vautrait contre le mur, écoutait leurs histoires : de longues divagations enracinées dans ce qui ressemblait à une tout autre Irlande. C'était pour lui un apprentissage : il s'immisçait dans leur misère comme s'il cherchait à se l'approprier. Il buvait. Fumait. Jamais il ne mentionnait son père, ni à moi ni à personne. Mais l'absent était là comme une évidence. Corrigan le délayait dans une bouteille de sherry, le recrachait tel un brin de tabac qui vous brûle la langue.

Le jour de ses quatorze ans, maman m'a envoyé le trouver : il était parti depuis le matin, et elle lui avait préparé un gâteau. La bruine du soir larmoyait sur Dublin. Une charrette m'a dépassé, avec sa dynamo allumée. Je l'ai regardée poursuivre sa course, clopin-clopant, son halo de lumière qui se perdait dans le flou. Je détestais la ville à ces moments, elle se complaisait dans la grisaille. J'ai longé les bed-and-breakfast, les vitrines des antiquaires, les fabriques de cierges, les boutiques de bondieuseries. L'asile était borné par un portail noir avec des piquants en fer. J'ai fait le tour jusqu'aux poubelles. La pluie ruisselait sous une gouttière brisée, je marchais au milieu des caisses et des cartons en gueulant son nom. Quand je l'ai aperçu, il était

tellement soûl qu'il ne tenait plus debout. Je lui ai empoigné le bras.

— Salut, a-t-il souri.

Il s'est ouvert la main en s'affalant contre un mur, puis
s'est redressé en contemplant sa blessure. Le sang coulait
sur son poignet. Un des poivrots de la bande, un jeune
blouson noir avec un T-shirt rouge, lui a craché dessus.
C'est la seule fois de ma vie où j'ai vu Corrigan donner un
coup de poing. Complètement à côté, mais le sang giclait
et je savais, à cet instant précis, que je n'oublierais jamais.
Corrigan battant de l'air, les traînées rouges derrière lui sur
la pierre.

— Je suis non-violent, a-t-il balbutié.

On a suivi la route des navires charbonniers le long de la
Liffey, jusqu'à Ringsend, où je l'ai débarbouillé à la vieille
pompe à eau d'Irishtown Road. Il a pris mon visage dans
ses mains.

— Merci, merci.

Il a commencé à pleurer en atteignant Beach Road, la rue
de la maison. Un noir profond s'était emparé de la mer et
la pluie gouttait des palmiers. Je l'ai traîné dans le sable.

— Je suis rien qu'une chiffe molle, a-t-il dit.

Il a passé sa manche mouillée sur ses paupières, allumé
une cigarette, toussé jusqu'à vomir.

Devant le portail, il a levé les yeux vers la chambre de
maman, où la lumière était allumée.

— Elle ne dort pas ?

Remontant l'allée à petits pas, il a ensuite gravi l'escalier
quatre à quatre pour courir dans ses bras. Évidemment, elle
a perçu l'odeur du tabac, les relents d'alcool, mais elle n'a
rien dit. Elle lui a fait couler un bain, s'est plantée devant
la porte. Ses pieds glissaient lentement sur le plancher.
Muette, elle a posé la tête sur le chambranle et lâché un
soupir – comme immergée elle-même et dérivant vers un
avenir déjà certain.

Il est sorti tout habillé sur le palier. Elle lui a frotté les
cheveux avec sa serviette.

— Tu ne boiras plus, hein, mon chéri ?

Il a fait signe que non.

— Vendredi, c'est couvre-feu, maintenant. Tu es ici à cinq heures, tu entends ?

— Très bien.

— Promets.

— Croix de bois, croix de fer…

Ses yeux injectés de sang.

Elle a embrassé ses cheveux et l'a serré contre elle.

— Il y a un gâteau en bas pour toi, mon chéri.

Pendant deux semaines, il a tiré un trait sur ses virées du vendredi, tout en continuant à fréquenter les ivrognes. Un rite auquel il ne pouvait pas renoncer. Les sans-logis avaient besoin de lui, ou du moins réclamaient-ils leur ange fou, leur ange impossible. Il lui arrivait encore de boire avec eux, si le moment s'y prêtait, mais en général il s'abstenait. Il croyait que ces hommes cherchaient une forme de paradis terrestre : l'alcool les y reconduisait, mais arrivés sur place, ils étaient incapables de s'y maintenir. Jamais il n'a voulu les convaincre d'arrêter. C'était contre ses principes.

Il m'aurait été facile de ne pas l'aimer – mon jeune frère qui sortait les gens de leur torpeur – mais quelque chose en lui vous en empêchait. Son terrain, c'était le bonheur : un bonheur à définir, à traquer, à extirper de l'oubli.

J'avais dix-neuf ans et lui dix-sept quand notre mère est morte après une courte bataille contre un cancer du rein. Ses derniers mots ont été pour le tapis du salon. Il fallait tirer les rideaux. Que le soleil n'abîme pas les couleurs.

Elle a été hospitalisée à Saint Vincent le jour de l'été. L'ambulance a laissé une empreinte de pneus mouillés sur la route du bord de mer. Derrière, Corr pédalait comme un fou. Au début Maman était alitée dans une grande salle avec de nombreux autres patients, mais nous avons obtenu une chambre individuelle que nous avons remplie de fleurs. Nous relayant à son chevet, nous peignions ses cheveux, soudain secs et cassants, que le peigne emportait par touffes. Pour la première fois de sa vie, elle paraissait abandonnée : son corps la trahissait comme un vieil amant. La soucoupe sur la petite table était pleine de cheveux. Je m'accrochais à l'idée que si l'on préservait ses longues mèches grises, tout redeviendrait comme avant. Je n'avais pas trouvé mieux. Trois mois ont passé, elle est partie un matin de septembre où la clarté du jour semblait tout envahir.

Nous attendions dans sa chambre que les infirmières viennent emporter le corps. Corrigan avait entamé une longue prière quand la porte du couloir a encadré une ombre.

— Bonjour, les garçons.

Mon père affligé avait soudain l'accent anglais. Je ne l'avais plus revu depuis mes trois ans. Un barreau de lumière l'éclairait. Pâle, voûté, il avait encore quelques cheveux sur le crâne, et des yeux du même bleu transparent. En se découvrant, il avait plaqué son chapeau sur son torse.

— Désolé, les gars.

La main tendue, je suis allé à sa rencontre. Ce fut un choc, car j'étais plus grand que lui. Il m'a saisi l'épaule.

Corr restait muet dans son coin.

— Serre-moi la main, fils.

— Comment savais-tu qu'elle était malade ?

— Allons, serre-moi la main comme un homme.

— Dis-moi comment tu l'as appris.

— Tu me serres la main ou pas ?

— Qui te l'a dit ?

Le vieux tanguait sur ses talons.

— C'est comme ça qu'on parle à son père ?

Lui tournant le dos, Corrigan a posé un baiser sur le front glacé de ma mère, puis il est parti sans un mot. La porte a claqué doucement, un pan d'obscurité a barré le lit. À la fenêtre, je l'ai vu détacher sa bécane d'un tuyau et s'élancer sur les parterres de fleurs, la chemise au vent, vers Merrion Road.

Tirant une chaise pour s'asseoir près de maman, mon père lui a palpé le poignet sous les draps.

— Elle n'encaissait plus les chèques, a-t-il dit.

— Pardon ?

— C'est comme ça que j'ai compris. Les chèques n'étaient plus débités.

Une vague de froid dans la nuque.

— Je dis la vérité, c'est tout. Si c'est trop dur à supporter, faut pas poser de questions.

Il est venu dormir à la maison. Il avait dans sa petite valise un costume noir et une paire de souliers cirés. Corrigan l'a arrêté dans l'escalier.

— Tu vas où, comme ça ?

Papa a empoigné la rampe. Il avait sur les mains des taches de vieillesse que je voyais trembler.

— Ce n'est pas ta chambre, a ajouté Corr.

Mon père chancelait, mais il s'entêtait à monter.

— Non, a dit mon frère d'une voix claire, pleine, assurée.

Le vieux était stupéfait. Il a gravi une marche, puis demi-tour et il est redescendu, le regard perdu.

— Mes propres fils.

Nous l'avons installé sur le canapé du salon. Refusant de partager le même toit, Corrigan est parti à pied vers le centre. Je me suis demandé dans quelle ruelle on le retrouverait, à quel poing il tendrait la joue, dans quelle bouteille il se noierait.

Le matin des obsèques, j'ai entendu papa l'appeler par son premier prénom.

— John ! John Andrew !

Une porte. Une autre. Ensuite un long silence : j'ai reposé la tête sur l'oreiller pour en profiter. Des pas dans l'escalier. La marche du haut qui craque toujours. Des bruits pleins de mystère. Corrigan se bagarrait avec l'armoire du bas, et cette fois la porte d'entrée claque.

De ma vitre, j'ai découvert un ballet d'hommes bien habillés, juste devant la maison, sur la grève. Ils portaient les vieux costumes, les chapeaux, les foulards. L'un d'eux avait une pochette rouge sur un veston noir, un autre brandissait des souliers cirés. Dans le cortège, Corr, un peu de guingois, la main sur la bouteille dans la poche de son pantalon. Torse nu, une gueule de sauvage, les cheveux ébouriffés, bras et cou bronzés mais ailleurs la peau blanche. Il a levé la main en souriant à mon père qui, pieds nus devant la porte, sonné, assistait au spectacle. Une douzaine de lui-même sur le sable après la marée.

Deux femmes que j'avais aperçues à une distribution de fripes paradaient sur la rive dans les robes d'été de maman.

*

*   *

Corrigan m'a dit une fois que Jésus était très facile à comprendre. Il allait où on l'attendait, il restait où on avait besoin de lui. Sans emporter grand-chose, rien qu'une paire de sandales, un bout de chemise et quelques trucs pour tromper la solitude. Jamais il n'avait refusé le monde. Le refuser aurait été nier le mystère, et nier le mystère rejeter la foi.

Mais Corr voulait un Dieu parfaitement crédible, un Dieu reconnaissable dans la poussière des jours. Malgré les vérités froides – la pourriture, la guerre et la misère –, l'existence est capable d'offrir de minuscules beautés, qui le rassuraient. La vie éternelle, le paradis, le miel et la gloriole, il s'en fichait. C'était pour lui le vestiaire de l'enfer. Ce qui le consolait dans la vie réelle, c'est qu'en scrutant bien l'obscurité, on parvenait à distinguer une lueur, abîmée et meurtrie, mais une lueur quand même. Tout simplement, il espérait un monde meilleur, et l'espoir était sa seconde nature. Il en retirait une sorte de triomphe qui dépassait les arguments théologiques, un optimisme vainqueur de toute incertitude.

— Un jour, les débonnaires le souhaiteront peut-être aussi, vois-tu.

Nous avons vendu la maison après le décès. Le père a pris la moitié de la somme, Corrigan a donné sa part aux pauvres. Il vivait d'aumônes, de charité, et s'est intéressé à François d'Assise. Parcourait la ville pendant des heures en lisant ses bouquins. Avec de vieux bouts de cuir, il s'était fabriqué des sandales qu'il portait sur des chaussettes multicolores. Au milieu des années 60, ses cheveux raides, sa salopette de charpentier et ses livres sous le bras en faisaient à Dublin une figure familière. Sans un rond, sans manteau et sans chemise, il marchait à pas lents dans les rues. Chaque mois d'août, le jour anniversaire d'Hiroshima, il s'enchaînait à Kildare Street aux grilles du Parlement. Sentinelle muette d'une nuit, pas de photos, pas de journalistes, lui seul et son carton par terre.

À dix-neuf ans, il est parti étudier chez les jésuites d'Emo Court. Premier office à l'aube. Des heures plongé dans la théologie. L'après-midi, promenade dans les champs et versets en latin. Le soir, idem sur les rives de la Barrow, à implorer son dieu sous les étoiles. Prières le matin, à midi, vêpres et complies. Les gloria, les psaumes, les évangiles. La rigueur encadrait sa foi, l'orientait vers un but. Mais les collines de Laois n'allaient pas le retenir. Mon frère ne pouvait pas être un prêtre classique, ni cette vie la sienne. Il n'avait pas cette sorte de détermination, il lui fallait l'espace du doute. Quittant le noviciat, il a rejoint à Bruxelles de jeunes moines qui avaient fait vœu de pauvreté, de chasteté et d'obéissance. Il avait laissé repousser ses cheveux et logeait dans un petit appartement du centre-ville. Gardait le nez dans ses livres : Augustin, Eckhart, Massignon, de Foucauld. C'était une existence simple, faite de labeur, d'amitié, de solidarité. Chauffeur-livreur pour une coopérative fruitière, il a créé une cellule syndicale avec un petit groupe d'ouvriers. Au travail, il ne portait pas l'habit clérical, laissait sa bible à la maison, cachait cet aspect-là de sa personne, même en présence d'autres membres de sa congrégation.

Parmi ceux qui l'ont rencontré, peu savaient qu'il appartenait à un ordre. Dans les endroits qu'il fréquentait, on ignorait le plus souvent qu'il était homme de foi. On le considérait simplement, avec tendresse, comme le représentant d'une époque où tout semblait plus lent, moins compliqué. L'humanité dans ce qu'elle a de pire n'ébranlait pas ses convictions. Peut-être était-ce de la naïveté, mais il s'en fichait, il préférait mourir le cœur à nu, disait-il, et surtout ne pas finir du côté des cyniques.

Il n'avait pour meubles que son agenouilloir en chêne et ses étagères. Il lisait quantité de poètes religieux, plutôt de gauche, et certains théologiens de la libération. En vain, Corr demandait depuis longtemps à être envoyé dans le Tiers-Monde. Bruxelles était trop ordinaire pour lui, il voulait quelque chose de plus rude. Après un séjour à Naples, où il a travaillé avec les pauvres du quartier espagnol, on l'a expédié à New York au début des années 70. New York lui paraissant trop civilisée, aseptisée, l'idée ne lui plaisait pas et il l'a fait savoir. Mais il n'eut d'autre choix que de se plier à l'autorité – il était affecté là-bas, il fallait y aller.

Il a pris l'avion avec sa bible, son agenouilloir, et une valise pleine de livres.

*

* *

J'ai renoncé à la fac et vécu les dernières années du mouvement hippie dans un appart en sous-sol de Raglan Road. Comme presque tout ce qui est irlandais, j'avais deux ans de retard. La trentaine approchant, j'ai trouvé un job dans un bureau, et l'insouciance de la jeunesse commençait à me manquer.

Je n'avais jamais vraiment suivi ce qui se tramait dans le Nord. Ça me donnait parfois l'impression d'un territoire étranger – jusqu'au printemps 74, quand les violences ont passé la frontière.

Un vendredi soir, je suis parti au Dandelion Market trouver un peu de shit, ce qui m'arrivait de temps en temps. C'était un des rares endroits branchés de Dublin – colliers africains, lampes à lave, encens. J'ai acheté dix grammes de marocain devant un stand de disques d'occasion. J'allais rejoindre Kildare depuis South Leinster quand l'air a tremblé. Un flash : tout est devenu jaune, et presque aussitôt blanc. Le souffle m'a projeté contre une grille. Quand j'ai rouvert les yeux, c'était la panique. Des tessons de verre. Un tuyau d'échappement. Un volant qui roulait sur lui-même a fini par se coucher dans la rue. Cet étrange silence, puis des sirènes qui ressemblaient au chant funèbre des pleureuses. Une femme marchait avec une robe déchirée de haut en bas, comme si le destin voulait montrer son torse blessé. Un homme m'a aidé à me relever. On a couru quelques mètres avant de se séparer. Je titubais au coin de Molesworth Street quand un Garda m'a arrêté, l'index pointé sur ma chemise ensanglantée. Je me suis évanoui. Au réveil, à l'hôpital, ils m'ont appris que j'avais perdu la moitié du lobe de l'oreille droite. Un des piquants de la grille l'avait arraché. Bonjour, l'ironie : il représentait une fleur de lys. Mon bout de chair était resté sur l'asphalte, sinon l'ouïe n'avait rien et, pour le reste, moi non plus.

À l'hôpital, la police avait cherché mes papiers dans mes poches. On m'a arrêté pour détention de drogue et conduit au tribunal. Le juge, clément, a parlé de fouille abusive, m'a fait la leçon et renvoyé dans mes foyers. J'ai couru tout droit à l'agence de voyages de Dawson Street prendre un billet d'avion.

J'ai atterri à l'aéroport John Kennedy avec un long collier, une moumoute afghane, et un exemplaire de *Howl*[1] en lambeaux. Les douaniers ont ricané en me voyant. Le rabat de mon sac à dos s'est déchiré quand j'ai voulu le refermer.

Je cherchais Corrigan partout – sur sa carte postale, il avait promis de m'accueillir. Il faisait 30° à l'ombre, la chaleur m'est tombée dessus comme une hache. Il y avait un monde fou dans cet aéroport. Des familles entières se marchaient sur les pieds devant le guichet des informations. Les chauffeurs de taxi avaient dans leurs yeux l'éclat du danger. Aucune trace de mon frère. Assis sur mon sac à dos, j'ai bouquiné pendant une heure jusqu'à ce qu'un policier, du bout de sa matraque, me pousse et fasse voler mon livre.

Dans la fournaise et le bruit, j'ai fini par sauter dans un bus. Je me suis rafraîchi dans le métro sous les ventilateurs. Une Noire à côté de moi s'éventait avec un magazine. Des ovales de sueur sous les aisselles. Je n'avais encore jamais vu une femme noire d'aussi près, sa peau était presque bleue. J'avais envie de la toucher, de poser un doigt en vitesse sur son bras. Croisant mon regard, elle a ajusté son corsage.

— Voulez ma photo ?

— Irlande, ai-je bafouillé. Je suis irlandais.

Elle a relevé les yeux trente secondes après :

— Sans blague ?

Elle est descendue à la 125e. Le grincement infernal des freins.

La nuit était tombée quand je suis arrivé dans le Bronx. Encore chaud dehors à cette heure. Les panneaux publicitaires sur la brique grise. Les syncopes d'une radio quelque part. Un gamin en chemisette faisait des pirouettes sur un morceau de carton. Son épaule servait de pivot au reste du corps. Les contours disparaissent, la silhouette se disloque, les mains à terre, les pieds en orbite. Flexion des bras, la tête se pose sur le sol, demi-tour et le tronc part en arrière, une marionnette sans fils, le mec se rétablit et bondit tout droit, la pureté en mouvement.

Le moteur au ralenti, des taxis clandestins attendaient sur le Concourse. Vieux, blancs et chapeaux à bords larges. J'ai jeté mon sac à dos dans le coffre d'une longue voiture noire.

— Tiennent pas en place, a dit le type en me dévisageant. Vous croyez qu'il va faire quelque chose de sa vie, ce petit con, en marchant sur la tête ?

Je lui ai donné le bout de papier avec l'adresse de Corrigan. Il a grommelé une remarque sur la direction assistée, comme quoi il avait pas ça au Vietnam.

Une demi-heure plus tard, après avoir quadrillé le quartier, le gars s'est arrêté sèchement dans un virage.

— Douze dollars, mon pote.

Pas la peine de discuter. J'ai balancé le fric sur le siège avant et récupéré mon sac. Le chauffeur a redémarré sans me laisser le temps de refermer. J'avais *Howl* serré contre ma poitrine. « J'ai vu les plus grands esprits de ma génération. » Après avoir bâillé deux ou trois fois, le couvercle du coffre a claqué quand le taxi, virant au feu, a disparu.

D'un côté, une clôture grillagée, surmontée par endroits de barbelés, devant les tours d'habitation. De l'autre, les bandes lumineuses des phares en haut, sur la voie express Major Deegan. En dessous, bordant le passage, une longue file de femmes. Des bagnoles, des camions se rangeaient dans les zones d'ombre. Les filles prenaient des poses, en short, en bikini, une drôle de plage en pleine ville. Dans le clair-obscur, un bras tendu semblait soutenir le pont autoroutier. Un talon aiguille grimpait jusqu'aux barbelés. Une jambe faisait la moitié d'un pâté de maisons.

Des oiseaux s'échappaient des piliers mais, renonçant au ciel, redescendaient vite se cacher.

Une prostituée s'est détachée du béton armé. Une fourrure sur les épaules, les cuissardes écartées. Au passage d'une voiture, elle a ouvert son manteau sur un corps entièrement nu. La caisse a klaxonné sans s'arrêter. La fille lui a crié après, puis elle s'est avancée vers moi, une ombrelle rose à la main.

À la lueur vacillante des réverbères, j'ai scruté les balcons des hauts immeubles, cherchant une trace de mon frère. Un sac plastique a dégringolé de nulle part. Une paire de chaussures était accrochée au fil entre deux poteaux.

— Alors, chéri ?

— Je suis fauché, ai-je répondu sans me retourner.

La fille a craché grassement à mes pieds et relevé son ombrelle.

— Connard, a-t-elle dit en me dépassant.

Elle s'est plantée sur le bord éclairé de la rue. À l'approche d'un véhicule, elle baissait et remontait l'ombrelle. Mince planète à elle seule de lumière et de nuit.

Mon sac sur le dos, je me suis approché des tours aussi nonchalamment que possible. Derrière la clôture, les mauvaises herbes étaient jonchées de vieilles seringues, et le panneau à l'entrée couvert de tags. Assis devant, quelques vieux décatis, brisés, s'éventaient avec un journal, prêts à se transformer en sièges vides. L'un d'eux a pris mon bout de papier avec l'adresse de Corrigan, puis s'est affaissé sur sa chaise en faisant la moue.

Un môme est arrivé en courant avec un petit bruit de ferraille – un clic-clic, sautillant. S'est engouffré dans l'escalier noir en laissant derrière lui une odeur de peinture.

J'ai contourné le premier bâtiment, puis le suivant : les angles succédaient aux angles.

Corrigan habitait un de ces immeubles gris, au quatrième de vingt étages. À côté de la sonnette, un minuscule autocollant annonçait *Justice et paix* au milieu d'une couronne d'épines. Cinq verrous, tous cassés. J'ai poussé la porte, qui a pivoté. Un peu de plâtre est tombé quand elle a claqué contre le mur J'ai appelé :

— Corrigan !

Il n'y avait qu'un canapé éventré, une table basse, un simple crucifix en bois au-dessus d'un lit à une place, en bois lui aussi. L'agenouilloir à côté. Des livres ouverts par terre, comme en conciliabule Thomas Merton, Rubem Alves, Dorothy Day.

Épuisé, je me suis affalé sur le canapé.

Un claquement de talons m'a réveillé. À la porte, la pute à l'ombrelle s'épongeait le front. Elle jeté son sac à côté de moi.

— Oups ! Pardon, mon mignon

Je me suis retourné pour qu'elle ne me reconnaisse pas Toujours nue au-dessus des bottes, elle s'est débarrassée de son manteau en traversant la pièce. S'est arrêtée un instant devant le long fragment de miroir calé contre le mur Ses mollets lisses, galbés, musclés. En soupirant, elle a remonté la peau de ses fesses, puis elle a tiré et frotté ses mamelons.

— Putain, a-t-elle dit.

Le bruit de l'eau courante dans la salle de bains.

Les lèvres rouges et brillantes, elle est ressortie avec une énergie nouvelle dans les jambes. Un parfum criard flottait dans la pièce. Agitant son ombrelle, elle m'a soufflé un baiser et au revoir.

Cela s'est reproduit cinq ou six fois, jamais avec la même. La rotation de la poignée. Le clic-clac sur les lattes. Se penchant sur moi, une fille m'a collé ses seins maigres sur le nez.

— Étudiant ? a-t-elle dit comme une proposition.

J'ai fait signe que non et elle a répondu crûment :

— Je m'en doutais.

Elle a souri à la porte :

— Y aura des avocats au Ciel avant que tu revoies quelque chose d'aussi beau.

Son rire dans le couloir.

Il y avait une petite poubelle en fer dans la salle de bains. Des tampons, et des capotes comme de tristes polypes emmaillotés dans des kleenex.

Mon frère m'a réveillé en pleine nuit. Je n'avais aucune idée de l'heure. Vêtu d'une de ces chemises légères qui avaient sa préférence depuis quelques années – noires, sans col, manches longues, boutons en bois. Il avait maigri. Comme si l'ampleur de la misère l'avait perversement réduit à l'essentiel. Les cheveux sur les épaules, et maintenant des favoris. Déjà une pointe de gris aux tempes. Il avait une entaille au visage, l'œil droit au beurre noir. Cet homme faisait plus de trente et un ans.

— Tu vis dans le beau monde, Corrigan.

— Tu as apporté du thé ?

— Qu'est-ce qui t'est arrivé ? Ta joue ?

— Dis-moi au moins que tu m'as pris deux ou trois sachets, frangin ?

J'ai ouvert mon sac à dos. Cinq boîtes de son thé préféré. Il m'a embrassé sur le front. Ses lèvres étaient sèches. Il piquait.

— Qui t'a tapé dessus, Corr ?

— T'inquiète pas. Laisse-moi plutôt te regarder.

Il a tendu le bras et touché le lobe abîmé de mon oreille.

— Rien de grave ?

— Ça me fera un souvenir, je suppose. Tu es toujours non-violent ?

Sourire.

— Toujours.

— Sympas, tes copines.

— Elles viennent pisser et se laver, c'est tout. Je leur interdis de faire des passes ici. Elles n'ont amené personne ?

— Elles étaient à poil, Corr.

— Mais non.

— Je te dis qu'elles étaient nues.

— Elles n'aiment pas s'encombrer de vêtements.

Un petit rire puis, la main sur mon épaule, il m'a repoussé vers le canapé.

— Elles avaient bien des chaussures, quand même, a-t-il continué. À New York, il faut de bons escarpins.

Il a rempli la bouilloire, sorti deux gobelets.

— Mon frère si sage et si sérieux... a-t-il dit, s'esclaffant.

Son rire s'est éteint pendant qu'il allumait le gaz.

— ... écoute, mec. Elles manquent de tout. Je leur donne juste un petit coin à elles, où se reposer de la chaleur, se rafraîchir le visage.

Je repensais soudain à un après-midi, des années plus tôt, où nous nous promenions sur la grève. Il s'était éloigné et la marée montante l'avait bloqué sur un îlot de sable. Mon frère, prisonnier de la mer, inondé de lumière, et les voix qui l'appelaient depuis le rivage. La bouilloire a poussé des gémissement aigus. Même de dos, on voyait qu'il s'était fait cogner.

— Corrigan ?

Il n'a pas répondu. J'ai répété :

— Corrigan ?

Il a réagi la troisième fois – s'est retourné en souriant. Presque l'enfant qui, ce jour-là, avait levé les yeux, les bras, avant de revenir sur la grève, de l'eau jusqu'à la taille.

— Tu vis tout seul ici, Corr ?

— Pour l'instant.

— Et les Frères ? Il n'y a personne avec toi ?

— Oh, on m'habitue aux sensations immémoriales. La faim, la soif, la fatigue à la fin de la journée. Je commence à me demander si Dieu est encore là quand je me réveille au milieu de la nuit.

Il avait des poches sous les yeux et les yeux caves. Il semblait parler à un point au-dessus de mon épaule.

— C'est ce que j'aime bien chez lui, on le remarque par ses absences.

— Ça va, Corr ?

— Mieux que jamais.

— Qui t'a tapé dessus ?

Il s'est détourné.

— Je me suis engueulé avec un mac.

— Pourquoi ?

— Parce que.

— Parce que quoi ?

— Parce qu'il m'accusait de prendre du temps aux filles. Il se fait appeler Birdhouse. Va savoir pourquoi. Il ne voit plus que d'un œil. Il s'est pointé, a frappé à la porte, a dit bonjour, tout ce qu'il y a de plus sympa, mon pote par-ci, mon pote par-là, il a même laissé son chapeau sur la poignée. Assis sur le canapé, il regardait le crucifix. Me dit qu'il a beaucoup de respect pour les âmes pieuses. Puis il a sorti un morceau de tuyau qu'il avait arraché dans la salle de bains. T'imagines ? Pendant ce temps-là, c'était complètement inondé, là-dedans.

Haussement d'épaules.

— Mais elles reviennent quand même, les filles. Non que je les y incite, vraiment. Enfin, qu'est-ce qu'elles vont faire ?

39

Pisser dans la rue ? Ça n'est pas grand-chose, un geste, c'est tout. Elles ont au moins ça. Leur pause-pipi.

Après avoir posé son plateau sur la petite table, il s'est placé sur l'agenouilloir – un simple bout de bois sur lequel prendre appui – et il a rendu grâce à Dieu pour le thé, les biscuits, l'arrivée de son frère.

Il priait encore quand la porte s'est ouverte brutalement sur trois filles.

— Ouh, il neige, là-dedans ! a roucoulé la plus âgée, qui s'est plantée sous le ventilateur. Salut. Moi, c'est Tillie.

Elle était en nage : la sueur perlait sur son front. Posant son ombrelle sur la table, elle m'a dévisagé avec un demi-sourire. Elle s'était composé un visage remarquable de loin : énormes lunettes de soleil à monture rose, fard à paupières scintillant. Une autre a embrassé Corr sur la joue, avant de se refaire une beauté devant le miroir. La plus grande, avec une minijupe blanche, s'est assise près de moi. Elle pouvait être à moitié mexicaine, à moitié noire, avec un corps de mannequin, ferme et souple.

— Salut, a-t-elle souri. Jazzlyn. Tu peux m'appeler Jazz.

Elle était très jeune – dix-sept ou dix-huit ans – avec des yeux vairons : l'un vert, l'autre marron. Des pommettes déjà hautes, rehaussées par le maquillage. Corrigan a approché une chaise de la table. Elle a pris son gobelet, soufflé sur le liquide chaud, laissé une trace rouge sur le bord.

— Mais qu'est-ce qui t'empêche de foutre de la glace là-dedans, Corrie ?

— Je n'aime pas.

— Si tu veux faire américain, faut que tu en mettes.

La fille à l'ombrelle a ricané, elle avait l'air de trouver cela grossier. En fait, elles donnaient l'impression de parler un langage codé. Quand je me suis écarté d'elle, Jazzlyn s'est penchée pour retirer une peluche sur mon épaule. Elle avait l'haleine sucrée. Je me suis tourné vers Corr.

— Tu l'as fait arrêter ?

— Qui ? a-t-il dit, perplexe.

— Le type qui t'a frappé.

— Arrêter pour quoi ?

— Tu te fous de moi ?

— Pourquoi le faire arrêter ?

— Tu t'es encore fait taper dessus, chéri ? a dit Tillie, qui étudiait ses doigts.

Elle a détaché un long bout d'ongle de son pouce, qu'elle a étudié attentivement. Puis elle a retiré la couche de vernis en le frottant contre une incisive et, d'une chiquenaude, elle a lancé sa rognure vers moi. Je l'ai regardée avec insistance. Elle m'a souri de toutes ses dents. Très blanches.

— Je supporte pas qu'on me tape dessus.

— Bon Dieu, ai-je grogné en regardant la fenêtre.

— Ça suffit, a dit Corrigan.

— On garde toujours des marques, non ? a demandé Jazzlyn.

— OK, Jazz, ça va, tu veux ?

— Une fois, un mec, un connard, un triple enculé, m'a tapé dessus avec un annuaire. Tu veux que je te dise un truc sur les annuaires ? C'est plein de noms, mais ça laisse pas d'empreinte digitale.

Elle s'est levée pour retirer son chemisier trop grand. Elle avait un bikini jaune fluo dessous.

— Il m'a tapée là, là, et là.

— OK, Jazz, il faut y aller.

— Je parie que tu trouverais ton nom, là-dedans.

— Jazzlyn !

Toujours debout, elle a lâché un soupir.

— Il est mignon, ton frère, m'a-t-elle dit en reboutonnant son corsage. On l'adore. Comme le chocolat. Ou la nicotine. Pas vrai, Corrie ? Qu'on t'aime comme la nicotine ? Tillie en pince pour lui. Hein, Tillie ? Eh, tu m'écoutes ?

La fille à l'ombrelle s'est détachée du miroir, un doigt au coin de la bouche, là où le rouge bavait.

— Trop vieille pour faire l'acrobate, trop jeune pour mourir, a-t-elle dit.

Jazzlyn manipulait sous la table un petit paquet de papier glacé. Corrigan s'est penché pour l'arrêter :

— Pas ici, tu sais que c'est non.

Les yeux levés au ciel, elle a soupiré en jetant la seringue dans son sac.

La porte a tremblé sur ses gonds. Les trois filles ont soufflé un baiser, même Jazzlyn qui nous tournait le dos. On aurait dit un tournesol dégénéré, le bras incurvé en arrière.

— Pauvre Jazz.

— Quelle épave !

— Au moins, elle fait des efforts.

— Des efforts ? Quels efforts ? C'est une loque, comme les deux autres.

— Mais non, c'est des filles bien. Elles ne savent pas ce qu'elles font, c'est tout. Ou ce qu'on leur fait. Tout ça, c'est la peur. Tu comprends ? Elles tremblent de peur. Comme nous tous.

Il a bu son thé sans nettoyer le rouge à lèvres.

— La peur, c'est comme la poussière, ça flotte dans les airs. Tu te balades et tu ne vois rien, tu ne fais pas attention, mais elle est là, elle s'infiltre partout, recouvre tout. On la respire, on la touche, on la boit, on la mange, elle est tellement fine qu'on ne la remarque pas. Mais elle nous habille. Oui, je veux dire qu'on a peur. Il suffit de rester immobile une seconde, et elle est là sur nos visages, sur la langue. Si on faisait attention, on sombrerait dans le désespoir. Mais pas question de s'arrêter, on avance, il faut avancer.

— Vers quoi ?

— Je n'en sais rien, c'est bien le problème.

— Où veux-tu en venir, Corr ?

— Ouais, je sais que mes mots manquent de chair. Mais c'est mon dilemme aussi, mec. Je suis censé être un homme de Dieu, et je ne parle quasiment pas de lui. Même pas aux filles. Je garde ces idées-là pour moi, pour ma tranquillité d'esprit. L'apaisement de ma conscience. Si je devais penser tout le temps à voix haute, je deviendrais fou. Mais Dieu écoute. Enfin, en général.

Il a fini son thé, s'est essuyé la bouche avec un pan de sa chemise.

— Ces filles, mec, a-t-il poursuivi. Il y a des moments, elles me donnent l'impression de croire plus que moi. Au moins, elles ont la foi quand les mecs baissent leur vitre.

Il a retourné son gobelet et l'a posé en équilibre sur sa paume.

— Tu n'es pas venu à l'enterrement.

Il a léché la goutte de thé qui roulait sur sa peau.

Mon père était mort quelques mois plus tôt. Devant ses élèves à l'université, il parlait de quarks, de particules élémentaires. Malgré la violente douleur qui se propageait dans son bras gauche, il avait tenu à finir son cours. « Trois quarks pour Môssieur Mark[2]. » Merci, rentrez chez vous, bonne nuit. Au revoir. Loin d'être anéanti, j'avais envoyé des dizaines de messages à Corr, j'étais même passé par la police du Bronx, mais ils ne pouvaient rien faire, disaient-ils.

Je m'étais retourné sans cesse en espérant le voir remonter l'étroite allée du cimetière, peut-être dans un des vieux costumes, mais non.

— Il n'y avait pas grand-monde, ai-je ajouté.

Il a haussé les épaules. J'ai poursuivi :

— Un petit cimetière en Angleterre. Un type tondait la pelouse de l'église. Il n'a même pas éteint le moteur pendant le service.

Corrigan continuait de jouer avec sa tasse de thé, comme pour inventer d'autres dernières gouttes.

— Ils ont cité quelles Écritures ?

— Je ne me souviens pas. Désolé. Pourquoi ?

— Aucune importance.

— Tu aurais choisi quoi, toi ?

— Oh, vraiment je ne sais pas. Je serais sans doute remonté aux origines. Quelque chose dans l'Ancien Testament, peut-être.

— Quoi ?

— Je ne sais pas bien.

— Allez, dis-moi !

43

— Mais je sais pas ! a-t-il crié. OK ? J'en sais foutre rien, merde !

J'étais stupéfait de l'entendre jurer. Rouge de honte, les yeux baissés, il raclait l'intérieur du gobelet avec son pan de chemise. Le frottement produisait un drôle de bruit aigu, et j'ai compris qu'on ne parlerait plus de notre père. Cassant, brutal, Corr avait barré la route, établi une frontière, on ne passe pas. J'étais content d'apprendre qu'il avait au fond de lui une faille, si profonde même qu'elle le laissait désemparé. Il s'occupait des souffrances des autres, pas des siennes. J'ai senti à mon tour une pointe de honte à cette idée.

Le silence des frères.

Calant son agenouilloir derrière lui, à la manière d'un coussin de bois, il s'est mis à marmonner.

— Navré d'avoir juré, a-t-il dit en se relevant.

— Ouais, moi aussi.

Il tripotait d'un air absent le cordon du store, qui s'ouvrait et se refermait. En bas, une femme a poussé un cri sous la Deegan. Corr a soulevé une latte d'un doigt.

— Je crois que c'est Jazz.

Il a foncé à la porte. La fenêtre projetait sur son dos des rayures orangées. Les lumières de la rue.

*

*   *

Des heures, des heures de folie et de fuite. Une cité victime du vent et des voleurs. Entre les blocs, les courants d'air faisaient la météo, jouaient tout l'été avec les sacs plastique et les vieux dans la cour, avec leurs dominos sous les détritus du ciel. Les sacs claquaient comme des fusils. À condition de regarder les ordures s'amasser assez longtemps, on pouvait dire exactement d'où venait le vent. Faute de mieux dans le décor, ces arabesques ailées, multicolores, ces grands huit dans les airs, ces hélices, ces spirales et ces tire-bouchons avaient peut-être un certain charme. Parfois un bout de sac s'accrochait à un tuyau, rencontrait la clôture en chemin, alors il reculait de mauvaise grâce, comme si on l'avait mis en garde. Ou il s'effondrait, les poignées arrachées. Pas d'arbres, pas de branches à orner. Dans un appart en face, un gamin avait fixé à sa fenêtre une canne à pêche sans fil. Il n'a jamais attrapé un seul sac. Souvent ils restaient plantés au même endroit, à contempler la grisaille, puis soudain ils plongeaient, disparaissaient après une dernière révérence.

Je m'étais bercé d'illusions, à Dublin, en pensant que j'avais en moi quelques poèmes qui ne demandaient qu'à être écrits. Ça revenait à étendre du vieux linge. Tout Dublin était poète, y compris certainement nos doux poseurs de bombes.

J'étais dans le South Bronx depuis une semaine. Il faisait si humide, certains soirs, qu'on devait fermer la porte à coups d'épaule. Depuis le dixième étage, les gamins jetaient des postes de télé sur les vigiles qui patrouillaient en bas. Attention : airmail ! Les flics arrivaient avec leurs matraques. Des coups de feu sur le toit. Un type à la radio chantait que la révolution sourdait dans les ghettos. Des pyromanes incendiaient les rues. Cette ville mangeait dans des assiettes sales. Les mains dans ses poubelles. Il fallait que j'en sorte, chercher un job, me dégoter une piaule, rejoindre une troupe de théâtre, peut-être travailler pour un journal. Il y avait des annonces dans les gratuits pour des barmen et des serveurs, mais je n'avais aucune envie de filer ce coton-là, au milieu d'Irlandais en casquette. J'ai déniché une place de démarcheur par téléphone, mais il m'aurait fallu une ligne exclusivement pour ça, et impossible de faire venir un technicien dans cette cité : je ne m'attendais pas à cette Amérique-là.

Corrigan m'avait fait une liste de choses à voir : Chumley's Bar dans le Village, le pont de Brooklyn, Central Park avant la tombée de la nuit. Sans argent, je restais devant la fenêtre à suivre l'intrigue des jours. Les ordures m'accusaient. L'odeur montait jusqu'au quatrième.

Le règlement de l'ordre voulait qu'il travaille. Il gagnait trois sous en trimballant dans un Bedford les pensionnaires d'une maison de retraite. Le fil de fer qui maintenait le pare-chocs avait rouillé. Le pare-brise était tapissé d'autocollants pour la paix. Les phares bringuebalaient de chaque côté de la calandre. Absent la plus grande partie de la journée, il s'occupait de ses handicapés. Ce qui pour les autres était un calvaire était une faveur pour lui. Il allait les prendre en fin de matinée dans leur maison de Cypress Avenue – irlandais et italiens pour l'ensemble, mais aussi un vieux Juif, surnommé Albee, en costume gris et kippa.

— C'est le diminutif d'Albert, disait-il. Appelle-moi Albert et je te botte le cul !

Une fois ou deux, l'après-midi, je suis allé tenir compagnie à ces hommes et ces femmes, presque tous blancs. On aurait pu les replier comme leurs fauteuils roulants. Pour ne pas trop les secouer, Corr roulait comme un escargot.

— Tu conduis comme une gonzesse ! gueulait Albee à l'arrière.

La tête posée sur le volant et le pied calé sur le frein, Corrigan se marrait.

Klaxonnant derrière nous, les autres bagnoles faisaient un raffut infernal. L'atmosphère, irrespirable, avait l'odeur des ruines.

— Avance, mec, avance ! criait Albee. Bouge-le, ton veau !

Lâchant enfin les freins, Corrigan nous a menés tout doucement au square de Saint Mary, puis il a poussé ces messieurs dames vers les rares coins encore à l'ombre.

— De l'air frais, disait-il.

Les hommes étaient coincés dans leurs fauteuils, sombres comme les poèmes de Larkin. Les vieilles dames avaient l'air bouleversées. Elles dodelinaient de la tête au vent, en regardant le terrain de jeux où les mômes, pour l'ensemble noirs et latinos, glissaient sur les toboggans et grimpaient aux portiques.

Albee s'est propulsé à l'écart avec quelques feuilles de papier. Il ne disait plus rien, griffonnait avec son crayon. Je me suis accroupi près de lui.

— Vous faites quoi, l'ami ?

— Rien qui te regarde.

— C'est des échecs, ça, non ?

— Tu joues ?

— Bien sûr.

— Classé ?

— Comment ça, classé ?

— Oh, fous-moi le camp ! Encore une gonzesse, celui-là.

À la bordure du terrain, Corrigan m'a fait un clin d'œil. C'était son monde, et visiblement il l'aimait.

La maison de retraite avait préparé un repas à emporter, mais il a traversé la rue jusqu'à la bodega pour acheter en plus des chips, des cigarettes, et une bière fraîche pour Albee. Le distributeur de chewing-gum était retenu par trois chaînes à la devanture et, sous l'auvent jaune, une poubelle gisait, retournée dans un coin. Les éboueurs avaient fait grève au début du printemps et il y avait encore des tas d'ordures à ramasser partout. Les rats couraient le long des caniveaux. Des jeunes types en chemisette prenaient des poses hostiles sur leur perron. Apparemment, ils connaissaient Corr, qui, avant de disparaître à l'intérieur, a échangé avec eux des poignées de main compliquées. Il a mis du temps à ressortir, muni de grands sacs marron en papier. Après une bonne tape dans le dos, un des voyous l'a pris par le bras et l'a tiré vers lui.

— Comment tu fais ? ai-je dit à Corrigan. Pour qu'ils veuillent bien te parler ?

— Pourquoi ils ne me parleraient pas ?

— C'est juste que… je sais pas, ils ont pas l'air faciles

— Pour eux, je suis un ringard.

— Tu n'as pas peur de prendre un coup de couteau ? Ou une balle dans la peau ?

— Pourquoi aurais-je peur ?

Nous avons aidé les petits vieux à remonter dans le Bedford. Corr a fait vrombir le moteur, puis direction l'église. Un vote avait été organisé : c'était ça ou la synagogue. Le bâtiment de brique rouge était couvert de graffitis – blancs, jaunes, rouges, argent. *TAGS 173. GRACO 76.* Les vitraux brisés par des jets de pierres. Même la croix sur le toit était taggée.

— Le Temple du vivant, a dit mon frère.

Le vieux Juif a refusé de sortir. Tête baissée, silencieux, il compulsait des notes dans son carnet. Corrigan a ouvert la portière arrière pour lui tendre une deuxième bière.

— Il est chouette, notre Albee, a-t-il dit en revenant. Il bosse toute la journée sur ses problèmes d'échecs et il ne fait rien d'autre. Il a été grand maître ou un truc comme ça. Hongrois d'origine, et il se retrouve dans le Bronx. Il envoie ses grilles quelque part par la poste. Mène une vingtaine de parties simultanément. Peut même jouer avec un bandeau sur les yeux. C'est ça qui le maintient en vie.

Aidant les autres à descendre, il les a poussés un par un, dans leur chaise, vers l'entrée.

— Maintenant le supplice, a-t-il annoncé.

Les marches du perron étaient brisées, mais Corrigan gardait deux longues planches de bois rangées contre un mur latéral, près de la sacristie. Ils les a disposées parallèlement avant de pousser les fauteuils sur cette passerelle amovible. Les planches se redressaient sous leur poids, on a cru un instant qu'elles s'envolaient au ciel, mais il a poursuivi et elles se sont rabattues en claquant. Il avait l'air bien dans sa peau. Une lueur au coin de l'œil. On voyait ressurgir le gamin de neuf ans à Sandymount.

Et d'installer ces messieurs dames en bon ordre près des fonts baptismaux.

— Le moment que je préfère dans la journée, a-t-il dit.

Il s'est réfugié un instant dans l'obscurité fraîche.

Lorsqu'ils furent tous réunis, ils les a poussés à l'endroit qu'ils désiraient, certains vers les prie-Dieu au fond, d'autres vers les côtés, et une vieille Irlandaise juste devant l'autel, où elle égrenait les perles de son rosaire, dans un sens puis dans l'autre. Elle avait une épaisse chevelure blanche, les yeux rouges au bord des paupières, un regard fixe perdu dans d'autres mondes.

— Je te présente Sheila.

Une ancienne chanteuse de cabaret, à qui le cancer avait volé sa voix. Née à Galway, elle avait émigré juste après la Première Guerre mondiale. De tous les pensionnaires, c'est Sheila qu'il aimait le plus. Il a récité avec elle une dizaine de prières du rosaire. Je suis sûr qu'elle ne savait rien de sa vocation, mais dans cette église avec lui, elle dégageait une énergie qu'elle n'avait pas ailleurs. Ils avaient l'air de prier ensemble pour une bonne averse.

Quand nous sommes ressortis, Albee somnolait sur son siège, le menton orné d'un filet de bave.

— De Dieu, a-t-il grommelé quand le Bedford a redémarré. Z'êtes bien des gonzesses, tous les deux.

Après être repassé à la maison de retraite, Corr m'a laissé dans le Bronx en fin d'après-midi. Une autre tâche l'attendait, il avait besoin de voir quelqu'un.

— Un petit plan à moi, a-t-il dit avant de remonter dans la camionnette. Aucune raison de t'inquiéter. À tout à l'heure.

Il a touché quelque chose dans la boîte à gants.

— Ne m'attends pas, a-t-il ajouté en redémarrant.

Je l'ai regardé partir. Le bras passé par la fenêtre, il me saluait de la main. Il me cachait quelque chose, c'était évident.

La nuit était noire quand enfin je l'ai vu se ranger entre les filles sous la voie express. Il leur apportait du café dans l'énorme bidon métallique qu'il gardait à l'arrière du Bedford. Elles se sont regroupées autour de lui, pendant qu'il mettait des glaçons dans leurs tasses. Jazzlyn portait un maillot de bain une pièce, fluo, qu'elle a tiré dans son dos en faisant claquer l'élastique. Se faufilant près de lui, elle a entamé une danse du ventre contre sa hanche. Elle était grande, exotique, jeune – un papillon. Puis elle l'a poussé d'un geste enjoué, et il a décrit un cercle autour d'elle, comme un Indien. Quelqu'un a hurlé de rire. Un coup de klaxon et elle s'est mise à courir. Alignées aux pieds de mon frère : les tasses en carton vides.

Maigre, épuisé, l'œil sombre, il est arrivé au quatrième.

— Alors, ce rendez-vous ?

— Oh, super, ouais. Pas de problème.

— Toute la nuit à danser dans la lumière psychédélique ?

— Bien sûr, au Copacabana, tu me connais.

Il s'est aussitôt effondré sur le lit. Se réveillant tôt le lendemain matin, il a bu son thé en vitesse. Jamais rien à manger chez lui. Du thé, du sucre, du lait, rien d'autre. Il a dit ses prières, effleuré le crucifix avant de s'en aller une fois de plus.

— Tu redescends voir les filles ?

Il a baissé la tête.

— Je suppose.

— Tu crois qu'elles ont vraiment besoin de toi, Corr ?

— Je ne sais pas, a-t-il répondu. J'espère.

La porte s'est refermée.

La moralité n'a jamais été ma priorité. Ni mon rôle. Ni mon métier. Chacun son truc. On récolte ce qu'on crée. Corrigan avait ses raisons. Mais ces femmes, à des années-lumière de tout ce que je connaissais, me dérangeaient. Ce feu dans leurs yeux. La dépendance à l'héroïne. Leurs maillots de bain. Certaines avaient des traces de piqûres derrière les genoux. C'était bien plus pour moi qu'un simple territoire étranger.

En bas, je faisais le grand tour, je passais par l'autre côté, sur le béton fissuré, juste pour les éviter.

Quelques jours plus tard, on frappait doucement à la porte. Un type un peu plus âgé que nous, avec une seule valise. Un autre moine de l'ordre. Corrigan s'est précipité pour le prendre dans ses bras. Frère Norbert débarquait de Suisse. Son regard brun et triste m'a fait chaud au cœur. Il a étudié les lieux, dégluti bruyamment et lâché quelques mots du genre :

50

— Seigneur, mon Dieu et mon abri.

Le lendemain, il se faisait braquer dans l'ascenseur, un revolver sous le nez. Il avait tout donné de bon cœur, a-t-il annoncé, même son passeport. Une lueur dans ses yeux, proche de l'orgueil. Puis il s'est immergé dans la prière deux journées de suite, sans quitter l'appartement. La plupart du temps, Corrigan était dans les rues. Norbert était pour lui trop convenable, trop comme il faut : il a mal aux dents et il demande à Dieu de le soigner, disait-il.

Dédaignant le canapé, le Suisse a dormi par terre. Il râlait chaque fois que la porte s'ouvrait sur une des putes. Assise sur ses genoux, Jazzlyn lui caressait le tour de l'oreille, jouait avec ses chaussures orthopédiques, les planquait dans les coins.

— Je serai ta princesse, si tu veux.

Il était rouge vif, à deux doigts de chialer. À son départ, il s'est mis à prier, affolé, d'une voix suraiguë ·

— Et la vie bien-aimée qu'on nous a épargnée, la douleur qui est restée, et la vie bien-aimée qu'on nous a épargnée, la douleur qui est restée...

Il s'est effondré en larmes. Corrigan s'est débrouillé pour récupérer son passeport. Il l'a conduit à l'aéroport dans le Bedford. Une dernière prière ensemble et il l'a expédié à Genève.

Il m'observait comme s'il voulait que je m'en aille aussi.

— Je ne sais pas qui sont ces gens, m'a-t-il dit. Ce sont mes Frères, mais à part ça je ne sais pas. Je les déçois.

— Tu devrais quitter ce trou, Corr.

— Pourquoi ? C'est ma vie, ici.

— Trouve un coin au soleil, quelque part. On partirait tous les deux. J'ai pensé à la Californie, un endroit comme ça.

— C'est ici qu'on m'a mis.

— Ils peuvent t'envoyer n'importe où.

— Oui, mais c'est là que je suis.

— Comment as-tu retrouvé son passeport ?

— Oh, j'ai posé des questions.

— C'était un vol à main armée, Corr

— Je sais

— Il va t'arriver malheur.

— Fiche-moi la paix.

Assis à la fenêtre, j'ai regardé les semi-remorques se garer sous la Deegan. Les filles se bousculaient. Au loin, le clignotement d'un panneau lumineux – un seul · une pub pour des flocons d'avoine.

— C'est le bout de la Terre, ici, a dit Corr.

— Tu pourrais faire quelque chose en Irlande. Dans le Nord. À Belfast. Quelque chose pour nous. Pour les tiens

— Oui, je pourrais.

— Ou syndiquer les paysans au Brésil, est-ce que je sais ?

— Ouais

— Alors pourquoi rester ?

Il a souri avec un éclat soudain dans les yeux. Farouche. Je n'aurais su dire ce que c'était. Il a levé les bras vers le ventilateur, à la limite des pales, comme s'il se préparait à regarder l'hélice lui hacher les mains.

*

* *

À l'aube naissante, bientôt mangées par la lumière, les filles se dressaient l'une derrière l'autre devant la cité. Après matines, Corrigan descendait au deli du coin acheter le *Catholic Worker*. Passait sous la voie, traversait la rue vers le store déployé. Des petits vieux en tricot de peau se prélassaient là, pendant que les pigeons attaquaient à leurs pieds des quignons de pain sec. Il réapparaissait avec le journal sous le bras. Je le devinais dans l'œil de béton entre les piliers. Il émergeait de l'ombre, passait devant les filles qui l'appelaient en chœur. Un chant à trois notes. Corr-ig-an. Keu-ri-gan. Car-rig-gun.

Il supportait ça. Les pouces sous les ficelles de son maillot. Jazzlyn lui tenait le crachoir. La pose suggérait un de ces flics d'antan, dans le corps d'une créature en bikini vert. Elle se collait à lui, sa peau nue à quelques centimètres de sa chemise. Il restait impassible. Elle prenait, c'était évident, un malin plaisir à l'aguicher. La fermeté de son jeune corps. Le claquement de la bretelle. Le mamelon saillant sous le tissu. La tête qui se penchait, toujours plus près.

Elle se retournait au passage des voitures. Son ombre s'allongeait au soleil, elle donnait l'impression de vouloir être partout. Elle lui chuchotait encore quelques mots à l'oreille. Corrigan hochait la tête, repartait au deli lui acheter un Coca. Ravie, elle frappait dans ses mains, prenait la canette et s'éloignait paresseusement en la décapsulant Une file de semi-remorques était rangée le long de la Deegan. Le pied posé sur un pare-chocs, Jazz buvait une gorgée, puis elle jetait le reste et montait.

La portière n'était pas refermée qu'elle ôtait son maillot. Mon frère regardait ailleurs. Le Coca formait une mare noire et moussante dans le caniveau.

Le même cirque recommençait sans cesse. Jazz lui demandait à boire et renversait sa canette dès qu'elle trouvait un nouveau client.

J'ai pensé à aller la voir, négocier un prix, profiter au mieux de ce qu'elle savait faire. L'attraper par la nuque, coller mon nez sur elle, son haleine sucrée, la maudire et lui cracher dessus. La punir d'abuser de la charité de mon frère.

— Eh, laisse la porte ouverte, tu veux ? m'a-t-il dit un jour en rentrant.

J'avais réparé un verrou que je fermais l'après-midi, et elles pouvaient bien tambouriner tant qu'elles voulaient.

— Et pourquoi elles vont pas pisser chez elles ?

— Parce qu'elles ont une famille, figure-toi. Des mères, des pères, des frères, des sœurs, des fils. Elles n'ont pas envie qu'ils les voient habillées comme ça.

— Elles ont des enfants ?

— Bien sûr.

— Jazzlyn aussi ?

— Deux.

— Oh putain.

— Et Tillie, c'est sa mère.

J'ai explosé et tant pis pour moi, pour l'impression que je donnais. Quand on ouvre cette porte, on ne la referme pas – c'est un point de non-retour. J'ai craché un torrent : elles m'écœuraient ! Des vampires, toutes autant qu'elles étaient, accrochées à ses veines, à lui pomper son temps, son énergie, sa vie, pire que des sangsues, des punaises accrochées aux murs, et il était débile avec ses bondieuseries, toute cette merde de curé qui ne rime à rien, le monde est pourri de toute façon, faut pas chercher plus loin, quant à l'espoir, ça n'est rien de plus que ce qu'on peut voir avec ses propres yeux.

Il tirait un bout de fil sur la manche de sa chemise, je l'ai pris par le coude avant de continuer :

— Et ne viens pas me raconter ces conneries, comme quoi le Seigneur soutient tous ceux qui tombent, redresse tous ceux qui sont courbés. Il est trop grand pour tenir dans leurs minijupes, ton Seigneur. Tu sais quoi, frangin ? Regarde-les. Va à la fenêtre. Toute la compassion de l'univers n'y changera rien. Regarde les choses en face ! Tu te donnes bonne conscience, voilà. Tu te sens coupable et tu te sers de ton Dieu pour sanctifier tout ça.

Il a entrouvert les lèvres. J'ai attendu mais il n'a rien dit. Nous étions si près l'un de l'autre que je devinais sa langue qui s'activait derrière les dents. Son regard était fixe, brûlant.

— Il serait temps de grandir, frangin. Fais tes valises, va quelque part où tu comptes pour quelque chose. Elles ne méritent rien. Ça n'est pas des Marie-Madeleine et elles te prennent pour un âne. Tu as fait vœu de pauvreté, c'est sûr ! Mais si tu allais te prosterner aux pieds des riches, pour changer ? Il n'aime que les bons à rien, ton Dieu ?

Je voyais la porte dans ses pupilles, un minuscule rectangle blanc, et je me répétais qu'une de ses putes, de ses saintes

minables, allait la pousser d'un instant à l'autre, et je la ver-
rais dans ses yeux aussi.

— Pourquoi tu ne vas pas mortifier les riches avec ta
charité ? Faire le piquet sur le perron d'une bourgeoise et
l'élever jusqu'à Dieu ? Et dis-moi : si les pauvres sont réellement à l'image de Jésus, pourquoi ils sont tellement
lamentables ? Explique-moi, Corrigan. Qu'est-ce qu'ils
foutent là, dehors, à exhiber leur misère au monde entier ?
J'aimerais bien le savoir. C'est de l'orgueil, non ? Aime ton
prochain comme toi-même. Mes fesses, oui. Tu m'écoutes ?
Pourquoi tu les emmènes pas à l'église, tes pétasses, tes
roulures, pour qu'elles nous chantent la messe ? Ah, l'Église
des Visées Supérieures ! Qu'on les voie bien au premier
rang ! Tu te traînes à genoux devant les clodos, les lépreux,
les estropiés, les camés. Et pourquoi ils font rien, eux ? Tu
veux que je te dise ? Parce que ça leur plaît de te sucer la
moelle, voilà !

Épuisé, j'ai posé la tête contre le rebord de la fenêtre.

Je m'attendais à une sorte d'amère bénédiction – il faut
être faible avec les impotents, fort contre les puissants, la
seule paix est celle du Seigneur, la liberté se donne mais ne
se reçoit pas – n'importe quel lieu commun pour calmer
ma colère. Mais il a tout laissé glisser. Son visage ne trahissait rien. Il se grattait la saignée du coude en hochant la
tête

— Laisse la porte ouverte, a-t-il dit.

Ses pas ont résonné sur le palier, puis dans l'allée en bas
où il s'est fondu dans la grisaille.

J'ai couru dans l'escalier humide entre les tourbillons des
graffitis, la fumée du haschich, l'odeur de pisse et de vomi
Il y avait du verre brisé sur les marches du rez-de-chaussée.
Dans la cour, un type tenait un pitbull attaché avec une
bride de cheval et lui apprenait à mordre. L'animal bondissait sous ses bras. Le gars avait des sangles de cuir et de
métal aux poignets. On les entendait dans toute la cité Au
coin de la rue, Corrigan faisait marche arrière J'ai frappé

aux vitres. Il m'a ignoré. Je voulais essayer de le forcer à atterrir, mais le Bedford a filé.

Le chien continuait à bondir, pendant que son propriétaire m'étudiait. Comme si c'était moi qui tentais de lui lacérer la chair. Un mauvais sourire lui a tordu la bouche. La haine réduite à sa plus simple expression. J'ai pensé : « Sale nègre. » Impossible de refouler, voilà ce que je pensais : « Sale nègre. »

Cet endroit m'aurait détruit. Comment mon frère arrivait-il à le supporter ?

Les mains enfoncées dans les poches, j'ai traîné dans le quartier. Évitant le trottoir, j'ai marché dans les rues, le long des voitures, histoire de renverser un peu la perspective. Les taxis me frôlaient les cuisses. Le vent répandait en surface les relents du métro, une odeur âcre de moisissure.

Je suis allé à la vieille église de St. Ann's Avenue. J'ai monté les marches brisées, traversé le vestibule, longé les bénitiers, jusqu'à l'obscurité. Je m'attendais vaguement à le retrouver là, tête baissée en prière, mais non.

Au fond de l'église, on pouvait allumer de petites bougies rouges électriques. Trouant le silence, ma pièce a ferraillé dans le tronc vide. J'avais en tête la voix sans âge de mon père. « Je dis la vérité, c'est tout. Si c'est trop dur à supporter, faut pas poser de questions. »

Corrigan est rentré tard. Je n'avais pas fermé à clé. Il rapportait un tournevis et s'est mis à dévisser les verrous et les chaînes.

— Un petit travail à faire.

Ses yeux tournaient dans leurs orbites, il était indolent et j'aurais dû comprendre, déjà, mais je ne faisais pas le lien. Il s'activait à genoux devant la poignée. Les semelles de ses sandales, foutues, n'étaient plus qu'une mince pellicule de caoutchouc. Son pantalon de chantier lui tenait à la taille avec un bout de ficelle. Faute de quoi, il lui serait tombé sur les pieds. Sa chemise lui collait au corps, ses côtes ressemblaient à un drôle d'instrument de musique.

Il n'avait qu'un truc à tête plate pour des vis cruciformes, qu'il attaquait en biais, par le bord, en inclinant la lame. Fallait être patient.

Prêt à partir, à me trouver une piaule et un job de barman, n'importe quoi pour foutre le camp, j'avais fait mon sac. J'ai poussé le canapé au centre de la pièce, sous le ventilateur, et j'ai attendu, les bras croisés. Les pales n'arrivaient pas à couper la chaleur. J'ai remarqué pour la première fois la petite tonsure que mon frère avait à l'arrière du crâne. J'ai eu envie de le charrier – enfin il devenait moine –, mais il n'y avait plus rien entre nous, ni mots, ni regards. Il s'escrimait sur les verrous. Les vis rebondissaient par terre. La sueur lui gouttait dans le cou.

Il a retroussé ses manches sans faire attention, et du coup c'était clair.

*
* *

Qui croit connaître tous les secrets pense avoir tous les remèdes. Cela n'avait rien d'étonnant que Corrigan se shoote à l'héroïne : il fallait toujours qu'il imite les derniers des tarés. L'illustration perverse de son credo. À moins d'entendre ses propres pas, il doutait de l'existence du sol. Et quand il avait quelque chose dans la tête… C'était déjà comme ça à Dublin, mais aujourd'hui il creusait dans plus dur. Il possédait encore des fragments de réalité, et la question n'était pas de planer – en fait, il se mettait à niveau. Une sorte d'affinité l'unissait à la souffrance. S'il ne pouvait pas la guérir, il l'adoptait. Il se camait car il ne supportait pas que d'autres vivent seuls dans la terreur.

Il gardait ses manches relevées en dévissant les verrous. Ça a duré environ une heure. La saignée de ses bras était parcourue de marques bleues. Quand il a eu fini, le loquet de la porte ne servait plus à rien, elle pivotait simplement sur ses gonds.

— Voilà.

Il est allé à la salle de bains. J'étais sûr d'entendre le chuintement de l'élastique sur son biceps. Il avait déroulé ses manches avant de ressortir.

— Maintenant tu ne touches plus à cette fichue porte, a-t-il ajouté.

Il s'est affalé sur le lit sans un bruit. J'étais certain de ne pas m'endormir, et pourtant le flot incessant de la Deegan m'a réveillé au bout d'un instant. On peut compter sur le monde extérieur. Le ronflement des moteurs et la chanson des pneus. D'immenses plaques de tôle étaient posées par endroits sur les nids-de-poule. Ça faisait un bruit de tonnerre sous les roues des camions.

Rester était une décision facile à prendre : Corrigan ne me demanderait sans doute jamais de partir. J'étais debout et rasé avant lui pour l'accompagner dans ses tournées. Je l'ai secoué sous les couvertures. Il saignait légèrement du nez, le sang formait de petites croûtes sur sa barbe. Il s'est tourné de l'autre côté.

— Tu mets la bouilloire, s'te plaît ?

En s'étirant, il a effleuré le crucifix qui a oscillé sur son clou. La peinture était restée claire sous l'empreinte de la croix. Il a tendu le bras pour la redresser, murmuré quelques mots : « Peut-être qu'il a envie de changer de point de vue, là-haut. »

— Tu pars aujourd'hui ?

Mon sac à dos était prêt sur le plancher.

— Je pensais rester encore un jour ou deux.

— Pas de problème, frangin.

Il s'est peigné devant le miroir brisé, s'est mis un peu de déodorant. Au moins ménageait-il les apparences. Nous avons pris l'ascenseur plutôt que l'escalier. La porte s'est ouverte en gémissant. Les petites lunes brillaient sur le panneau.

— Miracle, a dit Corr Il marche !

Nous avons traversé le mince carré d'herbe, jonché de tessons de bouteilles, au milieu de la cité. Je me sentais bien avec mon frère, soudain, pour la première fois depuis des années. Ce vieux rêve d'un but. Je savais ce que j'avais à faire – lui faire lentement reprendre le chemin d'une vie sensée.

Et bizarrement quelque chose m'a charmé chez les filles du matin. Corr-gan. Corr-i-gun. Corry-gan. C'était aussi mon nom de famille, après tout. Curieux d'être soudain plus à l'aise. Leurs corps me gênaient moins que de loin. Elles couvraient leur poitrine avec une timidité feinte. L'une avait teint ses cheveux rouge vif. Une autre avait de l'eye-liner argenté, brillant autour des yeux. Jazzlyn recentrait son maillot fluo sur ses seins. Tirant une longue bouffée de sa cigarette, elle a recraché la fumée par le nez et la bouche, en jets bien étudiés. Sa peau luisait. Dans une autre vie, elle aurait pu être aristo. Elle inspectait le sol, cherchant quelque chose qu'elle venait de faire tomber. J'ai éprouvé de la douceur pour elle, un désir.

Ils échangeaient des bribes de conversation. Croisant mon regard, Corrigan m'a souri. C'était comme s'il chuchotait à mon oreille, qu'il approuvait tout ce qu'il m'était impossible de comprendre.

Des voitures passaient.

— Fichez le camp, a dit Tillie. Les affaires attendent !

On aurait cru un broker à Wall Street. Elle a fait un signe à Jazzlyn et Corrigan m'a poussé dans l'ombre.

— Elles prennent toutes de l'héro ?

— Certaines, ouais.

— Saloperie, ce truc.

— Ce monde qui les éprouve doit bien leur donner un peu de joie.

— Qui leur fournit la came ?

— Aucune idée, a-t-il dit en sortant une petite montre à gousset, en argent, d'une de ses nombreuses poches. Pourquoi ?

— Je me demande, c'est tout.

Le fracas des voitures au-dessus de nos têtes. Il m'a tapé sur l'épaule et nous sommes partis à la maison de retraite.

La jeune infirmière en uniforme qui attendait sur les marches s'est levée avec un geste de la main quand nous nous sommes garés. Petite et belle, elle avait une masse imposante de cheveux noirs comme ses yeux. Sans doute sud-américaine. Il y avait quelque chose d'électrique entre elle et Corrigan, qui se détendait pourtant à son contact, perdait de sa raideur. Il a posé une main au bas de son dos et ils ont disparu derrière les portes automatiques.

J'ai cherché des preuves dans la boîte à gants : seringues, sachets, quelque chose de l'attirail habituel du drogué. Mais rien à l'exception d'une bible, passablement usée Corr avait jeté des notes en vrac sur le rabat : « Vouloir annuler tout désir. » « Passif devant l'œuvre de nature. » « Poursuis-les et demande l'indulgence. » « La résistance est le nerf de la paix. » Des pattes de mouche. Petit, il avait rarement corné les pages de sa bible – il en avait toujours pris le plus grand soin. Mais aujourd'hui le temps avait passé et marqué son empreinte. Il avait souligné des passages entiers à l'encre noire. Je me suis souvenu d'un mythe dont j'avais entendu parler quand j'étais étudiant – trente-six saints vivaient en ce monde, sous les traits d'hommes simples aux humbles métiers : des bergers, des charpentiers, des cordonniers. Ils portaient les fardeaux de la Terre, et tous communiquaient avec Dieu. Sauf un, oublié du divin Celui-là devait se débrouiller seul, sans plus rien pour le rattacher à ce dont il avait immensément besoin. Corrigan lui aussi avait perdu ce qui le reliait à Dieu : il portait ses misères tout seul, l'histoire de toutes les histoires.

Je regardais la petite brune pousser prudemment les fauteuils sur la rampe. Elle avait un tatouage au bas de la cheville. Et si c'était elle qui lui fourguait de l'héro ? Mais elle paraissait si gaie sous la lumière oblique, sous le soleil brûlant.

— Adelita, s'est-elle présentée en me tendant la main par la vitre ouverte du Bedford. Corrigan m'a dit mille choses sur toi.

— Eh, bouge ta carcasse et file-nous un coup de main ! a lancé mon frère de l'autre côté.

Il avait un mal de chien à hisser la vieille Irlandaise. Sheila ressemblait à une poupée de chiffon, il avait les veines du cou gonflées par l'effort. Le souvenir de ma mère au piano a jailli sans prévenir. À bout de souffle, Corrigan sanglait Sheila à l'arrière de la camionnette.

— Il faut qu'on parle.

— C'est ça, aide-moi plutôt à les faire monter.

Il a croisé le regard de l'infirmière, de l'autre côté de la banquette. Elle avait une goutte de sueur sur l'ourlet de la lèvre, qu'elle a essuyée sur sa manche courte. Accoudée à la rampe, elle a allumé une cigarette pendant que nous démarrions.

— La délicieuse Adelita, a dit Corrigan au coin de la rue.

— Ce n'est pas de ça que je voulais parler.

— Eh bien moi si, et de rien d'autre.

Jetant un coup d'œil au rétro, il a ajouté :

— Pas vrai, Sheila ?

Il a fait un mini-roulement de tambour sur le volant.

Son vieux fond d'allégresse remontait à la surface. Je me suis demandé s'il s'était shooté à l'intérieur. Je ne savais pas grand-chose de la dépendance mais, à ce qu'on disait, tout était possible. Il était gai, détendu, je ne reconnaissais pas les effets de l'héroïne – ceux que j'imaginais. Il conduisait un bras sur le volant, l'autre sur la portière, et le vent lui rabattait les cheveux.

— Tu es vraiment une énigme.

— Il n'y a rien de mystérieux, frangin.

Albee gueulait à l'arrière :

— Gonzesse !

— La ferme ! a dit Corr, souriant, avec l'accent du Bronx.

Ne l'intéressait que l'instant présent, l'immédiat absolu. Quand nous nous battions, enfants, il encaissait les coups sans riposter. La bagarre s'arrêtait quand j'avais fini de le frapper. Je n'aurais pas eu de mal à le faire maintenant, le pousser contre la portière, lui vider les poches, prendre les paquets de poison qui le détruisaient.

— On devrait refaire un tour là-bas, Corr.

— Ouais.

Il était ailleurs.

— Je veux dire à Sandymount. Juste une semaine ou deux.

— On n'a pas vendu la maison ?

— Si, mais on trouvera bien de quoi se loger.

— Les palmiers, s'est-il rappelé avec un demi-sourire. Le truc le plus incongru de Dublin. Quand je parle de ces palmiers, les gens refusent de me croire.

— Tu viendrais ?

— Un de ces quatre, peut-être. Je pourrais prendre des gens avec moi

— Sûr.

Il a jeté un coup d'œil au rétro. Je ne le voyais pas ramener Sheila en Irlande, mais j'étais prêt à lui laisser toute latitude.

Arrivé au square, il a installé les petits vieux à l'ombre sous le mur. C'était une belle journée ensoleillée, sans un souffle de vent. Sa liasse de problèmes devant lui, Albee marmonnait en calculant les mouvements de ses pièces. Chaque fois qu'il réussissait un coup, il débloquait le frein et swinguait joyeusement sur son fauteuil. Sheila avait coiffé ses longs cheveux gris d'un chapeau de paille à bords larges. Elle se raclait la gorge pendant que Corrigan lui appliquait doucement un mouchoir sur le front. Cette femme avait la mélancolie de l'immigré qui jamais ne retrouvera son pays, un pays disparu à tous points de vue et qu'elle cherchait encore du regard.

Près de nous, des gamins avaient ouvert une bouche d'incendie et dansaient dans l'eau. L'un d'eux avait descendu un plateau de cuisine pour surfer sur le jet. Une vague l'a propulsé vers le portique des balançoires et il est tombé sur le grillage, la tête la première en riant. Les autres demandaient à grands cris qu'il leur prête son plateau. Corrigan est venu plaquer ses mains sur les losanges métalliques de la clôture. Derrière lui, des basketteurs couverts de sueur dribblaient vers un panier dépourvu de filet.

Pendant un court instant, il m'a semblé que mon frère avait raison, qu'il y avait quelque chose à distinguer ici, de la joie à protéger. J'avais envie de lui dire que je commençais à comprendre, que j'avais ma petite idée, mais il m'a annoncé qu'il partait à la bodega.

— Fais attention à Sheila une seconde, tu veux ? Son chapeau est de travers. Il faut lui éviter les coups de soleil.

Le bandana dans la poche arrière, un gang de jeunes en jean serré traînait devant l'épicerie. Ils se donnaient de l'importance en s'allumant l'un l'autre leurs cigarettes. Corrigan a échangé les habituelles poignées de main à rallonge, et ils ont disparu ensemble à l'intérieur. J'étais sûr : je le sentais sourdre au fond de moi. Je me suis mis à courir. Mon cœur battait sous ma pauvre chemise de toile. J'ai slalomé entre les détritus entassés devant la devanture, les bouteilles d'alcool vides, les emballages déchirés. Il y avait une rangée d'aquariums derrière la vitrine, de ridicules poissons rouges tournaient bêtement en rond. Une clochette a retenti. La Motown sur la stéréo à l'intérieur. Deux gosses, trempés après l'épisode de la bouche d'incendie, lorgnaient sur le congélateur plein de glaces et d'esquimaux, et les grands campaient plus loin, à côté des armoires à bières. Au comptoir avec un demi-litre de lait, Corrigan m'a regardé, pas gêné le moins du monde :

— Je croyais que tu t'occupais de Sheila.

— C'est ça que tu croyais ?

Je m'attendais à un geste brusque, un sachet d'héroïne empoché en toute hâte, une transaction discrète sous le comptoir, et de nouvelles poignées de main avec le gang, mais rien.

— Mets ça sur mon ardoise, a dit Corr au patron.

Il a donné une petite tape sur un aquarium en sortant, et la clochette a retenti à la porte.

— On vend de la came aussi, là-dedans ? ai-je demandé en traversant la rue.

— Toi et ta came.

— Tu es sûr ?

— Sûr de quoi ?

— J'aimerais bien que tu me le dises. Tu as l'air malade. Regarde-toi dans la glace.

— Tu te fous de moi ? a-t-il dit, riant et renversant la tête. Me piquer ? Moi ?

Nous arrivions à la clôture du square

— Je n'y toucherais pas avec un bâton, a-t-il continué, les doigts serrés sur le grillage, ses articulations blanches et saillantes. Tous mes hommages au Ciel, j'aime mieux rester ici.

Il s'est tourné vers la petite rangée de fauteuils roulants alignés sous le mur. Il gardait quelque chose de frais, de jeune, même. À seize ans, Corrigan avait inscrit à l'intérieur d'un paquet de cigarettes que le vrai message de l'Évangile tenait… à l'intérieur d'un paquet de cigarettes. C'était aussi simple que ça, ne pas faire à autrui ce qu'on ne voulait pas qu'on nous fasse. Seulement, à cette époque, il ne se doutait pas des complications.

— Tu n'as jamais l'impression d'un truc qui flotte dans ton corps ? m'a-t-il dit. Tu ne sais pas ce que c'est, c'est comme une boule, une pierre, ça pourrait être du fer, du coton, de l'herbe, n'importe quoi, mais c'est là à l'intérieur. Ce n'est pas le feu, ni la colère, rien qu'une grosse boule. Et ça reste hors d'atteinte.

Avant de poursuivre, il a détourné les yeux en frappant sa poitrine, côté cœur :

— Elle est là. À cet endroit exactement.

On sait rarement ce qu'on va entendre quand on l'entend pour la première fois, mais une chose est sûre : on ne l'entendra plus jamais pareil. Nous essayons sans doute de revivre le moment, sans vraiment le retrouver. Il ne reste qu'un souvenir, l'empreinte émoussée de ce qui était, de ce que cela signifiait.

— Tu me fais marcher, hein ?

— J'aimerais bien, a-t-il dit.

— Allez, arrête…

— Tu ne me crois pas ?

— Jazzlyn ? ai-je demandé, décontenancé. Tu n'es pas amoureux de cette pute, quand même ?

Il a ri bruyamment, mais c'était un rire fuyant. Il a balayé le square du regard, pendant que ses doigts jouaient avec le grillage.

— Non, pas de Jazzlyn, non.

*

*   *

Nous avons traversé le South Bronx sous le ciel embrasé. Le couchant avait la couleur d'un muscle, strié de rose et de gris. L'œuvre des pyromanes. Les proprios, m'expliquait Corrigan, pratiquaient couramment l'arnaque à l'assurance. Moralité : des rues entières d'appartements et d'entrepôts abandonnés aux braises.

Des gangs de gamins occupaient les carrefours, où les feux restaient en permanence au rouge. D'immenses flaques d'eau stagnaient devant les bouches d'incendie. Un bâtiment de Willis Street à moitié effondré sur la chaussée. Des chiens errants fouillaient prudemment les décombres. Une enseigne au néon, cramée, se maintenait toute droite. Des camions de pompiers nous ont dépassés, puis deux voitures de flics qui se suivaient de près. Ici et là, des silhouettes émergeaient de l'ombre, des sans-logis avec des caddies pleins de fils électriques. On aurait dit des pionniers sur la route du lointain Ouest, poussant leurs chariots dans les plaines de la nuit.

— Qu'est-ce qu'ils font ?

— Ils pillent les bâtiments. Ils éventrent les murs et ils revendent les câbles de cuivre. Ça leur rapporte vingt cents le kilo, quelque chose comme ça.

Se garant devant un immeuble abandonné, encore épargné par le feu, Corrigan a mis le levier de vitesse sur park.

Un brouillard planait dans la rue. On distinguait à peine la cime des réverbères. L'entrée des bâtiments était scellée avec du ruban jaune, mais on avait enfoncé les portes. Assis en tailleur sur son siège, les sandales au niveau de l'entrejambe, Corr a allumé une cigarette. Il l'a fumée jusqu'au bout, puis il a jeté le mégot par la fenêtre.

— En réalité, j'ai une forme bénigne d'un truc qui s'appelle la maladie de Mosch-quelque chose, a-t-il dit finalement. J'ai commencé à avoir des bleus partout. Là, là et là. C'est pire sur les jambes. Ça fait des taches, comme des éclaboussures. Au départ, je n'y ai pas franchement fait attention. J'ai eu un peu de fièvre, et quelques étourdissements.

« Jusqu'à un jour de février à la maison de retraite. Je les aidais à monter au deuxième des meubles du rez-de-chaussée. Des trucs trop gros pour rentrer dans l'ascenseur. Et il faisait une chaleur épouvantable, là-dedans. Ils laissent le chauffage allumé pour les petits vieux. T'imagines pas l'étuve dans l'escalier, avec tous ces tuyaux. Comme si on avait mis Dante à la chaudière. Pénible, le boulot. J'avais retiré ma chemise, gardé seulement mon maillot de corps. Mon Dieu, depuis combien d'années je ne m'étais pas retrouvé en maillot ! J'étais entre deux étages avec les gars quand celui derrière moi me montre du doigt mes bras et mes épaules. Il me dit que je me suis battu il n'y a pas longtemps. Ce qui était vrai. Les macs m'emmerdaient parce que je laissais les filles pisser à la maison. Je m'étais fait taper dessus, j'avais des points de suture à l'arcade sourcilière. Avec ses bottes de cow-boy, l'un d'eux m'avait pas mal amoché. Mais j'avais déjà presque oublié, jusqu'à ce jour dans l'escalier, quoi Adelita dirigeait les opérations : "Mettez ça ici, mettez ça là, etc." On a calé un énorme bureau dans un coin et les mecs se foutaient de ma gueule, comme quoi j'étais le seul Blanc qui s'obstinait à se battre dans le quartier. J'avais un siècle de retard, c'était fini, les Big Jack Doyle Et ils me charrient : "Corrigan, à la baston ! Allez, bats-toi, on va t'envoyer au Zaïre, tellement tu cognes dur !" Ils ne savent pas que j'appartiens à un ordre. Personne ne le sait. Enfin, pas à cette époque-là. Alors Adelita s'approche, pose un doigt sur un bleu, assez fort, et elle dit : "Tu as la maladie de Moschcowitz, toi." Moi, je fais le con : "Moshé quoi ? Dayanowitz ?" Et elle dit : "Non, non, je ne plaisante pas." J'apprends qu'elle prépare un concours, le soir chez elle, pour entrer en fac de médecine. Elle avait travaillé comme infirmière au Guatemala dans les hôpitaux de la haute société. Elle avait toujours voulu être médecin, elle avait commencé des études, mais la guerre avait tout arrêté. Prisonnière des circonstances. Ensuite, elle a perdu son mari et elle est venue travailler ici. Mais ses références ne valent rien. Elle a deux enfants, qui ont maintenant l'accent américain. Enfin bref, elle parle d'anémie, de plaquettes, d'hémorragies internes, et elle dit que je dois consulter quelqu'un. Elle m'a épaté, frangin.

Il a baissé la vitre de la camionnette, aligné son tabac sur une mince feuille, gratté une allumette.

— Bon, alors, je vais consulter un médecin. Elle avait vu juste. J'ai un truc dont on ne sait pas grand-chose. Une maladie idiopathique, ça s'appelle, on n'en connaît pas les causes, mais on m'explique que c'est assez sérieux, cette affaire, qu'on peut tomber gravement malade. Un jour ou l'autre, il faut suivre un traitement, sinon c'est la mort. Ce soir-là, je rentre chez moi, j'appelle Dieu dans le noir et je lui dis : "Merci mon Dieu, encore des tracas." Et cette fois, Dieu est là, frangin. Tout ce qu'il y a de plus présent. À découvert. Le contraire m'aurait arrangé, pourtant. J'aurais pu faire semblant de le chercher. Mais non, il est bien là, ce vieux bandit. Il me donne des réponses logiques sur la maladie, comment l'accepter, la surmonter et voir le monde d'un œil neuf, son beau discours, le prêche du corps, de l'âme, le sacrement de la solitude, et redoubler d'efforts dans un but unique. Viser le bien commun, s'ouvrir à l'espérance. Mais tu vois, ce Dieu logique, là, il ne me plaît pas trop, et sa voix pas beaucoup non plus. Il a une voix que… je ne sais pas, je n'arrive pas à l'aimer. Je la comprends, mais ça ne me convient pas, ça n'est pas dans mon registre. Ce qui n'est pas un problème, d'ailleurs, c'est arrivé souvent que je ne l'aime pas, et c'est bon d'entrer en conflit avec lui. Des tas de gens très bien ont vécu la même chose que moi, ou pire.

« Je me dis qu'être malade n'a rien d'une nouveauté, et la mort encore moins. Ce qui est affreux, c'est ce grand vide à chaque fois que j'en appelle à lui. Tu vois, quand j'essaie, c'est ça : le vide qui fait écho. J'ai tenté tout et plus, frangin. Ma confession sincère, le désir de garder la foi, tout, tout, tout. Je suis allé trouver le père Marek, ici à Saint Ann's. C'est un bon prêtre. On s'est démenés, tous les deux. On y a consacré des heures. Des heures à prier Dieu, du matin jusqu'au soir. Autrefois, quand on n'était pas d'accord, Dieu et moi, ça me remuait le fond du cœur. J'ai pleuré devant Dieu. Mais il n'avait que ces arguments rationnels à me fournir. Je savais que ça passerait, que je surmonterais l'épreuve. Je ne pensais pas encore à Adelita, à cette époque, je n'avais même pas fait attention à elle. Mais je perdais Dieu. Et l'idée de perdre ça… En réfléchissant bien, j'admets que c'était moi, que c'est à moi que je parlais. Que je lui barrais la route. Mais raisonner n'y changeait rien. Soudain tu as devant toi un dieu rationnel, et tu lui dis : "Bon, ben, c'est pas mon trip pour l'instant, Père céleste, je reviendrai quand ça ira mieux."

« Tu sais, quand tu es petit, il vient te cueillir et il te garde. Le vrai problème, c'est de rester avec lui. Ou d'apprendre à tomber. Jour après jour, quand tu n'as rien pour te retenir. Que tu dégringoles. Le défi consiste à savoir remonter. C'est ça que je cherche à faire. Mais je ne me relevais pas. J'en étais incapable.

« Bon, enfin, je suis chez les petits vieux un vendredi après-midi, dans la réserve avec Adelita, elle faisait l'inventaire des bouteilles de sirop. Assis sur l'escabeau, je discute avec elle et elle me demande si, à l'hôpital, ils m'ont donné un traitement. Je me suis surpris à mentir, honteusement, oui, oui, bien sûr, tout va bien, ne t'inquiète pas. "Tant mieux, dit-elle, parce qu'il faut absolument que tu prennes soin de toi." Elle s'approche de moi, tire une chaise et elle commence à me masser la saignée du bras. Parce qu'il est bon d'aider le sang à circuler. Elle avait ses doigts là, comme ça. C'était comme si elle plantait ses mains profondément dans le sol. C'est ce que j'ai ressenti. J'avais la chair de poule. Je me retenais de l'autre main à l'escabeau, et j'avais cette voix dans ma tête qui répétait : "Durcis-toi, c'est une épreuve, sois prêt, sois prêt." Cette voix que je n'aime pas. Alors je regarde derrière le voile, et tout ce que je vois, c'est cette femme, je m'enfonce – c'est une catastrophe –, je coule comme quelqu'un qui ne sait pas nager. Et je dis à Dieu : "Interviens, je t'en prie, oppose-toi !" Elle me donnait de petits coups avec l'ongle dans l'intérieur du bras. J'ai fermé les yeux. "S'il vous plaît, ne laissez pas faire ça." Mais c'était agréable. Tellement, tellement agréable. Je gardais les yeux fermés et je voulais en même temps me forcer à les ouvrir. Il n'y a pas de mots pour ça, frangin. Je n'en pouvais plus. Je me suis levé et j'ai fichu le camp, j'ai foncé à la camionnette.

« J'ai roulé toute la nuit, en suivant les lignes blanches. Je me suis trompé de ponts et je n'avais aucune idée de l'endroit où j'allais. Assez vite, les lumières de la ville étaient loin derrière. Je pensais monter vers le nord, mais je me suis retrouvé sur l'île, mec, Long Island. J'étais sûr de filer à l'ouest, vers les grandes étendues ouvertes où je résoudrais tous les problèmes, et en fait non, j'avais pris l'autoroute dans l'autre sens. Et je continuais, et je continuais. Les voitures me dépassaient à cent à l'heure. Je me forçais à parler tout seul, je craquais des allumettes et j'aspirais le soufre pour ne pas m'endormir. J'essayais de prier. Pour que deux et deux fassent cinq. Et soudain c'était la fin de l'autoroute, j'étais au milieu de nulle part, et j'ai poursuivi le long d'une route normale. Il y avait des terres cultivées de chaque côté, des maisons isolées, de minuscules clartés. Montauk. Je n'y avais jamais mis les pieds.

Brusquement, tout est devenu complètement noir, plus de lumière du tout, et il n'y avait plus qu'une voie sur la chaussée. Voilà comment on arrive au bout de ce pays, mec, par une route de fortune, truffé de nids-de-poule, qui se termine devant un phare. Je me suis dit : "Voilà, ici je vais le retrouver."

« Je suis descendu, je me suis enfoncé dans les dunes, puis j'ai longé le rivage. J'ai marché en l'appelant à grands cris sous les nuages. Pas une seule étoile. Tu aurais attendu un petit croissant de lune ? Quelque chose. N'importe quoi. Non, même pas un bateau. J'avais l'impression d'être abandonné de tout. Je sentais encore les mains d'Adelita au creux de mon bras. Comme si c'était profond et que ça enflait. Et me voilà sur une immense plage avec le feu du phare qui tourne derrière moi. À penser des inepties, comme ça arrive parfois. Je vais partir, tout laisser tomber. Quitter l'ordre, revenir en Irlande, choisir une autre forme de pauvreté. Seulement, ça n'avait aucun sens. Le bout de l'Amérique, peut-être, mais pas la queue d'une révélation.

« Le silence m'a aidé à rassembler mes esprits. J'ai fini par m'asseoir sur le sable et je me suis dit : "Eh bien, ça me rendra peut-être meilleur envers lui. Avec le temps. Il faudra que je lutte, que je me batte, que je m'efforce d'en tirer profit, mais c'est un signe." Je me suis résigné. Ce qui ne nous détruit pas, etc. J'avais la fièvre. J'ai quitté la plage, je suis remonté dans le Bedford. Je me suis calmé, j'ai dit au revoir le phare, la mer, le bout du monde, ça s'arrangera, rien de saint ne tombe du ciel. J'ai repris le chemin de l'appart, je me suis garé et je me suis effondré dans l'ascenseur. Carrément endormi dans la cabine. Puis réveillé lorsqu'elle s'est mise en branle. J'ai ouvert les yeux sur une Noire qui me regardait, effrayée. Ensuite, je me suis enfermé deux jours chez moi. En attendant que ça cicatrise, pour ainsi dire. Que ça se tasse, quoi. Et j'ai mis la chaîne de sûreté. Tu te rends compte ? J'ai verrouillé la porte. Et moi qui t'emmerde avec ça.

Il s'est esclaffé. Venant du fond de l'avenue, les phares d'une voiture lui ont balayé le visage.

— Les filles m'ont cru mort. Elles donnaient de grands coups à la porte pour aller à la salle de bains. Je n'ai pas répondu. Je suis resté allongé, à essayer de prier, de trouver le chemin d'une vague miséricorde. Mais j'avais toujours Adelita devant moi. Les yeux ouverts, les yeux fermés, c'était pareil. Je n'aurais pas dû penser à ces choses. Sa nuque. Ses épaules. Son profil dans un rayon de lumière. Elle était là, à m'observer. J'avais envie de lui crier : "Non, non, non, tu es l'incarnation du désir, et j'ai fait un pacte avec Dieu pour le repousser, le désir. Je t'en prie, laisse-moi tranquille, va-t'en !" Mais elle est toujours là, elle sourit, elle comprend. Et je murmure encore · "S'il te plaît, laisse-moi." Je savais que ça n'était pas que du désir, que c'était bien plus que ça. Je cherchais une réponse simple, de celles qu'on donne aux enfants. Je me répétais que nous avions tous été enfants, que peut-être je pourrais revenir à cet état-là. Ça se réverbérait dans ma tête. Redeviens un môme, pique un sprint sur la grève, jusqu'à la tour. Cours, cours le long du mur. J'avais envie de ces joies-là, que tout soit de nouveau simple. J'ai vraiment fait des efforts pour prier, des tas, des tas d'efforts pour oublier le désir, m'en débarrasser, retrouver le bien, redécouvrir l'innocence. Mais c'était des ronds les uns dans les autres. Et quand tu tournes en rond, frangin, le monde a beau être grand, il rapetisse forcément quand tu creuses ton sillon. Je voulais me glisser sur un rayon de la roue jusqu'à atteindre le centre qui ne bouge jamais. Je ne sais pas comment expliquer, mec. C'était comme si j'attendais le ciel en contemplant le plafond. Et pendant ce temps, on frappait à la porte. Et ensuite des heures de silence.

« À un moment, j'ai entendu Jazzlyn, tu sais, cette voix qu'elle a, comme si elle avait avalé tout le Bronx, penchée devant le trou de la serrure en train de gueuler : "OK, va te faire foutre, petit Blanc de mes deux !" Pour une fois qu'un truc me faisait rire. Si elle avait su... "Va mourir, minable, j'irai pisser ailleurs !"

« Elles ont fini par appeler les flics. Ils enfoncent la porte, ils entrent comme des dingues, l'insigne dans une main, le flingue dans l'autre. Tout d'un coup, ils ne bougent plus, ils me regardent, moi, sur le canapé, ma bible ouverte sur le nez. Y en a un qui demande : "Qu'est-ce que c'est que cette histoire ? C'est quoi, ce bordel ? Il est pas mort. Il pue, mais il est pas mort." Je ne réagis pas, je pose la bible et je mets un bras sur mes yeux. Jazz rapplique au pas de course en répétant : "Faut que j'pisse, faut que j'pisse !" Après, c'est Tillie avec son ombrelle. Elles ressortent des chiottes en gueulant : "Qu'est-ce qui te prend de fermer la porte, Corrie ? Connard ! C'est pas tes habitudes, qu'est-ce qu'on a fait pour mériter ça ? Une vérole blanche, celui-là !" Les flics restaient bouche bée. N'arrivaient pas à le croire. L'un d'eux enroulait un chewing-gum autour de son doigt, dans un sens et dans l'autre, on aurait dit qu'il voulait m'étrangler. Ils devaient penser qu'ils étaient intervenus pour rien, juste une bande de gagneuses qui avaient besoin de pisser. Ils n'étaient pas contents du tout. Ils auraient bien aimé me coller une amende, puisque je leur faisais perdre leur temps, mais ils pouvaient se fouiller, ils n'avaient strictement aucun motif. Je leur ai suggéré de verbaliser la perte de foi, et là ils m'ont vraiment pris pour un fou. Un des plus jeunes m'a dit : "Regardez ce trou à rats. Non, mais bouge-toi, minable !" C'était tellement simple, cette phrase, la façon dont il m'a balancé ça dans la gueule : "Bouge-toi, minable." Il a renversé la plante verte en partant.

« Tillie, Angie, Jazzlyn et les autres ont fait une fête pour ma "résurrection". Elles m'ont même acheté un gâteau. Avec une bougie. Il fallait que je souffle. J'étais prêt à croire que c'était un signe. Mais des signes, non, il n'y en avait pas. Un soir, je suis retourné à la maison de retraite et j'ai demandé à Adelita de me faire circuler le sang. C'est ce que je lui ai dit : "S'il te plaît, tu veux bien me faire circuler le sang, un peu ?" Elle m'a répondu avec son grand sourire heureux que pas maintenant, elle avait sa tournée à finir, mais peut-être plus tard. J'étais là à trembler, avec mon Dieu et mes douleurs coincés à l'intérieur. Et ouais, bien sûr, elle est revenue très vite. C'était tellement simple. Je regardais le luisant de ses cheveux car, ses yeux, je ne pouvais pas. Elle m'a massé les épaules, le creux des reins, même les muscles des mollets. J'espérais que la porte allait s'ouvrir sur quelqu'un, qu'on nous trouverait là, qu'on aurait droit à un esclandre, mais personne n'a montré le bout de son nez. J'ai embrassé Adelita. Et elle m'a embrassé aussi. Combien d'hommes pourraient dire, à un moment ou un autre, qu'ils ne veulent être qu'à l'endroit où ils sont ? Voilà ce que je ressentais. L'instant. Je ne voulais rien d'autre que l'ici et maintenant. Le paradis sur terre. Cet instant-là, unique. Quelques jours plus tard, j'ai commencé à lui rendre visite.

— Tu disais qu'elle avait trois enfants ?

— Deux. Et un mari mort au Guatemala. À la guerre. Pourquoi il se battait, je ne sais plus, avec Carlos Osorio peut-être, j'ai oublié. Un fasciste, quoi. Elle le détestait, son mec, elle s'était mariée jeune, un mariage arrangé, et pourtant il y a sa photo sur l'étagère. Pour que les gamins sachent que leur père existe, ou qu'il a existé, plutôt. Quand on est là ensemble, il nous observe. Elle n'en parle jamais. Il a des yeux très durs. Je m'assieds à la cuisine, elle me prépare un truc, on discute, elle masse mes épaules pendant que les enfants regardent les dessins animés à la télé dans la pièce à côté. Elle sait que j'appartiens à l'ordre, que j'ai fait vœu de célibat, tout. Je le lui ai dit. Pour elle, si ça m'est égal, alors ça lui est égal aussi. Je n'ai jamais rencontré quelqu'un d'aussi adorable. C'est insupportable, je ne sais pas quoi faire. J'ai comme les pales d'un ventilateur qui me tournent dans le ventre. La voix que j'entends chez moi n'est plus celle d'avant, je n'arrive pas à lui remettre la main dessus. Il est parti. La nuit, je m'étire dans tous les sens pour essayer de la récupérer, mais il n'est plus là.

Je n'ai que l'insomnie et le dégoût. Appelle ça comme tu voudras. Appelle ça de la joie, pourquoi pas ? Comment veux-tu que je prie avec ça à l'intérieur de moi ? Comment faire ce que je suis censé faire ? Je ne me juge pas d'après mes actes, mais d'après ce que j'ai dans le cœur. Mon cœur est corrompu par un désir de possession, mais il est pur aussi car je n'ai jamais été aussi heureux qu'avec Adelita. Pareil pour elle. Nous sommes heureux, et je n'arrête pas de me demander si on en a le droit. On n'a pas couché, frangin. Enfin, pas... On y a pensé, oui, mais je veux dire...

Il s'est tu un instant avant de poursuivre :

— Tu sais que j'ai prononcé mes vœux, ce que cela signifie. J'ai longtemps cru qu'il n'y avait pas d'autre homme en moi, rien qu'une personne entièrement dévouée au Seigneur. Que j'étais seul et fort, que mes vœux représentaient tout, que j'ignorais la tentation. J'ai retourné ça mille fois dans ma tête. Ce qui se passerait dans les différents cas. Le problème n'est peut-être même pas de perdre la foi. C'est surtout que je me dresse au milieu de mes décombres, que je vais à contresens de ce que je suis depuis toujours. Je vois soudain tout disparaître, et en même temps je lui mens, à Adelita, même à propos de ma maladie.

— Ça veut dire quoi, la maladie de Mosch... ?

— ... cowitz. Ça veut dire qu'il faut que j'aille mieux, c'est tout.

— Ce qui implique ?

— Suivre un traitement. Des échanges plasmatiques, et d'autres trucs. Je le ferai.

— C'est douloureux ?

— La douleur n'est rien. Elle s'inflige, mais ne se reçoit pas.

Il a ressorti son papier à rouler de sa poche et saupoudré la feuille incurvée de son tabac.

— Et avec Adelita ? Qu'est-ce que vous allez faire ?

Il a roulé la cigarette en regardant par la fenêtre.

— C'est les vacances d'été pour les petits. Ils courent dans tous les sens, ils ont des journées entières pour eux.

Avant, j'y allais sous prétexte de les aider à faire leurs devoirs. Mais l'été, il n'y en a plus. Et tu sais quoi ? J'y vais quand même. Sans chercher à masquer la vérité – que j'ai envie de la voir. Et donc on passe des heures ensemble, tous les deux. C'est moi qui ai besoin de me trouver des excuses. Ah tiens, il faut que je t'enlève ces vieilleries qui traînent sur le palier. Ton grille-pain qui ne marche plus, il est grand temps de le réparer. Je souhaite qu'elle se concentre sur ses examens. Enfin, tout est bon, quoi. Sauf un truc : je ne peux pas proposer d'enseigner le catéchisme aux gosses, parce qu'ils sont luthériens ! Tu imagines, mec ? Luthériens ! Ça n'arrive qu'à moi, ça ! Il fallait que je tombe sur la seule protestante de toute l'Amérique centrale. Génial. Au moins elle est croyante. Et elle a un cœur énorme. Vraiment. Elle me parle de l'endroit où elle a grandi. Je file chez elle à la moindre occasion. J'en ai envie. Besoin. C'est là que je disparais tous les soirs.

« Et chaque fois que je suis là-bas, je me dis que c'est le seul endroit où je ne devrais pas mettre les pieds. Qu'est-ce qui va rester le jour où je sortirai de ce guêpier ? À ce moment les enfants rentrent, sautent sur le canapé, regardent la télé et renversent leur yaourt sur les coussins. La plus petite, Eliana, qui a cinq ans, arrive en tirant une couverture derrière elle et elle me prend les mains pour me traîner au salon. Je la fais sauter sur mes genoux. Ils sont très beaux, tous les deux. Jacobo vient d'avoir sept ans, lui. Je me demande ce qu'il faut de courage pour vivre la vie de tout le monde. À la fin d'un *Tom et Jerry*, de *I Love Lucy*, ou de *La Famille Brady*[3] – merci pour l'ironie –, je me dis : "C'est pas méchant, c'est la réalité, ce n'est pas au-dessus de mes moyens. Je suis là et je ne fais rien de mal." Et puis je m'en vais parce que je suis écartelé.

— Eh bien, quitte l'ordre.

Il tricotait avec ses doigts.

— Ou alors quitte-la, ai-je ajouté.

Il serrait les poings.

— Je ne peux pas non plus. Et les deux sont incompatibles.

Il étudiait le bout rouge de sa cigarette.

— Tu sais ce qui est drôle ? m'a-t-il dit. Le dimanche, ça me prend toujours, comme avant. Les poussières qui se pressent à la surface. C'est là que je me sens le plus coupable. Je me balade avec le *Notre Père* en tête, je le fais tourner comme un refrain. Pour adoucir le malaise. C'est ridicule, hein ?

Derrière nous, une voiture a freiné lentement avant de s'arrêter. Une lumière violente a jailli par la lunette du Bedford. Les flashes bleu et rouge alternaient, sans la sirène. Les lèvres closes, nous avons attendu que les flics descendent, mais ils ont préféré le mégaphone :

— Oh, les pédés, on dégage !

Corrigan a fait un sourire pincé en redémarrant.

— Tu sais, je rêve tous les soirs de glisser ma bouche le long de son dos, comme un bateau sur un long fleuve.

Il a déboîté et n'a plus rien dit jusqu'à la cité. Après s'être garé, il a fait un signe aux filles, sans les rejoindre, puis le bras sur mon épaule, il m'a propulsé dans l'autre sens, vers l'enseigne jaune qui clignotait au coin de la rue.

— J'ai besoin de me soûler la gueule, a-t-il dit en poussant la porte du petit bar. Dix ans sobre comme un chameau, et regarde où j'en suis.

Assis au comptoir, Corrigan a levé deux doigts pour deux bières. Il est des moments auxquels nous retournons toujours. La famille est comme l'eau – elle garde la mémoire de ce qu'elle a rempli, s'efforce de reprendre la forme du courant primitif. Je me retrouvais dans le lit du bas, à écouter les couplets du sommeil. Le volet de la boîte aux lettres s'ouvrait sur notre enfance. Et la porte sur les embruns.

— Et tu me demandes si je prends de l'héro, mec ? a dit Corr en riant, les yeux tournés vers les piliers de la Deegan. C'est pire que ça, frangin, bien pire.

*
*   *

Comme si toutes les horloges s'étaient mises à l'heure, le frigo ronronnait et, dehors, les sirènes se transformaient en flûtes. Corrigan s'était libéré : parler d'elle faisait de lui un homme neuf.

Les quelques jours suivants, ils se sont vus tant qu'ils ont pu – surtout à la maison de retraite, où elle avait changé d'horaires pour lui. Mais Adelita venait aussi à l'appartement. Elle frappait à la porte, débouchait une bouteille de vin, prenait place devant moi. Dure et gracieuse à la fois. Elle tripotait machinalement l'alliance qu'elle portait à la main droite. Ils avaient besoin que je sois là, c'est à peine s'ils m'autorisaient à quitter la table :

— Reste assis, reste assis.

J'étais comme une frontière, une sécurité. Ils n'étaient pas encore capables de franchir le pas. Les convenances les retenaient, cependant ils semblaient vouloir oublier un peu les réalités qui clouent au sol, du moins pendant un certain temps.

Adelita était une de ces femmes qui embellissent à mesure qu'on les regarde – ses cheveux noirs, presque bleus à la lumière, le galbe de son cou, et son grain de beauté près de l'œil gauche : le défaut parfait.

Chaque soir, ma présence devait leur donner l'impression de recevoir quelqu'un, une mission dont ils s'acquittaient à deux et qui leur permettait de se voir en tout bien tout honneur.

Elle parlait à voix basse, comme pour forcer Corrigan à se pencher au plus près d'elle et lui la regardait comme s'il risquait de ne plus jamais la revoir. Parfois elle posait simplement la tête sur son épaule. Je n'existais plus. Dehors, les incendies du Bronx : pour mes deux amoureux, un coucher de soleil, derrière les piliers en béton. Je tirais ma chaise vers l'autre bout de la pièce.

— Assieds-toi, assieds-toi.

Adelita avait un côté extravagant que Corrigan aimait bien, mais il ne savait pas trop s'il pouvait en rire. Elle avait mis un soir un chemisier blanc sans manches sur un mini-short orange. Le haut était pudique, mais le short lui moulait les fesses. Nous avons bu quelques verres d'un vin quelconque et, un peu pompette, elle a noué les pans de son chemisier sur son ventre brun, légèrement distendu par les grossesses, laissant apparaître son nombril. Corr était gêné par ce short si court.

— Mais enfin, Adie !

Et de rougir. Au lieu de lui demander de se rhabiller correctement, il a fait tout un numéro. Il est allé chercher une de ses vieilles chemises Mao pour qu'elle l'enfile par-dessus. Comme si c'était la chose à faire, un acte de tendresse. Il la lui a posée sur les épaules en lui embrassant la joue. La chemise noire couvrait les cuisses d'Adelita, lui tombait presque sur les genoux. Il avait sans doute peur de passer pour un prude, mais en fait il était ébranlé – par l'immensité des changements qu'il traversait.

Elle paradait dans l'appartement en roulant des hanches.

— Voilà, je suis prête à monter au Ciel, a-t-elle dit en tirant la chemise aussi bas que possible.

— Accepte-la, Seigneur, a imploré Corr.

Ils ont ri, mais ce rire cachait quelque chose – le désir de mon frère que sa vie retrouve un sens, mon frère qui avait perdu la grâce, qui était confronté à l'insouciance, à la tentation, et se demandait comment réagir. Il regardait le plafond comme si la réponse y était inscrite. Que se passerait-il s'il s'écroulait soudain devant un rêve évanoui ? Quel genre de haine vouerait-il à son Dieu – et à lui-même – s'il renonçait à Adelita ?

Main dans la main dans le noir, il l'a raccompagnée chez elle. En revenant à l'appartement, bien des heures plus tard, il a accroché la chemise noire sur un coin du miroir.

— Un short orange, a-t-il dit. Non, mais tu te rends compte ?

Nous nous sommes assis, la bouteille entre nous.

— Tu sais ce que tu devrais faire ? m'a-t-il demandé. Travailler à la maison de retraite.

— Il te faut un garde du corps, c'est ça ?

Il a souri, mais je savais ce qu'il pensait : « Viens m'aider, je ne sais toujours pas nager. » Il voulait auprès de lui quelqu'un qui soit capable de garantir que tout cela n'était pas une illusion démesurée. Ses propres yeux ne suffisaient pas : il fallait qu'on lui fasse passer le message et que celui-ci soit cohérent. Ne serait-ce que pour moi.

J'ai préféré un job de barman dans le Queens. Plafond bas. Sciure par terre. Un de ces cafés irlandais qui me révulsaient. Je servais des pale-ales à la pression, je mettais moi-même des pièces dans le juke-box pour éviter d'entendre toujours les mêmes morceaux. À la place de Tommy Makem, des Clancy Brothers et de Donovan, je risquais un Tom Waits. Mes buveurs avaient l'esprit moins ouvert que le gosier.

J'ai pensé à écrire une pièce qui aurait eu un bar pour cadre – comme si personne ne l'avait jamais fait, que c'était une idée révolutionnaire – et donc j'écoutais mes compatriotes, la main sur mon bloc-notes. Ils entassaient leurs couches de solitude les unes par-dessus les autres. Les villes lointaines me donnaient l'impression d'être faites spécialement pour qu'on s'en souvienne. Nous emportons notre pays en partant – il est parfois d'autant plus présent qu'on l'a quitté. Mon accent prenait de la lourdeur, j'essayais différentes dictions, prétendais être originaire de Carlow. La plupart des clients venaient de Kerry et de Limerick. L'un d'eux, un grand rouquin bedonnant, était avocat. Il se donnait de l'importance en payant des tournées. Les autres trinquaient avec lui, mais l'appelaient « le bavard de mon cul » dès qu'il allait pisser. Ils n'auraient pas employé ces mots-là en Irlande – où les avocats corrompus, « de leur cul » en particulier, n'étaient pas légion –, mais ils répétaient ça à tort et à travers. Au départ de l'intéressé, l'expression se glissait dans les chansons à l'hilarité générale. Un avocat

79

marron s'en va par les montagnes de Cork et de Kerry. Un avocat marron passait par la Lorraine avec ses gros sabots.

Les gars arrivaient en masse dans la soirée. Je remplissais les verres, puis je vidais le bocal à pourboires.

Et j'habitais toujours chez Corrigan. S'il dormait de temps en temps chez Adelita, c'est un sujet qu'il n'abordait pas. J'aurais voulu savoir s'il avait enfin couché mais il hochait simplement la tête, il ne voulait ni ne pouvait en parler. Il était toujours moine, et ses vœux l'enchaînaient.

Un soir d'août que je n'avais pas trouvé de taxi sur le Concourse, j'ai fait le long trajet du retour en métro. À cette heure de la nuit, je ne tenais pas à rentrer à pied. On se faisait tabasser pour rien dans le Bronx. Ou tuer. On se retrouvait aussi facilement au trou, et avoir la peau blanche n'était pas la meilleure idée. Il était temps de me dégoter une piaule quelque part, peut-être au Village ou dans l'East Side. Les mains dans les poches, je tâtais mon salaire du jour – une petite liasse de billets enroulés. Je venais à peine de sortir du métro quand j'ai entendu siffler de l'autre côté de l'avenue. Tillie remontait la bretelle de son maillot. On l'avait éjectée d'une voiture, elle s'était éraflée en tombant.

— Pomme d'amour ! a-t-elle crié en trébuchant vers moi, son sac décrivant un arc de cercle au-dessus de sa tête.

Elle avait perdu son ombrelle. Ses seins dansaient et elle avait la peau des genoux à vif. Elle a glissé son bras sous le mien.

— Quiconque m'a emmenée ici devra me raccompagner chez moi, a-t-elle dit.

C'est un vers de Rumi, je le savais et j'ai pris un air étonné.

— C'est quoi le problème ? a-t-elle fait en haussant les épaules.

Elle m'entraînait. Son mari, a-t-elle ajouté, avait étudié la poésie persane.

— Mari ?

Je me suis arrêté pour la dévisager Adolescent, j'avais un jour examiné un fragment de ma peau au microscope.

Médusé, je n'arrivais pas à détacher mes yeux des sillons magnifiés sur la lamelle.

Brusquement, le dégoût intense que j'éprouvais la plupart du temps s'est mué en stupeur quand j'ai compris qu'elle se foutait de tout.

— Ressaisis-toi, m'a-t-elle lancé, la poitrine frémissante.

C'était d'ailleurs son *ex*-mari. Si, si, il avait étudié la poésie persane. Et alors, la belle affaire ! Il louait parfois une suite au Sherry Netherland. J'ai pensé qu'elle était stoned. Le monde semblait rapetisser autour d'elle, se réduire à la taille de ses yeux. Ourlés de fard violet. J'ai soudain eu envie de l'embrasser. Un élan sauvage et confiant de désir pro-américain. Je me suis penché vers elle et elle m'a repoussé en riant.

Une longue Ford Falcon customisée s'est arrêtée le long du trottoir.

— Il a déjà payé, mec, a dit Tillie sans se retourner.

Bras dessus bras dessous, nous avons continué à marcher. Sous la Deegan, elle s'est collée contre ma poitrine.

— Pas vrai, chéri ? Que tu as déjà payé la marchandise ?

Elle me réchauffait du plat de la main et ça me faisait du bien. Il n'y a pas d'autres mots pour ça. Elle me faisait du bien.

— Appelle-moi Sweetcakes.

Elle avait cet accent traînant qui semblait l'envelopper.

— Tu es parente avec Jazzlyn, non ?

— Et alors ?

— C'est toi, sa mère ?

— Tais-toi et paie, a-t-elle dit en m'effleurant la joue.

Quelques instants plus tard, j'avais le curieux réconfort de son souffle chaud dans mon cou.

*

*   *

La rafle a commencé tôt le matin, un mardi du mois d'août, alors qu'il faisait encore nuit. Le long de la Deegan, les flics alignaient leurs fourgons entre les ombres des réverbères. Les filles paraissaient beaucoup moins inquiètes que Corrigan. Lâchant leurs sacs à main, quelques-unes se sont mises à courir avec de grands gestes des bras vers les rues latérales. Où les attendaient d'autres camions aux portières ouvertes. Les policiers leur passaient les menottes avant de les conduire dans les cages sombres de leurs véhicules. Alors seulement elles poussèrent des cris – en se penchant pour récupérer au-dehors leurs rouges à lèvres, lunettes de soleil, talons aiguilles.

— Eh, j'ai fait tomber mon porte-clés ! a gueulé Jazzlyn.

Sa mère l'aidait à monter. Tillie gardait son calme, comme si ça arrivait tout le temps. Le soleil se levait un matin de plus, et voilà. Croisant mon regard, elle m'a fait un demi-clin d'œil.

Les poulets buvaient tranquillement leur café dans la rue, fumaient leurs clopes d'un air las. Ils appelaient ces dames par leurs noms et surnoms. Foxy. Angie. Daisy. Raf. Sweetcakes. Sugarpie. Ils les connaissaient bien et leur intervention était aussi molle que s'annonçait la journée. Probablement au courant depuis la veille, les filles avaient jeté dans le caniveau seringues et autres objets compromettants. Il y avait déjà eu des coups de filet, mais pas de cette ampleur.

— Je veux savoir ce qu'on leur fait, disait Corrigan à un agent. Où vont-elles ?

Puis, se retournant vers un autre :

— Pourquoi les arrêtez-vous ?

— Parce qu'elles regardent trop les étoiles, a répondu un flic en lui tapant brutalement sur l'épaule.

Un long boa à plumes s'est entortillé dans la roue d'une de leurs voitures à damier. Il s'est déployé affectueusement entre les deux essieux, envoyant voler des peluches roses.

Corrigan relevait les matricules sur les badges Une grande asperge en uniforme lui a arraché son carnet des mains avant d'en déchirer les pages, une à une, sous son nez.

— Écoute-moi, Irlandais de mes fesses, elles vont bientôt revenir, OK ?

— Où les emmenez-vous ?

— Qu'est-ce que ça peut te foutre, mon pote ?

— Où les emmenez-vous ? Quel commissariat ?

— Recule. Par là. Tout de suite.

— Au nom de quoi ?

— Au nom que j'te fous mon pied au cul, connard.

— Je vous demande de me répondre, c'est tout.

— La réponse est dans la question, a dit la policière en le toisant. Et elle sera toujours dans la question, compris ?

— Non.

— Mais t'es quoi, toi, un petit pédé de merde ?

Un des sergents, flambard, s'est levé en criant :

— Quelqu'un veut-il bien s'occuper du tourtereau, là ?

On a poussé Corr sur le trottoir en lui ordonnant de ne plus bouger.

— Tu la ramènes encore une seule fois et on te boucle.

Je l'ai escorté un peu plus loin. Empourpré, les veines gonflées aux tempes, il serrait les poings. Une tache bleutée venait d'apparaître sur son cou.

— Calme-toi, Corr, OK ? On s'en occupera plus tard. Elles ne seront pas plus mal au commissariat, de toute façon. Ne me dis pas que ça te plaît de les voir ici.

— Ça n'est pas la question.

— Oh merde, à la fin. Tu m'écoutes ? On les retrouvera.

Les paniers à salade ont quitté les trottoirs, suivis par toutes les voitures de police sauf une. Quelques badauds s'étaient assemblés ici et là. Sur leurs vélos, des mômes tournaient en rond dans l'espace libéré, comme s'ils venaient de conquérir un nouveau terrain de jeux. Corrigan est allé ramasser un porte-clés dans le caniveau – un machin de pacotille avec la photo d'un enfant sous un carré de plastique. Et celle d'un second au verso.

— Voilà pourquoi, a-t-il dit en me mettant l'objet sous le nez. C'est les gosses de Jazzlyn.

« Quiconque m'a emmenée ici devra me raccompagner chez moi. » Tillie m'avait pris quinze dollars pour nos amours. Avec une tape sur le dos et une sacrée dose d'ironie, elle m'avait qualifié de bon représentant de l'Irlande.

— Appelle-moi Sweetcakes.

En redressant mon billet entre ses doigts, elle avait affirmé qu'elle connaissait aussi Khalil Gibran. Elle pouvait même me citer un vers ou deux si je voulais.

— La prochaine fois, lui avais-je dit.

Elle fouillait dans son sac.

— Un peu de blanche, ça t'intéresse ? avait-elle demandé en me reboutonnant, car Angie en avait.

— Pas mon genre.

Elle s'était penchée vers moi en ricanant.

— Ton genre ?

La main sur ma hanche, elle avait encore ri :

— Ton genre !

J'ai pensé, écœuré, qu'elle m'avait fait les poches, mais non. Elle avait resserré ma ceinture avant de me donner une claque sur les fesses.

J'étais content de ne pas avoir choisi sa fille. Je me sentais presque vertueux, comme si jamais il n'y avait eu la moindre tentation. Deux jours après, j'avais encore son parfum sur moi, et je le retrouvais maintenant qu'on venait de l'arrêter.

— Elle est grand-mère ?

— Je te l'avais dit, a lâché Corrigan avant de filer comme un bolide vers la dernière voiture noir et blanc. Et vous allez en faire quoi, d'eux ? criait-il en brandissant le porteclés. Vous avez quelqu'un pour garder les enfants ? C'est prévu au programme ? Qui va s'en occuper ? Ils doivent rester là ? Dans la rue ? Vous avez arrêté la mère et la grand-mère !

— Monsieur, a dit le flic, un mot de plus et...

J'ai empoigné mon frère par le coude pour l'entraîner vers la cité. L'espace d'un instant, les bâtiments ont paru plus sinistres encore sans les filles du trottoir : on avait remodelé le territoire, les totems avaient disparu.

L'ascenseur était de nouveau en panne. Corrigan s'essoufflait dans l'escalier. À peine arrivé en haut, il a appelé toutes les associations de quartier qu'il connaissait – à la recherche d'un avocat et d'une baby-sitter pour les enfants.

— Je ne sais même pas où ils les ont emmenées, hurlait-il. Ils n'ont rien voulu me dire. La dernière fois, il n'y avait plus de place au trou, ils les avaient bouclées à Manhattan.

Se détournant, il a composé un autre numéro.

— Adelita ? a-t-il dit, une main masquant partiellement sa bouche.

Corr s'agrippait au combiné en chuchotant. Il s'était rendu chez elle plusieurs après-midi de suite, pour en revenir toujours dans le même état. Il faisait les cent pas en tirant les boutons de sa chemise, marmonnait tout seul, cherchait dans sa bible quelque chose qui puisse justifier son attitude – ou au contraire le torturer davantage, lui saigner carrément les veines. Mais avec ça, une forme de bonheur aussi, d'énergie. Je me demandais ce que je pourrais encore lui dire. Laisse-toi abattre. Fais-toi muter ailleurs. Oublie-la. Passe à autre chose. Avec les putes, il n'avait pas le temps de jongler entre l'amour et le deuil – en bas, au moins, il n'y avait pas grand-chose à négocier. Mais avec Adelita, c'était différent, elle n'avait rien à vendre, et surtout pas ses charmes. *Ceci est mon corps, livré pour vous.*

Je l'ai trouvé vers midi en train de se raser dans la salle de bains. Il revenait du commissariat local, où on avait déjà libéré la plupart des filles. En revanche, Tillie et Jazzlyn restaient en détention provisoire. Elles avaient commis un vol ensemble, agressé un client, c'était une vieille affaire, on les transférait à Manhattan. Après avoir enfilé une chemise et un pantalon noirs propres, Corr est retourné devant le miroir.

— Bien, a-t-il dit.

Il a attrapé une paire de ciseaux et s'est coupé une dizaine de centimètres de cheveux. Trois petits coups, et la frange du devant est tombée.

— Je descends en ville les aider.

— Où ça ?

— Au Parthénon de la justice.

Il avait l'air vieux et usé. Sa calvitie ressortait à cause de ses cheveux courts.

— On appelle cet endroit le Tombeau. Elles vont être conduites au tribunal de Centre Street. Écoute, il faut que tu me remplaces à la maison de retraite. J'ai parlé à Adelita. Elle est au courant.

— Moi ? Mais qu'est-ce que je vais faire de tes petits vieux ?

— Je ne sais pas. Emmène-les à la plage ou ce que tu voudras.

— Mais j'ai un job, moi, dans le Queens.

— Fais ça pour moi, frangin, OK ? Je te retrouverai plus tard.

Il s'est retourné à la porte :

— Et veille bien sur Adelita, s'il te plaît ?

— Oui.

— Tu me promets ?

— Oui. Allez, vas-y.

J'ai entendu des voix d'enfants le suivre en riant dans l'escalier. Le silence s'est imposé dans l'appartement, et j'ai brusquement compris qu'il était parti avec le Bedford.

À l'agence de location d'Hunts Point, mes pourboires ont suffi tout juste à payer la caution pour une camionnette.

— Elle est climatisée, m'a assuré l'employé avec un sourire stupide, comme s'il m'expliquait les merveilleux progrès de la science.

Il avait son badge d'abruti collé sur le cœur.

— Ne la matraquez pas trop, elle est toute neuve, a-t-il ajouté.

C'était une de ces journées où l'été semblait trouver sa mesure – pas trop chaude, brumeuse, un soleil calme dans les hauteurs. À la radio, le DJ passait Marvin Gaye. J'ai contourné une Cadillac surbaissée et pris la voie express.

Adelita m'attendait à l'entrée, près de la rampe. Elle avait ses enfants avec elle – deux gamins magnifiques. La plus jeune tirait sur un pan de son uniforme. Sa mère s'est agenouillée pour l'embrasser sur les paupières. Elle avait noué ses cheveux dans un long foulard chatoyant, et son visage était radieux.

J'ai alors parfaitement compris ce que savait Corrigan : elle avait un ordre intérieur – dans tous les sens du terme – et, malgré sa dureté, la beauté était toujours là, à fleur de peau.

Elle a souri quand je lui ai parlé d'aller à la plage. C'était compliqué, mais pas impossible – ils n'avaient pas d'assurance pour ça, le règlement l'interdisait. Les enfants criaient, s'agrippaient à ses manches, lui retenaient le poignet.

— *No, m'ijo*, a-t-elle répondu sèchement à son fils.

Comme d'habitude, nous avons chargé les fauteuils roulants un par un, avant d'installer les petits. Nous avons garé la camionnette à l'ombre d'un bâtiment. Des ordures collaient à la grille du square.

— Oh, et puis merde ! a dit Adelita.

Pendant que je faisais le tour du véhicule, elle s'est glissée à ma place au volant. Me voyant approcher, Albee a murmuré quelque chose en se marrant. Pas besoin de lui demander quoi. Un coup de klaxon, et Adelita a redémarré – c'était l'été, il n'y avait pas beaucoup de circulation. Les enfants ont poussé des cris de joie quand nous avons pris l'autoroute. Manhattan, au loin, ressemblait à un jeu de cubes.

Nous nous sommes retrouvés coincés dans les embouteillages à Long Island. À l'arrière, les vieux essayaient d'apprendre aux enfants des chansons qu'ils étaient trop jeunes pour connaître. « *Raindrops keep falling on my head.* » « *When the saints go marching in.* » « *You should never shove your Granny off the bus*[4]. »

À la plage, Eliana et Jacobo ont foncé tout droit sur le rivage pendant que nous alignions les fauteuils à l'ombre du Bedford – elle reculait à mesure que le soleil montait dans le ciel. Albee avait descendu ses bretelles, déboutonné sa chemise. À l'exception de ses bras et de son cou, parfaitement bronzés, il avait la peau d'un blanc translucide. Le contraste était extraordinaire. On avait l'impression d'une sculpture en noir et blanc, d'un homme qui se transformait en échiquier.

— Ton frère a un faible pour ces racoleuses, là-bas. Si tu veux mon avis, c'est de la canaille, tout ça.

Les yeux au large, il n'a rien dit de plus.

Sheila fermait les siens en souriant, son chapeau de paille enfoncé sur la tête. Un vieil Italien dont j'ignorais le nom – fringant, avec un pantalon bien repassé – bosselait et débosselait son chapeau sur ses genoux en poussant des soupirs. Tout le monde avait retiré ses chaussures. Les chevilles respiraient, les vagues roulaient sur le rivage et la journée, comme le sable, glissait entre nos doigts.

Transistors, parasols, la morsure de l'air salé.

Adelita a rejoint ses enfants qui s'ébattaient gaiement dans le ressac. Elle attirait l'attention sur elle comme les mouvements du vent. Le regard des hommes s'attardait sur les cambrures de son corps mince sous l'uniforme blanc. Elle s'est assise près de moi sur la plage, les genoux repliés sur la poitrine. Quand elle s'est redressée, sa jupe s'est soulevée : une marque rouge sur la cheville à la place du tatouage.

— Merci d'avoir loué la camionnette.

— Mais non, c'est rien.

— Tu n'étais pas obligé.

— Pas de problème.

— C'est de famille, les largesses ?

— Corrigan me remboursera.

Le pont qui nous reliait reposait presque entièrement sur mon frère. Une main par-dessus ses yeux noirs, elle a étudié le rivage, comme si Corrigan s'y trouvait avec ses enfants, au lieu de défendre les causes les plus désespérées dans quelque sombre tribunal.

— Il va passer des journées là-bas à essayer de les faire sortir. C'est déjà arrivé. Parfois je pense qu'elles pourraient apprendre leur leçon, quand même. Il y en a qui moisissent en taule pour moins que ça.

Il y avait un courant de sympathie entre nous, mais j'avais envie de la pousser dans ses retranchements, histoire de voir à quel point elle tenait à lui.

— Dans ce cas, il ne saurait plus quoi faire, non ? Le soir. Il n'aurait plus de travail.

— Peut-être. Peut-être pas.

— Il ne lui resterait plus qu'à aller chez toi ?

— Possible, a-t-elle dit avec un voile de colère dans les yeux. Pourquoi tu me demandes ça ?

— C'est juste une façon de dire les choses.

— Tu ne sais pas ce que tu dis.

— Ne lui donne pas de fausses espérances, en tout cas.

— Je ne lui donne rien de la sorte. Pourquoi ferais-je ça ? *Por qué ? Dime !*

Le ton était vif, et cette pointe d'accent espagnol. Adelita a fait couler un peu de sable entre ses doigts et m'a regardé comme si elle me voyait pour la première fois. Le silence l'a adoucie et elle a fini par dire :

— Je ne sais vraiment pas quoi faire. Dieu est cruel, non ?

— Le sien en tout cas. Le tien, je ne sais pas.

— Le mien est à côté du sien.

Les enfants jouaient au frisbee dans les vagues, bondissaient, s'étalaient dans les tourbillons d'écume.

— J'ai vraiment peur, tu sais, a-t-elle continué. Je l'aime tellement. Trop, même. Il ne sait pas ce qu'il va faire, tu comprends ? Et je ne veux pas m'interposer.

— Je sais ce que je ferais, moi, à sa place.

— Oui, mais tu n'es pas à sa place ?

Se détournant, elle a sifflé ses enfants qui l'ont lentement rejointe. Leurs corps étaient bruns, souples. Elle a serré Eliana contre elle et soufflé sur le sable collé à son oreille. Pour quelque raison, je voyais brusquement Corrigan dans l'une et l'autre. Comme si, par osmose, il s'était insinué en eux. Jacobo s'est assis à son tour sur les genoux de sa mère. Il a poussé un petit cri ravi quand elle lui a mordu l'oreille.

Ses enfants lui servaient de barrière protectrice et je me suis demandé si c'était également le cas de mon frère – si elle ne l'avait pas appâté pour s'en faire un bouclier. Comme on rassemble du monde autour de soi pour s'en débarrasser après. Rien qu'un instant, je l'ai détestée, elle et la façon dont elle lui compliquait la vie. En même temps, j'avais une curieuse tendresse pour les putains qui le retenaient je ne sais où – dans la lie de la lie, les barreaux d'une cellule immonde, avec du pain rassis et des toilettes infectes. Peut-être même était-il enfermé avec elles, s'était-il fait arrêter pour ne pas les perdre. Cela ne m'aurait pas étonné.

Il était à la source des choses et je le comprenais maintenant : Corr était la lumière qui filtre sous la porte, et cette porte lui était fermée. Il ne s'en échapperait que par bribes et il finirait claquemuré derrière ce qu'il avait percé. Peut-être était-ce entièrement sa faute. Peut-être aimait-il les contradictions, les créait-il lui-même pour la simple raison qu'il ne savait pas vivre sans.

J'ai su alors que cela se terminerait mal, cette histoire avec Adelita et ses enfants. Quelqu'un en ressortirait brisé. Mais était-ce une raison pour qu'ils ne soient pas amoureux, ne serait-ce qu'un mois ou deux ? Pourquoi ne pourrait-il pas vivre dans ce corps qui lui faisait mal, si on lui accordait quelques instants d'abandon ? Enfin, ne méritait-il pas que son Dieu lui lâche la bride, une fois ou deux ? C'était pour lui une torture de porter le monde sur ses épaules, de se colleter les difficultés, alors qu'il n'aspirait en fait qu'à être un individu ordinaire, avec les choix d'un individu ordinaire.

Rien n'était simple, et aucune simplification n'échappait à la règle. Pauvreté, chasteté, obéissance. Il leur avait consacré son existence, il était désarmé lorsqu'elles se retournaient contre lui.

J'ai regardé Adelita qui desserrait l'élastique dans les cheveux de sa fille. Une petite tape sur les fesses et elle l'a renvoyée vers le rivage. Les vagues avaient reculé et un long bateau plat naviguait tranquillement à l'horizon.

— Que faisait ton mari ?

— Militaire.

— Il te manque ?

Elle m'a dévisagé.

— Le temps ne guérit pas tout, a-t-elle admis en posant les yeux au loin sur la grève. Mais pas mal de choses quand même. Je vis ici à présent, c'est chez moi, je ne retournerai pas là-bas. Si c'est ça ta question, je ne repartirai pas.

Son regard suggérait qu'elle faisait partie d'un mystère dont elle ne lâcherait rien. Corrigan était maintenant à elle. Elle avait dit ce qu'elle avait à dire. De fait, il ne pouvait y avoir de retour en arrière. Je me suis rappelé mon frère quand il était petit, quand tout était pur et précis, et que, longeant la grève à Dublin, il s'émerveillait sur les stries d'un coquillage, le bruit d'un avion à basse altitude ou l'auvent d'une église, les petites choses qu'il croyait sûres autour de lui, inscrites à l'intérieur du paquet de cigarettes.

*

* *

Ma mère aimait bien commencer ses histoires par un petit prélude :

— Il était une fois, il y a très longtemps, si longtemps que je n'étais pas encore là, et si je l'avais été, je ne pourrais être ici, seulement je suis ici et pas là-bas, alors je vais quand même vous raconter que, il était une fois, il y a très longtemps...

Elle se lançait dans un conte de son cru, des fables dans lesquelles elle nous plaçait, Corrigan et moi, dans des endroits distincts, et nous nous réveillions le matin en nous demandant si nous avions rêvé des bouts épars d'un même songe, si nous nous étions calqués l'un sur l'autre, voire si, nous croisant dans un monde étrange, nous n'avions pas en fait échangé nos rêves, ce qui aurait pu être

91

le cas quand on m'a dit que mon frère avait percuté la glissière. *Apprends-moi à vivre, frangin.*

On a tous entendu ces choses. La lettre d'amour arrive mais la tasse est brisée. La guitare résonne encore après le dernier souffle. Je n'y vois pas la main de Dieu, ni la force des sentiments. Peut-être est-ce le hasard, et le hasard rien d'autre qu'un moyen de nous convaincre de notre valeur.

Toujours est-il que c'est ainsi, et contre cela nous étions impuissants. Au volant du Bedford, après une journée au Tombeau et dans les tribunaux à Manhattan, Corrigan avait pris la FDR vers le nord, Jazzlyn sur le siège passager en talons jaunes et maillot fluo, son collier serré autour du cou. Tillie était restée sous les verrous pour cette affaire de vol, c'est elle qui écopait, et mon frère raccompagnait Jazz chez ses enfants, évidemment bien plus qu'un simple porte-clés, un machin de pacotille tombé dans le caniveau. Ils roulaient vite le long de l'East River, cernés d'ombres et de gratte-ciel, lorsqu'il a déboîté, peut-être avait-il mis son clignotant, peut-être pas, peut-être était-il dans les vapes, fatigué, mal foutu, avait-il pris un cachet et les réflexes n'ont pas suivi, ou a-t-il donné un coup de frein trop brutal, peut-être fredonnait-il doucement une chanson, allez savoir, mais on a rapporté que la voiture derrière l'a percuté, une chouette bagnole, un genre d'antiquité, personne n'a vu le conducteur, un machin doré tout content de parader un jour de plus, et qui l'a légèrement touché, assez fort quand même pour que Corr fasse un tête-à-queue sur les trois voies, un minibus marron qui danse, demi-seconde d'élégance, et je vois maintenant mon frère épouvanté s'accrocher au volant, ses grands yeux de tendresse, pendant que Jazzlyn crie, que son corps se raidit, le cou tendu, tout défile devant ses yeux – sa courte existence dans le vice – et la camionnette continue de déraper sur le macadam sec, accrochant une voiture, puis un camion de journaux, elle finit par heurter la glissière de plein fouet, Jazz traverse le pare-brise la tête la première, pas de ceinture de sécurité, son corps en route vers le ciel, le volant repousse violemment Corrigan, lui fracture le sternum, sa tête rebondit sur le pare-brise, le verre fait une toile d'araignée sanglante, il repart en arrière avec telle puissance que l'armature du siège se brise, cinq cents kilos d'acier mobile, le Bedford poursuit son pas de deux, Jazzlyn son vol plané, une fusée presque nue qui file à cent à l'heure et s'effondre comme une masse près de la rambarde, un pied redressé dans l'intention de grimper quelque part, on n'a retrouvé dans la cabine qu'un de ses talons aiguilles, avec une bible par-dessus, échappée de la boîte à gants, le tout recouvert de verre pilé, et Corrigan, qui respirait encore, rebondissait une dernière fois pour finir coincé sous le tableau de bord, la masse de son corps sur les deux pédales, si bien que le moteur tournait à plein régime dans le Bedford immobi-lisé, implorant par ses hurlements qu'on le laisse repartir.

Ils l'ont cru mort en le chargeant avec Jazzlyn dans l'ambulance. Il a toussé du sang, ce qu'a remarqué l'infir-mier. Alors ils l'ont conduit à un hôpital de l'East Side.

Qui sait où nous étions ? Sur le chemin du retour, une bretelle d'autoroute, dans un autre quartier, les embou-teillages, au péage, et quelle importance ? Une petite bulle de sang sur la bouche de mon frère. Nous fredonnions en roulant doucement pendant que les enfants dormaient sur la banquette arrière. Albee avait résolu un de ses problèmes – un double pat, expliquait-il. Mon frère dans l'ambulance. Nous n'aurions rien pu faire pour le sauver. Les mots ne l'auraient pas ramené. Il y avait eu des sirènes tout l'été, voilà qu'il ajoutait la sienne. Le gyrophare tournait. Ils l'ont emmené aux urgences du Metropolitan. L'ont poussé en courant dans les couloirs glauques. Les roulettes du chariot laissaient de fines traces rouges par terre. Le chaos autour d'eux. J'ai déposé Adelita et les enfants devant leur minus-cule maison de bardeaux. Elle s'est retournée avec un geste de la main. M'a souri. L'amie de mon frère. Celle qu'il lui fallait. Elle était bien. Il trouverait son Dieu avec elle. Mon frère qu'on transportait en cardio. Les cris et les murmures. Le masque à oxygène sur son visage. La plaie à la poitrine.

Collapsus pulmonaire. Les tubes qu'on lui insère pour qu'il continue à respirer. Une infirmière avec un tensiomètre manuel. Assis au volant, je regardais les lumières s'allumer chez Adie. Sa silhouette derrière les voilages, puis elle a tiré les doubles rideaux. J'ai rallumé le moteur. Les contrepoids au-dessus du lit pour le maintenir droit. Le poumon artificiel à côté. Tellement de sang au sol que les internes devaient s'essuyer les pieds.

Je suis reparti sans me douter de rien. Le Bronx, un parcours de nids-de-poule, l'orange et le gris des incendies. Les gamins qui dansent aux coins des rues, leurs corps en flux tendu. Comme s'ils découvraient au fond d'eux la foi nouvelle qui dirigeait leurs membres. La salle évacuée pendant les rayons X. Je me suis garé sous le pont où l'été s'était écoulé. Quelques filles éparpillées, ce soir-là, qui avaient échappé à la rafle. Des hirondelles ont quitté leur abri de béton. Les ciseaux de leurs ailes. Ensemençant le ciel. Les filles ne m'ont rien dit. Mon frère respirait encore. Metropolitan Hospital. J'étais censé retourner travailler dans le Queens, mais j'ai traversé la rue. Je n'avais aucune idée de ce qui arrivait. Les poumons gonflés de sang. Ce bar minuscule. Le juke-box qui gueulait. Four Tops. Perfusion intraveineuse. Martha and the Vandellas. Masque à oxygène. Jimi Hendrix. Médecins sans gants. Son état stabilisé. Ils ont vu les bleus à l'intérieur des bras. L'ont pris pour un junkie. Arrivé avec une prostituée. Morte. Ils ont trouvé une médaille religieuse dans ses poches. Je suis ressorti du bar à moitié soûl, j'ai traversé le boulevard plongé dans la nuit.

Une fille m'a appelé. Ce n'était pas Tillie. Je ne me suis pas retourné. Les ténèbres. Dans la cour, des gamins défoncés jouaient au basket sans ballon. Le personnel qui s'affairait pour le réanimer. Sa vie qui oscillait sur le moniteur. L'infirmière penchée sur lui. Il murmurait quelque chose. Quels derniers mots ? *Noircis ce monde. Libère-moi. Donne-moi l'amour, Seigneur, mais pas encore.* Ils ont retiré son masque. Je suis arrivé épuisé au quatrième. J'avais pris l'escalier. Corrigan dans une chambre d'hôpital, dans l'espace exigu de sa propre prière. Me suis adossé à la porte en entrant. Quelqu'un avait tenté de forcer le cadenas en cuivre sur le téléphone. Les livres éparpillés par terre. Il n'y avait rien à voler. Peut-être revenait-il à lui. Repartir, revenir, repartir. On a frappé à deux heures du matin. Bizarre. Je leur ai crié d'entrer. Elle a lentement poussé la porte. L'ECG qui s'affole. Repartir, revenir. Son tube de rouge à lèvres en main. Ça, je m'en souviens. Je ne connaissais pas cette fille.

— Jazzlyn a eu un accident, a-t-elle dit.

Peut-être une amie à elle. Pas une pute. Nonchalante, presque. Un vague haussement d'épaules. Un coup de rouge sur sa bouche. Une entaille écarlate. Les bips-bips de la machine. La ligne est comme l'eau. Pas de retour aux sources. Je suis sorti comme une fusée. Les graffitis sur les murs. Leurs volutes et leurs arabesques, dedans, dehors et maintenant partout. L'odeur de peinture fraîche.

J'ai filé chez Adelita.

— Oh, merde.

Le choc dans son regard. Un manteau sur sa chemise de nuit.

— J'emmène les enfants.

Elle me les a fourrés dans les bras. Le taxi qui fonce, fait des appels de phares. Les deux mômes assis à l'hôpital dans la salle d'attente. Leurs crayons de couleur sur de vieux journaux prélevés en chemin. Courir jusqu'à Corrigan.

— Oh. Oh. Oh, mon Dieu.

La danse des battants qui bâillent, s'ouvrent et pivotent. L'éclairage fluo au plafond. Corrigan dans une petite cellule, comme un moine. Le médecin a refermé derrière nous.

— Je suis infirmière, a dit Adelita. S'il vous plaît, je vous en prie, laissez-moi le voir, il faut que je le voie.

Le type a disparu en haussant les épaules.

— Oh mon Dieu. Oh.

Nous avons tiré deux simples chaises en bois devant le lit. Apprends-moi qui je suis. Qui je peux devenir. Apprends-moi.

Son bloc-notes calé sur le torse, le médecin est revenu discourir à voix basse sur les lésions internes. La langue nouvelle du polytraumatisme. Les bips de l'électrocardiographe. Adelita penchée sur Corrigan. Perdu dans la morphine, il marmonnait quelque chose. Un chuchotement. Quelque chose de beau, disait-il. Elle lui a embrassé le front. Lui a pris le poignet. Les oscillations de l'ECG.

— Qu'est-ce qu'il raconte ?

Les roulettes des chariots qui claquent dans le couloir. Les cris. Les sanglots. Parfois le rire des internes. Un nouveau murmure, de minuscules bulles de sang sur les lèvres. Ma main sur le bras d'Adelita.

— Que dit-il ?

— Rien, il délire. Il hallucine.

Son oreille tout contre sa bouche.

— Il demande un prêtre ? C'est ça qu'il veut ?

Elle s'est retournée vers moi.

— Il dit avoir vu quelque chose de beau.

J'ai crié :

— Il demande un prêtre ?

Il a de nouveau relevé la tête. À peine. Elle s'est penchée encore. Le calme qu'elle imposait. Elle pleurait doucement.

— Oh, a-t-elle dit. Il a le front froid. Tout froid.

2

Miró, Miró au mur

DEHORS, LES BRUITS DE PARK AVENUE. Calmes. Réguliers. Contrôlés. Pourtant ce ferraillement dans les nerfs. Elle va bientôt recevoir ces femmes. Le bas de l'épine dorsale noué. Paumes sous les coudes, elle serre les bras. Le vent agite les rideaux à la fenêtre. Dentelle d'Alençon. Du fait main, point fantaisie, bordures de soie. N'a jamais trop aimé les dentelles françaises. Elle aurait préféré un voilage, plus simple, plus léger. Mais Solomon a insisté, il y a si longtemps maintenant. L'étoffe des bons mariages. Le ciment des unions qui durent. Il lui a apporté son petit-déjeuner au lit, sur le plateau à trois anses. Camomille et croissant au sucre. Une rondelle de citron à côté. Il s'est même allongé un instant, lui a passé la main dans les cheveux, l'a embrassée avant de partir. Solomon, toujours sage, serviette sous le bras, et au boulot. Son léger dandinement. Les chaussures bien cirées qui martèlent le marbre. A grommelé un au revoir. Dénué de colère, simplement sa voix grave. Ça l'étonne, parfois : Tiens, c'est mon mari. Le voilà. Le voilà depuis trente et un ans. Un silence entrecoupé de sons, le clic du loquet, le *ting !* de l'ascenseur, le jeune liftier, « Bonjour, m'sieur Soderberg ! », le gémissement des portes, un choc métallique, le murmure de la cabine, l'écho de l'arrêt en bas, le refrain des câbles en mouvement.

Elle repousse les rideaux, jette un nouveau coup d'œil dehors, aperçoit le pan de son costume gris quand il monte dans le taxi, tête baissée, chauve, petite. Et clac, la portière jaune. Puis la circulation l'emporte.

Il ne connaît pas ces invitées-là Elle lui dira un jour, mais pas tout de suite, pas grave Peut-être ce soir au dîner. Chandelles et bouteille de vin. Tu sais quoi, Sol ? Quand il sera bien assis, la fourchette prête Tu sais quoi ? Il poussera un petit soupir. Allons, dis-moi, chérie, j'ai eu une longue journée.

D'un geste agile, elle se débarrasse de sa chemise de nuit. Son corps dans le miroir en pied. Un peu pâle et plissé, mais toujours élastique. Elle bâille, mains tendues au plafond. Grande, encore mince, les cheveux d'un noir profond, une unique mèche grise au-dessus de la tempe. Son blaireau. Cinquante-deux ans. Un gant humide sur les cheveux et elle se coiffe avec un peigne en bois. Penche la tête et lisse quelques mèches entre ses paumes. Les pointes sont fourchues. Serait temps de faire rafraîchir ça. Elle récupère les cheveux accrochés aux dents, ouvre la poubelle du bout du pied, les jette. Il paraît que ceux des morts continuent de pousser. Refont leur vie tout seuls. Là-dedans avec les mouchoirs en papier, les vieux rouges à lèvres, l'eye-liner, les bouts de tubes dentifrice, les boîtes d'antihistaminiques, d'hypotenseurs, la jeunesse, les ongles coupés, le fil dentaire, l'aspirine, le chagrin.

Et pourquoi ces cheveux blancs ne tombent-ils jamais, eux ? Trente ans plus tôt, elle avait maudit cette mèche apparue un matin, elle l'avait teinte, masquée, coupée. C'est aujourd'hui sa signature, l'élégante pointe d'argent au-dessus de l'oreille.

Une route dans les cheveux. Dépassement interdit.

Choses à faire. Vite, vite. Aux toilettes. Se brosser les dents. Légère touche de maquillage. Un peu de blush, un trait sur les paupières, à peine de rouge à lèvres. Ne s'est jamais embêtée avec ça. Elle réfléchit devant la penderie. Culotte et soutien-gorge beiges unis. La robe qu'elle préfère. Turquoise très clair, avec un motif coquillage. Forme trapèze, sans manches, juste au-dessus du genou. Les petits nœuds sur les coutures. La fermeture Éclair au dos. Féministe et à la mode. Rien de sophistiqué, ni de tape-à-l'œil. Moderne, décent, bien.

Elle remonte un peu l'ourlet. Lève la jambe, pied tendu. Des jambes qui brillent, affirmait Sol il y a des années. Elle lui a dit un jour qu'il faisait l'amour comme un pendu, en érection mais mort. Une blague qu'elle avait entendue dans un one man show de Richard Pryor. Elle y était allée seule, en catimini, une invitation que lui avait donnée une amie journaliste. L'unique fois de sa vie. Le spectacle – ni trop osé, ni ennuyeux. Solomon avait fait la gueule pendant une semaine. Trois jours parce que le gag lui était resté en travers de la gorge, les quatre autres parce qu'elle était sortie sans lui. « Vive le MLF ! raillait Pryor. Brûlez vos soutifs, perdez le nord ! » Solomon, mon doux petit homme. Amateur de bons vins et de Martini. L'ultime péninsule de cheveux. Se met de l'écran total à partir du mois de juin. Ses taches de rousseur sur le crâne. Les yeux encore pleins des étés de sa jeunesse. Quand ils s'étaient rencontrés à Yale, il avait une belle frange, blonde et épaisse, sur le front. Jeune avocat à Hartford, il parcourait les petits sentiers avec Wallace Stevens, imaginez ça, tous les deux en chemisette. « D'elle ne naissait ni oiseau ni branche/Comme rien d'autre dans le Tennessee. » Ils faisaient l'amour chez elle dans le lit à colonnes. Il voulait lui réciter des poèmes. Tout bas. Mais s'en souvenait rarement. C'était un bonheur pour les sens, ses lèvres contre l'oreille, puis le cou, l'épaule, l'enthousiasme qu'il irradiait. Ils avaient cassé le lit, une nuit, à force de cabrioles. Moins fréquentes aujourd'hui, assez souvent quand même, et toujours elle veut lui saisir les cheveux dans la nuque. Il n'est plus si vaillant. Le fruit a disparu de la branche. Au tribunal, les voyous se taisent pendant le délibéré, ensuite la sentence tombe, comme une enclume, alors ils gueulent, ils s'agitent et le traitent de tout. Elle ne l'accompagne plus à Centre Street pour suivre les procédures dans cette salle lambrissée, à quoi bon subir ces insultes ? « Eh, Kojak ? Qui prend soin de toi, beauté ? » À l'étude, il y a une photo d'elle au bord de la plage, avec Joshua petit, tous deux penchés, les têtes se touchent, l'infinité des dunes, couvertes d'herbe.

Un murmure dans sa cage thoracique. L'air se dilate. Joshua. Pas un prénom pour un garçon en uniforme.

Le collier à son cou comme un membre fantôme. Ça arrive parfois. Le sang qui monte à la gorge. Des serres sur la trachée. Comme si on la comprimait, l'étranglait un instant. Elle se retourne vers le miroir, de profil, de face, de profil encore. L'améthyste ? Les bracelets ? Le petit collier en cuir que Joshua lui avait donné quand il avait neuf ans ? Il avait dessiné un ruban rouge sur l'emballage brun clair. Au feutre de couleur. « Tiens, Maman », puis il avait couru se cacher. Elle l'avait porté pendant des années, surtout à la maison. Il avait fallu le recoudre deux fois. Mais pas maintenant, pas aujourd'hui, non. Elle le replace dans le tiroir. Ça serait trop. Un collier, ça fait habillé, de toute façon. Elle hésite devant son image. Crise pétrolière, prise d'otages, crise de collier. Autant résoudre des algorithmes, j'aimerais mieux. Sa spécialité à l'université. Elle était l'une des trois filles en fac de maths. Dans les couloirs, on la prenait pour la secrétaire. Obligée de marcher les yeux baissés. La petite femme modèle qui regarde ses chaussures. Connaissait bien le carrelage. Mosaïques, arabesques. Les fissures dans les plinthes.

Dans les vieux bijoux, les jours échappés de nos vies.

Des boucles d'oreilles, alors ? Oui, des boucles. Deux minuscules coquillages achetés un été à Mystic, il y a deux ans. Elle glisse la petite tige en argent dans le lobe. Se regarde dans la glace. Bizarre de voir son cou plissé, comme ça. Pas le mien. Pas ce cou-là. Cinquante-deux ans dans la même peau. Elle redresse le menton et la peau se tend. Vanité, mais c'est quand même mieux. Les boucles avec la robe. Coquilles en haut, coquilles en bas. Un grand croque crâne creux. Qui croquait cru. Des coquilles. Elle les repose dans le coffret et fouille dans le tas. Un coup d'œil à la pendule sur la coiffeuse.

Vite, vite.

Presque l'heure.

Au cours des huit derniers mois, elle a visité les quatre appartements. Tous simples, propres, ordinaires, coquets. Staten Island, le Bronx, et deux dans le Lower East Side. À chaque fois sans cérémonie. Des mères qui se rencontrent. C'est tout. Sauf qu'elles étaient restées bouche bée quand, finalement, elle leur avait dit où elle habitait. C'était un secret jusqu'à ce qu'elles se retrouvent chez Gloria. Dans le Bronx. Une rangée de HLM. Elle n'avait encore jamais vu ça. Les traces de roussi sur les portes. Ça puait l'acide borique dans l'entrée. Des seringues dans l'ascenseur. Terrorisée. Elle était montée au dixième étage. Cinq verrous sur une porte en fer qui vibrait lorsqu'elle a frappé. Dedans, en revanche, c'était nickel. Deux énormes lustres suspendus au plafond, communs mais charmants. La lumière chassait les ombres. Les autres étaient déjà là, souriantes, sur le grand canapé ventru. Accolades, un peu guindées, et puis la matinée avait filé. Elles avaient oublié où elles se trouvaient. Gloria s'affairait, changeait les tasses, les soucoupes, les serviettes en papier, elle avait entrouvert la fenêtre à cause des cigarettes, elle leur avait montré la chambre de ses fils. Qu'elle avait perdus tous les trois. Inimaginable ! Pauvre Gloria. Les albums de photos craquaient sous les souvenirs : les coiffures à la mode, les rencontres sportives, les remises de diplômes. Les coupes des championnats de base-ball avaient fait le tour de la pièce. C'était très agréable, cette matinée, et le temps passait, passait, passait. La pendule sur le radiateur affichait brusquement midi, il fallait programmer la prochaine fois.

— Eh bien, chez toi maintenant, Claire.

L'impression d'avoir la bouche pleine de craie. De l'avaler en parlant. Comme on présenterait ses excuses. Elle n'avait pas quitté Gloria des yeux.

— Euh, j'habite Park Avenue au coin de la 76ᵉ.

Un silence, puis :

— Il faut prendre la ligne 6.

Elle avait répété avant. Elle a ajouté :

— Du métro.

Et ensuite :

— Au dernier étage.

Tout était sorti de travers, comme si elle n'avait pas l'habitude de ces mots-là.

— Vous habitez Park Avenue ? avait dit Jacqueline.

Un autre silence.

— C'est chouette, ça, avait dit Gloria, avec un éclat de lumière sur la lèvre, qu'elle venait de lécher comme si quelque chose la gênait.

Marcia, la modéliste de Staten Island, avait applaudi.

— Le thé chez la reine ! avait-elle plaisanté, sans ironie aucune.

Mais tout de même une vague blessure. Claire était touchée.

La première fois, elle avait dit sans autre précision qu'elle habitait dans l'East Side, mais elles avaient dû comprendre – même en la voyant en pantalons et tennis, sans bijou aucun. Elles avaient sûrement deviné que c'était l'*Upper East Side*. Et puis Janet, la blonde, avait tendu le menton en s'exclamant :

— Ah, on ne savait pas que vous habitiez là-haut !

Là-haut. Comme une montagne. Qu'il fallait escalader. Les cordes, le casque, les mousquetons.

Elle s'était vraiment sentie mal. De l'air dans les jambes. Comme si elle avait tenté de les impressionner. D'attirer leur attention. Elle vacillait. Bafouillait.

— J'ai grandi en Floride. C'est tout petit, franchement. La plomberie est dans un état lamentable. Il faudrait refaire le toit.

Elle allait dire qu'ils n'avaient pas d'employés – de *domestiques*, non, surtout pas ce mot – quand Gloria, cette chère Gloria, avait lâché :

— Bigre, Park Avenue, je n'y suis allée qu'au Monopoly !

Toutes s'étaient esclaffées. Un bon rire franc, la tête en arrière. Vite, boire un peu d'eau. Forcer un sourire. Reprendre son souffle. Elles étaient impatientes de venir.

102

— Park Avenue ! Bon sang, c'est les cases bleu foncé, non ?

Non, les bleu foncé, c'est Park Place, mais Claire n'a pas moufté, pourquoi en rajouter ? Elles étaient parties ensemble, sauf Gloria bien sûr, qui les avait saluées depuis son dixième étage. Sa robe à motifs collée aux barreaux de la fenêtre. Elle semblait perdue et adorable à la fois. C'était pendant la grève des éboueurs. Les rats autour des poubelles. Les prostituées sous le pont de la voie express. En short et le dos nu sous les rafales de neige. Cherchant à se protéger du froid. Courant après les camions. La buée blanche de leur souffle. D'affreuses bulles de bande dessinée. Claire avait envie de remonter en vitesse pour emporter Gloria, loin de cet épouvantable merdier. Mais impossible. Qu'allait-elle lui dire, de toute façon ? Sortez de prison, passez par la case départ, empochez deux cents dollars.

Elles avaient rejoint le métro en rang serré, quatre femmes blanches, le sac à main soigneusement calé sous le bras. On aurait pu les prendre pour des assistantes sociales. Correctement habillées, mais sans plus. Elles avaient attendu le métro sans rien dire, en souriant. Janet tapait nerveusement du pied, Marcia retouchait son mascara devant son miroir de poche, Jacqueline lissait ses grandes mèches rousses. La rame était arrivée, un tourbillon de couleurs, elles étaient montées dans un wagon entièrement recouvert de graffitis. Même les fenêtres étaient opaques. Pas vraiment un Picasso sur roues. Les seules Blanches à l'intérieur. Non que ça l'ait dérangée de prendre le métro, mais elle ne leur aurait pas dit que c'était seulement la deuxième fois. Personne ne les avait regardées de travers, n'avait fait de commentaire. Elle était sortie à la 68e, pour pouvoir marcher, respirer, se retrouver seule. En remontant l'avenue, elle s'était demandé ce qui l'avait poussée vers elles. Toutes si différentes, avec si peu en commun. Pourtant elle les aimait bien, sincèrement. Surtout Gloria. Claire n'avait rien contre personne, enfin. Évidemment. Elle détestait ce genre de propos. En Floride, son père avait plaisanté un soir au dîner :

— Oui monsieur, j'aime bien les nègres, d'ailleurs tout le monde devrait en avoir un.

Furieuse, elle avait quitté la table, s'était enfermée pendant deux jours. On lui glissait le dîner sous la porte. Enfin, non. Par l'entrebâillement de la porte. À dix-sept ans, peu avant son départ pour l'université.

— Dis à papa que je resterai dans ma chambre tant qu'il ne sera pas venu s'excuser.

Il était venu. À pas lents dans l'escalier en fer à cheval. Il l'avait prise dans ses gros bras ronds d'homme du Sud et l'avait estampillée « moderne ».

Moderne. Comme l'électroménager. Ou une peinture. Une gravure de Miró.

Ça n'est qu'un appartement, de toute façon. Un appartement, rien de plus. Argenterie, porcelaines, fenêtres, moulures, vaisselle. Voilà. C'est tout. Sans prétention. Quoi de plus ordinaire ? Qu'y aurait-il de spécial ? Rien. Je vais vous dire, Gloria, les murs qui nous séparent, c'est du papier à cigarettes. Une larme et ils s'effondrent. Jamais de courrier dans mon casier. Personne ne m'écrit. Le syndicat des copropriétaires : un cauchemar. Des poils de chien dans les machines à laver[5]. Oui, le portier en bas, gants blancs, épaulettes, pantalon froissé, mais je vous confie un secret : il ne met pas de déodorant.

Un court frisson dans le dos : le portier.

Il ne posera pas trop de questions ? C'est lequel, aujourd'hui ? Melvyn, non ? Le nouveau ? On est mercredi. Oui, Melvyn. S'il les prenait pour des femmes de ménage ? S'il les envoyait à l'autre ascenseur ? L'appeler pour lui dire. Les boucles ! Oui, les boucles d'oreilles. Allons, vite. Au fond du coffret, la vieille paire, les petites en argent, toutes simples, que je sors rarement. La tige est un peu rouillée, mais pas grave. Elle les mouille l'une après l'autre dans sa bouche. S'aperçoit dans le miroir. La robe aux coquillages, les cheveux aux épaules, le blaireau. On l'avait confondue un jour avec une jeune intellectuelle qu'on avait vue à la télé. Parlait de photographie, du moment décisif où l'on presse le bouton, d'un art de la provocation. Elle avait elle aussi une mèche blanche et rêche. « Les photos gardent les gens en vie », avait-elle dit. Faux. Il y a tellement plus que les photos. Tellement plus.

Les yeux déjà un peu vitreux. Pas bon. Du nerf, Claire. Elle prend un mouchoir en papier dans la boîte, sur la coiffeuse, derrière les Lalique. Sèche ses larmes. Part dans le couloir, décroche le vieil interphone.

— Melvyn ?

Presse une nouvelle fois sur le bouton. Peut-être fume-t-il une cigarette dehors.

— Melvyn ? !

— Oui, madame Soderberg.

Cette voix calme et égale. Écossais ou gallois, elle ne lui a jamais posé la question.

— J'ai des amies qui viennent dîner ce matin.

— Oui, m'dame.

— Je veux dire, petit-déjeuner.

— Oui, madame Soderberg.

Elle glisse un doigt sur les boiseries sombres. *Dîner*, j'ai vraiment dit ça ? Comment ai-je pu dire ça ?

— Vous les accueillerez comme il faut ?

— Bien sûr, m'dame.

— Elles seront quatre.

— Oui, madame Soderberg.

Son souffle dans le combiné. Ce duvet roux au-dessus de sa bouche. J'aurais dû lui demander d'où il était, le jour où il est arrivé. Pas très poli de ma part.

— Autre chose, madame ?

Serait encore plus mal élevé de le lui demander maintenant.

— Melvyn ? Oui, l'ascenseur principal.

— Naturellement, madame.

— Je vous remercie.

Elle pose la tête sur le mur frais. Il aurait mieux valu ne pas parler d'ascenseur, principal ou pas. *Bushe*, une erreur, aurait dit Solomon. En bas, pétrifié, Melvyn les enverra dans le second. « À votre droite, mesdames, celui-là. » Elle sent la honte lui empourprer les joues. Mais justement elle a parlé de *dîner*, non ? Il ne peut quand même pas se tromper. C'est moi qui me trompe. Dîner au petit-déjeuner. Oh là là.

Regarder sa vie de trop près, Claire, ça n'est pas vivre.

Elle s'accorde un sourire, repart vers le salon. Les fleurs où il faut. Le soleil sur les meubles blancs. Le Miró au-dessus du canapé. Les cendriers aux endroits stratégiques. Espérons qu'elles ne fumeront pas. Solomon ne supporte pas. Mais elles fument toutes, et moi pour commencer. C'est l'odeur qui le rend malade. Le tabac froid. Enfin, bon. Je vais peut-être les imiter, de toute façon, quelques bouffées, cette mince cheminée, minuscule holocauste. Terrible mot. Inconnu à la maison, quand j'étais petite. Éducation protestante. Un miniscandale avant le mariage. Le père qui rugissait : « Un quoi ? Un you-hou ? Du Connecticut ? » Et le pauvre Solomon, mains jointes dans le dos, qui regardait par la fenêtre, ajustait sa cravate, ne disait rien, supportait ces insultes. Chaque année, ils avaient quand même emmené Joshua en Floride, l'été, sur les rives du Lochloosa. Promenades au milieu des manguiers, Joshua entre nous, main dans la main, un, deux, trois, et hop là !

C'est là-bas, au manoir, que Joshua avait appris le piano. À cinq ans. Il s'installait sur le tabouret et ses doigts filaient sur les touches. De retour en ville, ils l'avaient inscrit à l'école de musique, en dessous du Whitney. Récitals en nœud pap. Le petit blazer bleu à boutons dorés. La raie à gauche. Il aimait appuyer sur les pédales. Le piano était sa voiture et il voulait nous raccompagner à la maison. Vroum-vroum. Ils lui avaient offert un Steinway pour son anniversaire. À huit ans, il jouait Chopin avant le dîner Assis sur le canapé, ils sirotaient des cocktails en l'écoutant.

Le souvenir des beaux jours suit des chemins détournés.

Elle prend son paquet de cigarettes, caché sous le tabouret du piano, gagne l'arrière de l'appartement, ouvre la lourde porte. Autrefois réservée au service. Quand il y avait encore un service. S'engage dans le petit escalier. Elle est la seule dans l'immeuble à monter sur le toit. Pousse la porte coupe-feu. Pas d'alarme ici. Un souffle de chaleur. Depuis des années, le syndicat de copropriété veut faire construire une terrasse commune. Solomon s'y oppose. On ne marchera pas sur son plafond. Ne fumera pas au-dessus de sa tête. Intransigeant là-dessus. Déteste l'odeur. Solomon, mon doux petit homme. M. Camisole.

Elle tire une longue bouffée devant la porte, projette son nuage de fumée dans le ciel. Le privilège du dernier étage. Refuse d'appeler ça un penthouse. Quelque chose de vaguement obscène dans ce mot. Magazine sur papier glacé. Elle a aligné une rangée de pots de fleurs sur le goudron noir, à l'ombre du mur. Beaucoup de travail pour pas grand-chose souvent, mais c'est agréable de les voir le matin. Des floribundas, des rosiers thé noueux.

Elle se penche sur les feuilles. Remarque les taches jaunes. Une épreuve pour elles, l'été. Fait doucement tomber sa cendre par terre. Une brise légère qui vient de la mer. L'odeur du fleuve. Agréable. Ils ont dit qu'il pourrait pleuvoir, hier à la télé. Mais non. Quelques nuages, sans plus. Comment ils se remplissent, les nuages ? C'est un petit miracle, la pluie. « Il pleut sur les vivants et les morts, maman. Les morts ont de meilleurs parapluies. » On montera peut-être des chaises, pour s'asseoir toutes les quatre au soleil. Non, cinq. Dans le calme de l'été. Sans rien faire. Joshua aimait les Beatles. Quand il les écoutait au casque, dans sa chambre, on entendait quand même. Il l'aimait bien, ce gros casque. *Let It Be.* Vraiment une chanson idiote. Laisser aller, laisser faire, et ça repart. C'est vrai. On laisse courir, et on se retrouve par terre. On ne fait rien, et ça grouille sur les murs.

Une autre bouffée, et elle regarde par-dessus le parapet. Moment de vertige. Un ruisseau de taxis jaunes dans la rue, la traînée de vert au milieu, les jeunes arbres qu'on vient de planter.

Il ne se passe pas grand-chose dans cette avenue. Les gens sont partis dans leurs résidences secondaires. Solomon ne veut surtout pas les imiter. Citadin depuis toujours. Même l'été, il aime travailler tard. Son baiser, ce matin, m'a fait du bien. Son eau de Cologne. La même que Joshua. Ah, le jour où Joshua s'est rasé pour la première fois ! Oh, cette journée ! Il était couvert de mousse. Faisait très attention avec son rasoir. Il avait tracé un boulevard sur sa joue. À la fin, il s'était coupé. Il avait déchiré un bout du *Wall Street Journal* de son père, l'avait léché avant de le coller sur l'entaille. Les pages affaires pour cailler le sang. Et il s'est promené une heure avec ça sous le menton. Il avait fallu mouiller le papier pour l'enlever. Je souriais à la porte de la salle de bains. Mon petit garçon devenu grand qui se rasait. Il y a si longtemps, si longtemps. Ces choses simples qui remontent. Ça vient se planter sur la poitrine et ça vous empoigne le cœur.

Et les pages des journaux ne seront jamais assez grandes pour le recoller tout entier là-bas à Saigon.

Elle tire une autre longue bouffée de sa cigarette, laisse la fumée lui remplir les poumons – on dit que le tabac a une action sédative. Une bonne goulée, on oublie de pleurer. Le corps a trop à faire avec le goudron et la nicotine. Pas étonnant qu'ils filaient des clopes aux soldats. Des Lucky Strike[6]. Gratuites.

Elle repère une grande Noire qui tourne au coin de la rue. Avec une robe à fleurs. Encombrée par sa grosse poitrine. Cela pourrait être Gloria. Mais elle est seule. Sans doute une femme de ménage. On ne sait jamais. Claire aimerait tant courir jusqu'en bas, la cueillir dans ses bras, Gloria, celle qu'elle préfère de toutes, la serrer contre elle, revenir, l'installer, lui faire un café, parler, chuchoter, rire, être ensemble, unies. Voilà ce qu'elle désire. Notre petit club. Notre petit intermède. Cette chère Gloria, chaque matin et chaque soir, en haut dans sa tour, mais comment peut-elle vivre dans un endroit pareil ? La clôture grillagée. Les vieux papiers qui volent. L'odeur épouvantable. Et ces jeunes filles qui vendent leur corps dehors, qui ont l'air prêtes à tomber, avec leur dos pour tout matelas. Et ces feux dans le ciel, mais qu'on fasse comme à Dresde et qu'on en finisse.

Pourquoi ne pas embaucher Gloria ? L'avoir à demeure. Il y a toujours des petites choses à faire à la maison. Elles pourraient s'asseoir à la table de la cuisine, laisser le temps filer, boire en douce quelques gin-tonics, les heures et les journées s'écouleraient avec elle, tranquillement, joyeusement, oui, *Gloria, in excelsis Deo.*

En bas, la femme a disparu au coin de la rue.

Claire écrase sa cigarette sur le toit et repart vers l'escalier. Étourdie, chancelante. L'espace d'un instant, le monde est tout de travers. La tête qui tourne sur la dernière marche. Joshua n'a jamais fumé. Peut-être a-t-il demandé une cigarette en montant au ciel. Voici mon pouce et voici ma jambe et voici ma gorge et voici mon cœur et voici un poumon et recousez-moi ça pour une dernière Lucky Strike.

Elle revient par la porte de service. L'horloge du salon sonne l'heure.

À la cuisine.

Vraiment dans les vapes. Respirer lentement.

Pas besoin d'un diplôme pour faire bouillir l'eau.

Elle longe le couloir d'un pas incertain. Le marbre des plans de travail, les placards aux poignées dorées, la blancheur électro-ménagère. Dès le départ, elles avaient posé des règles pour leurs petits-déjeuners : celles qui viennent apportent les bagels, les muffins, les viennoiseries, les fruits, les biscuits secs et les beignets. Celle qui reçoit prépare le thé et le café. Une bonne répartition des tâches. Elle avait pensé à commander un grand plateau à Madison Avenue, chez William Greenberg, des biscuits arc-en-ciel, des sablés aux noix de pécan, des challahs, des croissants, mais ç'aurait été arrogant, ou condescendant, enfin quelque chose comme ça.

Elle règle le gaz au maximum sous la casserole. Un petit univers de bulles de feu. Café bien torréfié. Satisfaction garantie. Va dire ça aux Vietcongs.

Les sachets de thé alignés sur le marbre. Cinq soucoupes. Cinq tasses. Cinq petites cuillères. Une pointe d'humour ? Le pot de crème noir et blanc en forme de vache ? Non, c'est trop. Saugrenu. Dois-je éviter de rire avec elles ? Le Dr Tonnemann me l'a bien conseillé, pourtant.

Mais oui, je vous en prie, riez.

Rigole, Claire. Faut que ça sorte.

Un bon médecin. Il est contre les cachets. Essayez de rire un peu chaque jour, c'est le meilleur remède. Les pilules, on verra après. J'aurais dû en prendre. Non. Il vaut mieux se marrer. Mourir de rire.

Voilà, « exciter le sourire dans la bouche de la mort ». Un bon médecin, oui. Puisqu'il connaît Shakespeare. Fort bien, excitons les sourires.

Joshua avait écrit une lettre dans laquelle il parlait des karbaus. Les bisons du Vietnam. Il les trouvait superbes. Extraordinaires. Il avait vu la troupe leur balancer des grenades, dans la rivière. Joyeusement, en se marrant. Oui, la bouche de la mort, oui-oui. Le jour où il n'y a plus eu de karbaus, ils s'étaient mis à tirer sur les oiseaux dans les arbres. Ces beaux oiseaux avec leurs couleurs vives. Imagine qu'il faille les compter, eux aussi. « On peut bien dénombrer les morts, mais pas le prix de la mort. Oui, on peut tout mesurer, maman, sauf le ciel. » Elle avait tourné et retourné cette lettre dans sa tête. Toute chose vivante a une logique. Les formes qu'on reconnaît dans les fleurs. Qu'on attribue aux gens. Aux karbaus. À l'air. Il détestait la guerre, mais on lui avait dit de la faire, quand il travaillait au PARC[7]. On lui avait demandé bien poliment, figurez-vous. Lyndon B. Johnson voulait avoir le nombre de victimes. Le président des États-Unis. Il n'avait pas idée. Chaque jour, ses conseillers posaient devant lui tous les chiffres et les comptes rendus. Les morts. Les morts dans l'armée de terre. Dans l'armée de l'air. Dans la marine. Chez les civils.

Le corps diplomatique. Les hôpitaux de campagne. Les Forces Delta. Le génie militaire. La garde nationale. Les morts. Mais les totaux ne concordaient pas. Quelqu'un foutait la pagaille quelque part. Harcelé par les journalistes, les chaînes de télé, Johnson réclamait des informations valables. Envoyer un homme sur la lune, il pouvait faire, pas compter les housses mortuaires. Mettre des satellites en orbite, OK, pas fabriquer le bon nombre de croix pour les cimetières. Alors la crème des informaticiens. Des fanas de grosses machines. Une formation express et, la boule à zéro, vous servez votre patrie. « Gloire à toi, mon pays, roi de la technologie. » Les meilleurs seulement avaient été retenus. Des gars de Stanford, du MIT, de l'université de l'Utah, de Davis. Et ses copains de Palo Alto, ceux de l'Arpanet, qui travaillaient pour le rêve. Harnachés, expédiés. Tous blancs. Il y avait d'autres programmes que le sien – pour quantifier le sucre, l'huile, les munitions, les cigarettes, les boîtes de corned-beef, mais Joshua partait compter les morts.

Sers ta patrie, Josh. Si tu peux apprendre les échecs à une machine, tu nous diras combien on a descendu de niakoués. Donne-moi tes uns et tes zéros, héros. Montrenous comment faire le bilan.

Ils avaient eu du mal à trouver une veste d'uniforme qui ne flotte pas sur ses épaules, et un pantalon assez long. Il était monté dans l'avion avec le feu au plancher. J'aurais dû comprendre en le voyant. Tout simplement le garder avec moi. Mais il s'est envolé. L'avion a décollé, le ciel l'a englouti. Ses quartiers étaient déjà construits à Tan Son Nhut. Une petite fanfare les avait accueillis à la base aérienne. Des parpaings, des bureaux en contreplaqué derrière. Une pièce pleine de Honeywell et de PDP-10. Quand ils ont ouvert la porte, les machines ronronnaient. Du gâteau, croyait-il.

Elle aurait tant voulu lui dire sur la piste de l'aéroport. Le monde est aux mains d'hommes brutaux avec leurs armées pour témoins. Danse quand ils veulent te mettre au garde-à-vous. Brandis le drapeau qu'ils t'ordonnent de brûler.

Rêve au lieu de mitrailler. Théorème, contre-théorème. Corollaire, contre-corollaire. À souligner deux fois. Les chiffres te le prouveront. Écoute ta mère. Écoute-moi, Joshua. Regarde-moi dans les yeux. J'ai quelque chose à te dire.

Il était là, tondu et empourpré devant elle, et elle n'avait rien dit.

Parle-lui. De l'éclat de ses joues. Dis quelque chose. Dis-lui. Mais dis-lui. Non, elle n'a fait que sourire. Solomon a serré une étoile de David dans la main de son fils, puis il s'est détourné avec ces mots : « Sois courageux. » Claire l'a embrassé sur le front. Remarqué dans son dos le tissu de l'uniforme, parfaitement symétrique, qui se pliait où il faut, se dépliait où il faut, et elle savait, elle savait bien qu'elle le voyait partir pour toujours. « Allô, AT&T, passez-moi le ciel, je crois que Joshua est arrivé. »

Ne pas céder à l'abattement. Non, non. Mettre le café dans le filtre, aligner les sachets de thé. Penser : endurance. Ça a sa logique, ça, l'endurance. Souviens-toi, accroche-toi.

C'est comment d'être mort, mon fils, ça me plairait ?

Oh. L'interphone. Oh là. La cuillère claque par terre. Ouh. S'élancer dans le couloir. Revenir la ramasser. Tout est prêt, impeccable, parfait. Rendez-moi son corps, rendez-moi sa vie, monsieur Nixon, alors tout se passera bien. Et prenez mon cadavre, cinquante-deux ans sonnés, faites l'échange, pas de regrets, je ne me plaindrai pas. Pourvu que vous nous le rendiez à tous, tout beau tout recousu.

Contrôle-toi, Claire.

Je ne m'effondrerai pas.

Non.

Vite, maintenant. La porte. L'interphone. Elle aurait besoin de se rafraîchir les idées, elle le sait. Les plonger dans une vague d'eau froide, comme la main dans un bénitier. Trempez, guérissez.

— Oui ?

— Vos invitées, madame Soderberg.

— Ah. Bien. Faites-les monter.

Trop sec ? Trop rapide ? J'aurais dû dire : « Génial. Super. »
D'une voix pleine et vivante. Au lieu de... « Faites-les monter. » Même pas un « s'il vous plaît ». Comme les ouvriers,
le personnel. Les plombiers. Les décorateurs. Et les mili-
taires. Elle appuie sur le bouton du combiné pour écouter
ce qui se passe en bas. Comme c'est drôle, ces vieux inter-
phones. Un fond de parasites, la commande de la porte,
des rires, la porte se referme.

— L'ascenseur est droit devant vous, mesdames.

Bon, c'est au moins ça. Il ne les a pas envoyées à l'autre,
celui des employés. Au moins, elles sont au chaud dans la
grande boîte en acajou. Non, pas ça. La cabine.

De vagues murmures. Elles sont toutes là. Elles ont dû se
donner rendez-vous avant, dans un café. C'était arrangé. Je
n'y avais pas pensé. Ne m'avait pas traversé l'esprit. Mais
j'aurais mieux aimé qu'elles s'abstiennent.

Peut-être ont-elles parlé de moi. Elle a besoin d'un
médecin. Cette touffe grise qu'elle a dans les cheveux. Son
mari est juge. Ces tennis ridicules qu'elle porte. Les sourires,
il faut les lui arracher. Elle habite un penthouse, avec terrasse, et elle appelle ça « là-haut ». Vraiment nerveuse. Elle
croit être comme tout le monde, pourtant ce qu'elle peut
être snob. Elle pourrait bien craquer un de ces quatre
matins.

Comment les accueillir ? Poignée de main ? Petite tape
dans le dos ? Un sourire ? La première fois, elles s'étaient
embrassées chaleureusement avant de partir, sur le palier à
Staten Island, le taxi klaxonnait, Claire avait les yeux baignés
de larmes, nous étions toutes tellement contentes, là chez
Marcia, un bras sur l'épaule, et Janet qui montrait un ballon jaune coincé en haut d'un arbre.

— Retrouvons-nous bientôt !

Gloria avait serré le bras de Claire. Et joue contre joue .

— Vous pensez qu'ils se connaissaient, nos garçons ?
Qu'ils étaient amis ?

La guerre. Son écœurante proximité. Son odeur de mort.
Cette mort qui la talonne chaque jour, il y a maintenant

113

deux ans que les troupes sont revenues, trois millions, cinq millions, deux millions et demi, quelle importance ? Rien n'est terminé. La crème devient du lait. La première étoile du matin brille jusqu'au fond de la nuit. S'ils auraient pu se lier ? D'amitié ?

— Oh oui, Gloria, bien sûr qu'ils auraient pu.

Pas plus mal qu'ailleurs, le Vietnam, pour nouer des liens. Ben voyons. Le Dr King faisait un rêve qui ne brûlerait pas au napalm sur les rives de Saigon. Après l'assassinat du bon docteur, Claire avait envoyé mille dollars, en coupures de vingt, à l'église d'Atlanta. Papa avait gueulé tout ce qu'il pouvait. Il appelait ça de l'argent coupable. Elle s'en fichait. Il y avait de quoi se sentir coupable, oui. Eh oui, moderne, elle l'était. Elle aurait pu donner son héritage, tant qu'elle y était. « J'aime bien les pères, tout le monde devrait en renier un. » Que ça te plaise ou non, papa, je donne ça au Dr King, et tu en penses quoi, aujourd'hui, de tes négros et de tes youtres ?

Ah. La mezouza à la porte. Non, ne t'en fais pas pour ça. Elle la touche, se place devant. Assez grande pour la cacher. Derrière la tête. L'ascenseur qui se met en branle. Pourquoi avoir honte ? Ce n'est pas de la honte, pas vraiment, si ? De quoi pourrais-je bien avoir honte ? Solomon avait insisté pour accrocher la mezouza devant la porte. Il y a des années. Et puis voilà. C'était pour sa mère. Ne pas la contrarier quand elle venait nous voir. Lui faire plaisir. Où est le problème ? Elle était très contente. Pourquoi chercher plus loin ? Je n'ai à m'excuser de rien. J'ai trotté toute la matinée, les lèvres serrées, j'avais peur rien que de respirer. J'ai avalé des valises d'air. « Que n'ai-je été deux pinces ruineuses, trottant au fond des mers silencieuses ? » Comment ils disent, les jeunes ? Faut s'accrocher. Tenir bon. Les cordes, le casque, les mousquetons.

C'est quoi, que je n'ai jamais dit à Josh ?

Les numéros des étages s'illuminent sur le panneau à côté de l'ascenseur. Les bavardages vont bon train dans la cabine, une boule d'énergie. Elles sont déjà très à l'aise.

J'aurais bien aimé les retrouver plus tôt, au café. Mais voilà, elles arrivent.

C'était quoi ?

— Bonjour, dit-elle, bonjour-bonjour-bonjour. Marcia ! Jacqueline, vous êtes superbe ! Entrez, oh, elles sont bien, ces chaussures, Janet ! Par ici, venez. Gloria ! Mais je vous en prie, entrez, entrez, ce que je suis heureuse de vous voir !

La seule chose à savoir de la guerre, mon fils, c'est : N'y va pas.

*
* *

C'était comme si le courant électrique la propulsait vers lui. Elle regardait n'importe quel appareil – télévision, radio, le rasoir de Solomon – et elle partait là-bas, à cheval sur le voltage. Surtout le frigidaire. Elle se réveillait au milieu de la nuit, traversait l'appartement jusqu'à la cuisine, s'adossait au frigo. Puis elle ouvrait le freezer pour une bouffée de fraîcheur. Le freezer, c'était bien, il n'y avait pas d'ampoule à l'intérieur. D'un instant à l'autre, elle passait du chaud au froid, tapie dans l'obscurité, sans réveiller Sol. Le silence, le petit bruit de ventouse du caoutchouc autour de la porte, puis le froid qui enveloppait son corps et son regard voyageait au-delà des câbles, des cathodes, des transistors, des interrupteurs, dans l'espace, elle le voyait soudain dans la même pièce, juste à côté, il suffisait de tendre la main pour lui toucher le bras, le consoler, il était là sous les néons, entre les rangées de tables et de matelas, à travailler.

Elle avait une idée, une intuition, sur la façon dont tout ça fonctionnait. Elle n'était quand même pas nouille à ce point. Elle avait son diplôme. Mais comment des machines, se demandait-elle, pouvaient-elles compter les victimes mieux que des êtres humains ? Elles savaient quoi au juste, les cartes perforées ? Comment des séries de tubes et de fils électriques faisaient-elles la différence entre les vivants et les morts ?

Il lui envoyait des lettres. Il se disait programmeur. Même superprogrammeur. Programmait les machines. Créait les lignes de code qui faisaient basculer les interrupteurs. Mille portes microscopiques à la seconde. Elle pensait au portail d'un pré. Qui conduisait à un second, puis un troisième, de l'autre côté de la colline, et puis il s'éloignait sur la rivière, flottait le long des câbles. Il disait que, devant l'ordinateur, il se sentait léger, étourdi, comme s'il glissait sur une rampe d'escalier, et elle se demandait de quoi il parlait, il n'avait jamais eu ni rampe ni escalier dans sa jeunesse, mais elle acceptait tout ça, le voyait là-bas, dans la maison de parpaings, sur les hauteurs de Saigon, descendre à la cave sur la rampe, rejoindre son bureau, réveiller les circuits. Le curseur qui clignote. Les sillons sur son front. Son regard attentif sur les listings. La blague qui ricoche de table en table. Son rire. Les découvertes. Les défaites. Les assiettes par terre. Les tubes d'antacide éparpillés. Un enchevêtrement de fils. La danse des commutateurs. Le ronronnement des ventilos. Il faisait tellement chaud dans cette pièce, disait-il, qu'ils étaient obligés de sortir toutes les demi-heures. Dehors, ils s'arrosaient au jet. De retour devant les pupitres, ils étaient secs en deux secondes. Le surnom qu'ils se donnaient : « Mac. » Mac ceci, Mac cela. Leur mot préféré. Machines À Comprendre. Mecs À Commu-niquer. Multiplex À Chier. Malade Apprivoise Clown. Mais Apprends Courageusement. Militaire Attend Colostomie.

Tout ce qu'ils faisaient tournait autour des machines, disait-il. Ils divisaient, connectaient, emboîtaient, chaînaient, supprimaient. Réorganisaient les circuits. Déchiffraient les mots de passe. Changeaient les cartes à mémoire. Une sorte de magie noire. Ils connaissaient les manies intimes de chaque ordinateur. Restaient enfermés toute la journée. Suivaient leurs intuitions, revenaient sur les échecs, travaillaient l'abstraction. Et quand ils voulaient dormir, ils s'allongeaient sous les tables, trop fatigués pour rêver.

Son programme à lui s'appelait Death Hack. Il fallait compulser les dossiers, saisir tous les noms, faire des nombres avec des hommes. Les grouper, les marquer, les classer, les encoder. Le problème n'était pas tant de savoir qui était décédé, mais plutôt combien l'étaient sous le même nom. Les doublons – les Smith, les Rodriguez, les Sullivan, les Johnson. Les pères et les fils. Les oncles morts aux initiales de leurs neveux morts. Les absents sans permission. Les groupes scindés. Les rapports incomplets. Bourrés d'erreurs. Les escadrons secrets, les flottilles, les forces expéditionnaires, les patrouilles de reconnaissance. Et ceux qui se mariaient dans les villages de campagne. Qui s'enfonçaient dans la jungle. Qui en rendrait compte, de ceux-là ? Il les avait inclus autant que possible dans son programme. Leur avait réservé une place, qu'ils aient l'air d'être vaguement vivants. Il se débrouillait, tête baissée, sans poser de questions. Son devoir de patriote, disait-il. Ce qu'il aimait le plus, la création, le moment où il venait à bout de ce que personne n'avait résolu avant lui, soudain la solution jaillissait sous ses yeux, claire, propre, imparable.

Écrire un programme pour compiler les morts n'était pas si dur, disait-il, son intention était surtout d'en faire un pour comprendre ce qu'était la mort. Là était l'avenir à long terme. Un jour, les ordinateurs rassembleraient les plus grands esprits. D'ici trente ou quarante ans. Si le monde entier n'explosait pas avant dans un feu d'artifice.

Nous sommes à la pointe du savoir, maman. Il lui parlait de ses rêves. De ressources spécialisées accessibles sur des installations distantes. De transmissions de paquets, de messages. De télétraitement et de réseau commuté. D'ordinateurs capables de corriger eux-mêmes leurs propres dysfonctionnements. De protocoles, d'effacement global, de téléscripteurs, de mémoires et de RAM, de pousser l'Honeywell jusqu'aux dernières limites, de faire mumuse avec le prototype qui arrivait de Palo Alto. Il décrivait les circuits imprimés comme d'autres décrivent la glace. Ça ne l'étonnait pas que les Esquimaux aient soixante-quatre mots pour désigner la neige, ils auraient dû en avoir plus. On touchait à la beauté la plus pure, la somme de mille intelligences imprimée sur une pastille de silicium. Qu'on promènerait un jour dans une mallette. Un poème dans la pierre. Un théorème dans une tranche de minerai. Les programmeurs étaient les artisans de l'avenir. Savoir, c'est pouvoir, maman. Avec l'esprit humain pour seule limite. Il prétendait que ses ordis sauraient tout faire, résoudre les problèmes les plus complexes, déterminer la valeur de π, l'origine de tout langage, l'étoile la plus lointaine. Incroyable ce que le monde était petit. Il suffisait de s'y mettre. Le but est de faire parler les machines, maman. Qu'elles fonctionnent comme des humains. C'est ainsi qu'il faut raisonner. Pense aux poèmes de Walt Whitman : on trouve ce qu'on veut dedans, eh bien là, c'est pareil.

Elle lisait ses lettres devant le frigidaire, lui arrangeait les cheveux, lui conseillait de se coucher, de manger quelque chose, de se changer, de faire un peu attention à lui. Elle voulait surtout qu'il ne disparaisse pas. Lors d'une panne d'électricité, une nuit, elle s'était adossée contre les placards en pleurant : il ne répondait pas. Elle avait coincé un crayon dans la prise électrique et elle avait attendu que le courant soit rétabli : le crayon avait bondi dans sa main. Évidemment, elle savait de quoi elle avait l'air – une femme qui ouvrait et refermait son frigidaire –, mais elle trouvait là le réconfort et Solomon ne se doutait de rien. Elle pouvait toujours lui dire qu'elle cuisinait quelque chose, qu'elle venait boire un verre de lait, qu'elle mettait la viande à décongeler.

Sol ne parlait pas de la guerre. Il s'en préservait dans le silence. Préférait rapporter ses affaires de justice, cette litanie obscène de la cité, meurtres, viols, taulards, arnaques, coups, blessures et cambriolages. Mais la guerre, non. Sauf les contestataires qui avaient leur place dans le lot, il les trouvait naïfs, lâches, des mauviettes, tout ça. Les condamnait aux peines les plus lourdes. Six mois pour du sang versé sur les registres de la conscription. Huit mois pour les vitrines brisées du bureau de recrutement à Times Square. Elle parlait de manifester, de rencontrer tous les hippies, yippies, beatnicks, vietnicks, à Union Square et Tompkins Square, de porter la banderole de soutien aux Catonsville Nine[8]. Mais elle n'arrivait pas à s'y résoudre. Il faut soutenir notre fils, disait Solomon. Notre doux blondinet. Qui dormait dans notre lit, il n'y a pas si longtemps, lové entre nous deux. Qui jouait au train électrique sur le tapis d'Orient. Trop grand pour son petit blazer bleu. Qui connaissait bien ses fourchettes : à huîtres, à poisson, à gâteau, les grandes dents de la vie.

Et un jour, sortant de nulle part, la panne, le black-out, plus rien, plus rien du tout.

Joshua encodé.

Incrusté dans ses propres chiffres.

Elle était restée deux mois au lit. À peine si elle bougeait. Solomon avait voulu engager une infirmière, Claire avait refusé. Comme quoi elle allait s'en sortir. En douceur. Joshua aimait cette expression. Je m'en sortirai tout en douceur. Elle s'était mise à déambuler dans l'appartement, la salle à manger, le salon, le coin petit-déjeuner, puis de nouveau la cuisine et le frigidaire. Elle avait collé la photo de Joshua au milieu de la porte. Adossée au frigo, elle lui parlait. La porte s'était parée de divers trucs qui lui auraient plu. Des choses simples. Un coup de ciseaux, un bout de scotch. Des coupures de presse sur l'informatique. Des photos de circuits imprimés. Celle du nouveau bâtiment du PARC. Un article sur un as du graphisme. Le menu de Ray's Famous. Une petite annonce du *Village Voice*.

Comme si des cheveux poussaient sur le frigo, pensait-elle. Ça la faisait presque sourire. Mon chevelu de frigidaire.

Puis, un soir, les petits aimants étaient tombés par terre, elle s'était baissée pour relire. « Cherche d'autres mères de soldats pour conversation. PO Box 667. » Elle n'aurait jamais employé le mot de soldat. Il était analyste-programmeur, il était parti pour l'Asie. Mais elle avait des picotements au bout des doigts. Posant l'annonce sur le plan de travail, elle avait en vitesse rédigé une réponse au crayon, l'avait repassée à l'encre, s'était glissée jusqu'à la porte, puis en catimini dans l'ascenseur. Elle aurait pu poster la lettre en bas dans l'entrée, mais elle ne voulait pas, elle s'était mise à courir en pleine nuit, Park Avenue sous la neige, le portier n'en revenait pas de la voir sortir en pantoufles et chemise de satin.

— Tout va bien, madame Soderberg ?

Ne pas s'arrêter. L'enveloppe dans la main. Mère cherche ossements de son fils. Fouille les ruines d'un café dans une terre étrangère.

La boîte à lettres au coin de Lexington et de la 74e. Son souffle blanc dans l'air. Les orteils trempés dans la neige. Elle savait que, si elle ne l'envoyait pas maintenant, elle ne le ferait jamais. Le portier l'avait timidement saluée à son retour, avec un rapide coup d'œil à ses seins.

— Bonsoir, madame Soderberg.

Oh, elle avait eu envie de l'embrasser. Sur le front. Merci pour ce regard. Elle se sentait mieux. Excitée, pour être honnête. Tendu sur sa poitrine, le tissu révélait des formes resserrées par le froid, et un dernier flocon fondait à la base de son cou. Elle aurait trouvé cela grossier n'importe quel autre jour. Mais ce soir, en chemise de nuit dans l'ascenseur douillet, elle le remerciait presque. Ressentait enfin une sorte de légèreté. Elle avait tout retiré de la porte du frigo, excepté la photo. Redevenir simple. Comme une coupe de cheveux. Pensait à sa lettre qui naviguait dans les circuits postaux, avec une autre comme elle au bout. Qui était-ce, de quoi avaient-elles l'air, seraient-elles aimables, affectueuses ? C'est tout ce qu'elle demandait : de la gentillesse.

Elle s'était blottie contre Solomon, sa chaleur, sa douceur. Lui avait caressé le bas du dos.

— Sol. Solly. Chérisol. Réveille-toi.

Il s'était retourné pour dire qu'elle avait les pieds froids. Eh bien, réchauffe-les, Solly. Prenant appui sur un coude, il s'était allongé sur elle.

Après, elle s'était endormie. Pour la première fois depuis des siècles. Elle avait presque oublié comment on se réveillait. Ouvrant les yeux le matin, elle l'avait de nouveau invité, glissant ses doigts sur l'arrondi de l'épaule.

— Eh, qu'est-ce qu'il y a, chérie ? avait-il souri. C'est mon anniversaire ou quoi ?

*

* *

Les voilà. Prudemment habillées à l'exception de Jacqueline, décolleté plongeant, robe imprimée Laura Ashley. Marcia, juste derrière, empourprée, ressemble à un oiseau arrivé par la fenêtre qui va percuter les murs. Même pas un regard à la mezouza. Dieu merci. On se passera d'explications. Janet, tête baissée. Le grand sourire de Gloria et sa main sur le poignet de Claire. Elles filent dans le couloir. Marcia en tête avec le carton du pâtissier. La porte de la chambre de Joshua. Puis la sienne. Le portrait de Solomon au mur, dix-huit ans plus tôt, chevelu. Au salon. Tout droit vers les fauteuils.

Marcia pose son carton sur la table basse, s'adosse aux profonds coussins blancs, s'évente. Peut-être est-ce des bouffées de chaleur, ou le métro avait-il du retard. Non, elle est dans tous ses états, et il doit y avoir une raison.

Au moins, elles ne se sont pas donné rendez-vous ailleurs avant de monter. Pas de stratégie élaborée pour Park Avenue. Ne passez pas par la case départ, ne touchez pas deux cents dollars. Claire tire l'ottomane, dispose les fauteuils en cercle, prend Gloria par le bras pour l'installer sur le canapé. Gloria toujours agrippée à ses fleurs. Serait malpoli de les lui prendre, mais elles auront vite besoin d'eau.

121

— Oh là là, dit Marcia.

— Ça va ?

— Qu'est-ce qu'il y a ?

Penchées vers elle – un scandale – comme autour d'un feu de camp, tout ouïe.

— Vous ne le croirez pas.

Marcia a les joues rouges et le front perlé de sueur. Elle paraît manquer d'oxygène en atteignant le sommet. Les cordes, le casque, les mousquetons.

— Quoi ? demande Janet.

— Quelqu'un t'a agressée ?

La mâchoire de Marcia bâille dans le vide. Le petit ours plaqué or rebondit sur ses côtes.

— Un homme dans les airs !

— Hein ?

— Un homme qui marchait dans les airs.

— Misère, dit Gloria.

Claire se demande un instant si Marcia ne serait pas un peu soûle, ou défoncée, allez savoir par les temps qui courent, elle a peut-être grignoté des champignons au réveil, siroté une goutte de vodka mais, malgré ses couleurs, elle semble tout à fait sobre, les yeux bien blancs, la diction claire.

— En bas là-bas.

Vodka ou pas vodka, Claire se félicite de cette exaltation passagère, car elles ont pour ainsi dire foncé au salon. Un minimum de cérémonies. Foin de toutes ces politesses, les oh et les ah, les gênes, quels rideaux splendides, en voilà une jolie cheminée, oui le mien avec deux sucres, mais comme c'est bien chez vous, quel vase ravissant, et, mon Dieu, est-ce bien votre mari, là sur le mur ? Toutes les préparations du monde n'auraient pas réussi à les réunir si vite, sans le moindre temps mort

Elle devrait faire quelque chose, elle le sait, pour mieux les accueillir. Donner un mouchoir à Marcia. Un verre d'eau fraîche. Prendre les fleurs des mains de Gloria. Ouvrir le carton, disposer les bagels dans le plat. Les trouver bien choisis. Quelque chose, n'importe quoi. Mais elles sont toutes focalisées sur Marcia, cette effervescence, sa poitrine qui gonfle et se vide.

— Un verre d'eau, Marcia ?

— S'il vous plaît. Oh oui.

— Cet homme, où ça ?

Leurs voix derrière moi. Que je suis bête. Vite, vite, à la cuisine. Elle ne veut pas perdre un mot. Les murmures dans le salon. Au freezer. Les bacs à glaçons. J'aurais dû les remplir ce matin. Ne m'a pas traversé l'esprit. Elle fait claquer un bac sur le marbre. Trois, quatre glaçons. Des éclats glissent sur le plan de travail. Et de quand ils datent, ces glaçons ? Veinés au milieu. L'un d'entre eux fait mine de s'échapper, tombe par terre. Je peux ? Un coup d'œil vers le living, elle se penche. Un pas de deux jusqu'à l'évier. Elle laisse couler l'eau une seconde, rince les glaçons, remplit les verres. Elle voudrait trancher un citron, ce qu'elle ferait d'habitude, mais elle sort de la cuisine et fonce dans le salon avec les verres d'eau.

— Tenez.

— Ah, super, merci.

En outre, Janet lui sourit. Mais pourquoi Janet ?

— Et donc le ferry était plein…

Elle est un peu vexée que Marcia ne l'ait pas attendue pour commencer, mais qu'importe. Le ferry de Staten Island, certainement. C'est là qu'elle habite.

— J'étais debout à l'avant, poursuit Marcia.

Claire s'essuie la main sur sa hanche, se demande où elle devrait s'asseoir. Sur le canapé, au cœur des choses ? Ce serait peut-être un peu osé, hardi, juste à côté de Marcia, vers qui les regards convergent. Mais sinon on notera qu'elle reste à l'extérieur, comme si elle s'excluait, qu'elle jouait solo. Par ailleurs, elle a besoin d'être mobile, pas coincée par la table basse, il lui faudra se lever, préparer les boissons, servir le petit-déjeuner, répondre à la demande, mettre tout le monde à l'aise. Café, thé ? Combien de sucres ?

Elle sourit à Gloria en se rapprochant d'elle, retire le cendrier de l'accoudoir, il cliquette sur la table, elle s'assied, sent la grosse main si rassurante de Gloria dans son dos.

— Excusez-moi, continuez, je vous prie.

— C'était un peu tard pour le lever du soleil, mais tant pis je suis restée là. C'est joli, Manhattan à cette heure. Je ne sais pas si ça vous est arrivé de le voir, mais c'est vraiment joli. Je rêvassais quand soudain j'ai levé les yeux et j'ai vu un hélicoptère et, bon, vous savez que, moi, les hélicoptères...

Bien sûr, elles savent, l'atmosphère s'assombrit un instant, Marcia ne semble pas le remarquer, elle s'interrompt, se racle la gorge, trente secondes de silence, un silence respectueux.

— Alors je regarde bien, et il ne bouge pas, il reste suspendu, comme s'il observait quelque chose. Mais il ne tient pas bien en stationnaire. Il balance un peu trop.

— Tonnerre.

— Je me dis que Mike Junior s'en serait beaucoup mieux sorti, il pilotait ça comme qui rigole, lui, c'était l'Evel Knievel de l'hélico, disait le sergent. Quand même, je me demande s'il n'y a pas un problème ? Ça me faisait un peu peur. Qu'est-ce qu'il fichait là, comme ça, le zoziau ?

— Oh non, dit Jacqueline.

— On n'entendait pas le moteur, donc impossible de savoir. Tout d'un coup, derrière l'hélico, j'aperçois comme une patte de mouche. Franchement, ça faisait comme un insecte. Mais c'est quelqu'un.

— Quelqu'un ?

— Un ange ? dit Gloria.

— Un homme qui vole ?

— Quel genre ?

— Il volait ?

— Où ça ?

— Ça me donne la chair de poule.

— C'est un mec, sur une corde raide, explique Marcia. Je veux dire, c'était pas évident, je n'ai pas compris tout de suite, mais c'est ça, un type qui se balade sur une corde.

— Mais où ?

— Chhhht, fait Janet.

— Là-haut. Entre les tours. À trois mille kilomètres du sol. On l'apercevait à peine.

— Mais qu'est-ce qu'il fait ?

— Il marche sur une corde !

— Un funambule ?

— Comment ?

— Sans blague ?

— Il est tombé ?

— Chhhhht.

— Me dis pas qu'il est tombé ?

— Tchh !

— Il n'est pas tombé, quand même ?

— Allons ! dit Janet à Jacqueline.

— Alors j'ai tapé sur l'épaule d'un jeune gars près de moi. Un de ces types avec la queue de cheval. Et il me répond : « Hein, quoi ? » Il a l'air franchement contrarié, comme si je le dérangeais dans sa petite rêvasserie, peut-être qu'il dormait debout, ou c'que je sais. Je lui dis : « Regardez ! — Quoi ? », il me dit.

— Bon Dieu.

— Donc je lui montre, le bonhomme dans les airs, et il devient grossier, pardonnez-moi, Claire, de répéter ça chez vous, je suis navrée, mais il me dit « chier ».

Claire a envie de répondre : « Je le dirais aussi, si c'était moi. Dans un sens, puis dans l'autre, dans la rue et sur les toits. Et chier ci, et chier ça, et chier tout le truc, encore une fois et deux, et trois. » Mais elle se contente de sourire à Marcia, de hocher la tête d'un air entendu, dire chier un matin sur Park Avenue, aucun problème, un mercredi autour d'un café, en fait c'est sûrement le mieux qu'on puisse faire dans ces circonstances, peut-être qu'on devrait toutes le dire à l'unisson, même le chanter en chœur.

— Alors, poursuit Marcia, les gens autour de nous ont levé les yeux et, aussi sec, le capitaine du ferry était là aussi, avec ses jumelles, et il disait pareil, il y a un homme là-haut sur un fil.

— C'est vrai ?

— Je vous laisse imaginer. Tous ces gens sur le pont du ferry, en route pour le boulot, tôt le matin, côte à côte. Et ce type qui marche sur un fil. Entre les nouveaux buildings, là-bas, le World-machin-chouette.

— Trade.

— Centre.

— Quoi, là ?

— Mais écoutez.

— Ces deux horreurs, dit Claire.

— Et le jeune avec sa queue de cheval…

— Le chié mec ? dit Janet en pouffant.

— Oui. Il commence à me raconter qu'il est sûr et certain, à cent cinquante pour cent, que c'est un artifice, qu'on projette une image dans le ciel, et peut-être c'est un immense drap blanc, et le projecteur dans l'hélico, etc., etc., il me sort tout un jargon.

— Un projecteur ?

— Un truc pour la télé ? dit Jacqueline.

— Peut-être un cirque.

— Je lui réponds qu'on ne peut pas faire ça dans un hélico. Alors il me regarde, comme si je pouvais toujours causer. Et je lui répète : « C'est impossible. » Alors il me sort : « Eh, vous y connaissez quoi, vous, aux hélicos ? »

— Non !?

— Je lui réponds que j'en sais long comme ça, sur les hélicos, justement.

C'est vrai. Long comme le long du bras, et comme ça jusqu'aux portes de l'enfer.

Bien sûr, elle leur avait dit, chez elle à Staten Island, que Mike Junior en était à sa troisième affectation, une mission de routine du côté de Qui Nhon. Il apportait des cigares à un général ou une huile quelconque dans un Huey du

57e détachement médical – des cigares, non mais vous imaginez ? Une Evasan[9] pour transporter des cigares ! Et c'était un bon hélico, il frisait les quatre-vingt-dix nœuds. Les chiffres lui avaient délié la langue : il y avait un problème avec la colonne de direction, elle avait parlé en détail du moteur, du rapport d'engrenage, de la taille du rotor de queue, alors que l'essentiel, vraiment, résidait dans le fait que Mike Junior avait percuté un but, absolument, une cage de but sur un terrain de foot, à peine deux mètres de haut – mais qui joue au foot au Vietnam ? L'hélico avait basculé, atterri de travers, bêtement, mais Mike s'était fracassé le crâne, bêtement, brisé la nuque dans l'hélico intact, bêtement, un million de fois elle s'était représenté la scène, et depuis elle se réveillait en sursaut la nuit car elle rêvait d'un général qui ouvrait des boîtes de cigares les unes après les autres pour trouver à chaque fois des petits bouts de Mike à l'intérieur.

Ouais, elle s'y connaît en hélicos, et c'est bien dommage.

— Enfin, bon, je lui ai dit de s'occuper de ses fesses.

— Ben oui, fait Gloria.

— Évidemment, le capitaine, qui a toujours ses jumelles, confirme que ça n'est pas une projection.

— Il a raison.

— Et moi, je ne peux pas m'empêcher de penser que c'est peut-être mon garçon, là-haut, et qu'il nous dit bonjour.

— Oh non.

— Oh.

— Diable.

Claire a le cœur lourd pour Marcia.

— Et ce type dans les airs.

— Incroyable.

— Quel courage.

— Exactement. C'est pour ça que je pensais à mon petit Mike.

— Bien sûr.

— Il est tombé ? demande Jacqueline.

— Chut, chut, laisse-la parler, dit Janet.

— Je demande, c'est tout.

— Avant d'accoster, le capitaine a fait faire un tour complet au bateau pour qu'on puisse tous bien regarder. Ensuite, la coque a claqué contre le quai. Du coup, j'étais à la mauvaise place, je ne voyais plus rien d'où j'étais. Tour nord, tour sud, je ne sais plus laquelle, mais pour moi, c'était fini. Je n'ai même pas dit au revoir au type à la queue de cheval. J'ai tourné les talons et j'étais la première sur le débarcadère. J'avais envie de courir voir mon gars.

— Eh oui, dit Janet. Allons, allons.

— Chut, fait Jacqueline.

L'atmosphère est tendue. Serrez encore la vis, et le salon explose. Janet a les yeux rivés sur Jacqueline qui repousse ses cheveux roux dans son dos comme on chasserait une mouche, ou un homme-patte de mouche, et Claire étudie l'une et l'autre, anticipant un vase brisé, la table renversée. Elle pense je devrais faire quelque chose, dire quelque chose, ouvrir la soupape, appuyer sur la touche *escape*, et elle tend les bras à Gloria pour la débarrasser de ses fleurs, des pétunias, superbes, les tiges sont vertes, robustes, tranchées net tout en bas.

— Il faudrait les mettre dans l'eau.

— Oui, oui, dit Marcia, soulagée.

— Je reviens tout de suite.

— Vite, Claire.

— Juste une minute.

La chose à faire. Absolument. Sur la pointe des pieds jusqu'à la cuisine, mais elle s'arrête à la porte ajourée. Encore un pas et elle n'entendra plus. Quelle idée stupide de s'occuper soudain de ces fleurs. Elle aurait dû attendre encore, gagner du temps. L'oreille tendue, elle s'adosse aux lattes blanches.

— … et donc je cours dans le labyrinthe des petites rues, devant les salles des ventes, les boutiques d'électronique, les magasins de tissus, les immeubles en brique rouge. On s'imagine qu'on les voit, les deux gratte-ciel, de cet endroit, ils sont tellement immenses…

— Cent étages.

— Cent dix.

— Chut.

— … mais non. On les aperçoit de temps en temps, mais pas du bon côté. J'essayais d'aller au plus vite, mais impossible dans ces vieilles rues. J'aurais dû rester sur les quais. Et je cours, et je cours. C'est mon petit gars là-haut qui vient nous dire bonjour.

Toutes se taisent, y compris Janet.

— Je vire à gauche, à droite, d'un trottoir à l'autre, en cherchant un meilleur point de vue. Il faut que je fasse attention en marchant parce que je garde les yeux levés. Mais je les ai perdus, l'hélicoptère et le bonhomme. Je n'avais pas couru aussi vite depuis le lycée. J'avais les nibards qui swinguaient.

— Marcia !

— La plupart du temps, j'oublie même que j'en ai.

— Je n'ai pas ce problème, dit Gloria, qui ajuste sa robe sur sa poitrine.

Elles s'esclaffent et Claire en profite pour revenir, les fleurs toujours en main, ce que personne ne remarque. Les rires succèdent aux rires, une petite victoire, le chant de la réconciliation, comme un tour de piste qui prend fin aux pieds de Marcia.

— Et soudain je me suis arrêtée, dit celle-ci.

Claire retrouve sa place sur le bras du canapé. Tant pis pour les fleurs. Pour l'eau qu'elle n'a pas remis à bouillir. Pour le vase qu'elle n'a pas rapporté. Elle se penche comme les autres pour écouter Marcia, dont les lèvres – mauvais présage ? – tremblent un peu.

— Je me suis figée en plein milieu de la rue, poursuit Marcia. J'ai failli me faire renverser par le camion des éboueurs. Et j'étais là, les mains sur les genoux, les yeux fixés à terre, à essayer de reprendre mon souffle. Vous savez pourquoi ? Je vais vous dire.

Elle s'interrompt de nouveau.

129

Elles se penchent plus près.

— Parce que je ne voulais pas savoir s'il était tombé, ce pauvre gars.

— Eh oui, dit Gloria

— Je ne voulais pas qu'on me dise qu'il était mort.

— Eh oui, bien sûr.

La voix de Gloria, comme une sourdine à la messe. Les autres qui hochent lentement la tête, pendant que l'horloge égrène les secondes sur la cheminée.

— L'idée m'était insupportable.

— Forcément.

— Et même s'il n'était pas tombé...

— Mais dans ce cas...

— Je ne voulais pas le savoir non plus.

— Exactement.

— Parce que, de toute façon, qu'il soit encore là-haut, ou qu'il redescende sain et sauf, je m'en foutais. J'ai fait demi-tour, j'ai pris le métro et je suis venue ici tout droit sans plus me retourner.

— La vérité.

— Parce que, même s'il était vivant, ça n'était pas Mike.

Le tout comme un coup de poing au torse. Direct. Lors des précédentes réunions, toujours le matin, les choses restaient distantes, la voix, la mémoire, le souvenir appartenaient à d'autres jours, d'autres territoires, mais aujourd'hui c'était immédiat, et le pire, c'est qu'elles ignoraient ce qu'il était advenu de ce funambule, avait-il sauté, était-il tombé, arrivé à l'autre bout, marchait-il encore sur le fil, ou même n'avait-il jamais existé, n'était-il qu'un bobard, une projection, Marcia avait-elle inventé toute l'histoire pour les impressionner, impossible de savoir, peut-être que cet homme voulait se tuer, que l'hélicoptère l'avait happé dans un cerceau, ou était-il en fait attaché au câble, ou peut-être peut-être y avait-il encore d'autres peut-être

Claire se lève sur ses genoux incertains. Désorientée. Les voix se confondent autour d'elle. Elle sent ses pieds s'enfoncer dans la moquette. La trotteuse poursuit sans bruit son chemin sur l'horloge.

— Je crois que je vais les mettre dans l'eau.

*

*   *

Tard dans la nuit, il lui écrivait des lettres, lui parlait des guéguerres d'administrateurs systèmes. À quatre heures du matin devant son terminal, il éditait des lignes de code sous les néons blancs, quand parfois un message clignotait sur l'écran. Pour la plupart, ces intrusions étaient l'œuvre de camarades de sa propre unité, de maillons épars de la chaîne qui, deux bureaux plus loin, cherchaient à prendre le pouvoir sur le programme du suivant, pour le mettre à l'épreuve, découvrir la faille, ses points faibles. Rien de bien dangereux, disait-il.

Charlie et les Vietcong n'avaient pas d'ordinateurs. Ne viendraient pas mettre leur nez dans les transistors et les tubes cathodiques. Mais comme le bataillon avait des liaisons permanentes avec le PARC, Washington, et quelques universités, il était toujours possible qu'un petit malin se glisse sur la ligne et foute la pagaille. Une fois ou deux, on l'avait pris au dépourvu, alors qu'il simplifiait un processus, par exemple, qu'il traquait les doublons, qu'il s'occupait des portés disparus. Au sommet de sa forme et, oui, ces jours-là, c'était comme descendre l'escalier sur la rampe. Le sentiment de puissance, et la vitesse. Le monde était simple et tranquille et Joshua un pilote d'essai dans les terres vierges de la technologie. Une nouvelle frontière. Tout devenait possible. C'était de la musique, du jazz, une succession logique, harmonique. Sous le bout des doigts. Il suffisait d'ouvrir la main pour créer un nouvel accord – qui, sans prévenir, disparaissait sous ses yeux. Et le message clignotait : « Je veux un gâteau ! » Ou : « Répète après moi : *Bye Bye Blackbird.* » Ou : « Regarde-moi sourire. » Alors, disait-il, il était Beethoven devant le brouillon de la Neuvième, il se promenait paisiblement dans la nature quand soudain le vent emportait ses partitions. Englué sur sa chaise, les yeux fixés sur l'écran, il voyait le curseur, bip-bip, en train de manger tout ce qu'il venait de faire. Grignoter ses lignes de code. Impossible de l'arrêter. L'angoisse qui montait dans la gorge. Les notes s'envolaient vers la colline, disparaissaient avec le soleil. « Revenez, revenez, je n'ai encore rien entendu. »

C'était si bizarre de savoir qu'il y avait quelqu'un à l'autre bout de la ligne. Comme un cambrioleur qui rentre chez vous et enfile vos pantoufles. Pire que ça. « Un mec qui me passe sous la peau, maman, qui me vole ma mémoire. » Qui se fond en moi, remonte le long du dos, s'immisce dans ma tête, marche sur mes synapses, jusqu'au fond de mon crâne. Elle l'imaginait la bouche devant l'écran, les lèvres pleines d'électricité statique. « Qui êtes-vous ? » Il sentait les intrus sous le bout de ses doigts. Des pouces qui lui palpaient la moelle. Des index dans le cou. Des Américains, évidemment, mais il les voyait vietnamiens, ne pouvait s'empêcher de leur brider les yeux, de leur jaunir la peau. Lui et sa machine contre la machine d'un autre. « OK, d'accord, tu m'as eu, bien joué, mais maintenant c'est moi qui te nique. » Et il se jetait dans la mêlée.

Elle revenait au frigo, lisait ses lettres, ouvrait parfois le freezer pour l'apaiser une seconde, lui rafraîchir les idées. « Ne t'inquiète pas, chéri, tu t'y retrouveras. »

Et il s'y retrouvait. Toujours. Il l'appelait aux moments les plus inattendus quand, transporté, il venait de gagner une de ces guerres de sysops[10]. De longs coups de fil qui passaient par elle ne savait où, avec de l'écho sur la ligne. Ne lui coûtaient pas un cent, disait-il. L'unité avait son propre commutateur, des tas de connexions à disposition. Il s'infiltrait dans les réseaux existants, passait par les lignes de l'office de recrutement pour lui parler. Puisqu'il y avait une infrastructure, on n'avait qu'à se servir, affirmait-il. « Ça va, m'man, c'est pas si dur, on s'occupe bien de nous, dis à papa qu'on a même des produits casher. » Elle écoutait avec attention. Puis, la jubilation passée, il semblait fatigué, distant, des mots nouveaux apparaissaient. « Non, je suis cool, maman, flippe pas. » Depuis quand disait-il ça, « flipper » ? Lui qui avait toujours soigné son expression. Parlé la langue pointue de Park Avenue. De la retenue, et on articule. Voilà qu'il étirait les voyelles, il devenait grossier. « Je suis le mouvement, seulement j'ai l'impression d'être au volant du corbillard, maman. »

Prenait-il soin de lui ? Mangeait-il assez ? Avait-il des vêtements propres ? Perdait-il du poids ? Tout faisait penser à lui. Elle lui avait même mis une assiette, un soir pour le dîner. Solomon n'avait rien dit. Ça et le frigidaire, ces petites bizarreries.

Elle a surmonté la panique quand il s'est mis à écrire moins souvent. Il n'appelait plus pendant un jour ou deux. Ou trois à la suite. Elle s'asseyait devant le téléphone, le fixait comme pour l'aider à sonner. Elle se relevait et le plancher se plaignait, craquait. Il se disait occupé. Parlait du progrès, d'une messagerie électronique. De nœuds plus nombreux sur le réseau. Comme un tableau noir, mais magique. Le monde était à la fois plus grand et plus petit. Quelqu'un s'était infiltré quelque part et détruisait ses lignes de code. C'était un combat de chiens, un match de boxe, une joute médiévale. « Je suis au front, maman, dans les tranchées. » Un jour, croyait-il, les machines allaient révolutionner la Terre. Il aidait d'autres programmeurs. Une fois connectés, ils ne quittaient plus leurs consoles. La lutte était engagée contre les pacifistes qui essayaient de pénétrer dans les ordinateurs. Mais les machines n'étaient pas en soi maléfiques, c'était les huiles, le commandement. qui étaient nuisibles L'ordi, c'était comme un violon, un appareil photo, un crayon. Les pirates ne voulaient pas comprendre qu'ils se trompaient d'adversaire. Ce n'est pas la technologie qu'il fallait accuser, mais l'esprit humain, ses échecs, ses insuffisances

Elle lui trouvait soudain une nouvelle dimension. Une candeur. La guerre était selon lui le terrain de l'orgueil. De vieux fous devenus incapables de se regarder dans la glace, qui envoyaient les gamins au casse-pipe. Une petite réunion de vaniteux. Simplistes, réducteurs : haïssez l'ennemi, ignorez-le, et puis voilà. Cette guerre-là était aux antipodes des valeurs de l'Amérique, disait-il. L'idéal remplacé par la défaite. Plus de quarante mille victimes dans son décompte informatique, et ce n'était pas fini. Il les imprimait parfois. Déployait le papier listing dans l'escalier. De quoi descendre et remonter avec. Certains jours, il regrettait qu'un pirate ne détruise pas son œuvre. Qu'il ne fasse pas des trous dans son programme et recrache tous les noms, les Smith, les Sullivan, les frangins Rodriguez, les pères les cousins les neveux à nouveau bien vivants, et ensuite il faudrait écrire autre chose pour Charlie, un nouvel alphabet de l'agonie – pour les N'go, les Ho, les Pham, les N'guyen, tiens, tu parles d'une corvée.

— Ça va, Claire ?

Une courte pression sur le bras. Gloria.

— Vous voulez un coup de main ?

— Pardon ?

— Que je vous aide ?

— Oh non. Enfin oui, si. Merci.

Gloria. Gloria. Ce doux visage rond. Les yeux noirs, moites. Un visage habité. Généreux. Bien qu'un peu perturbé. Qui me regarde. Je la regarde. Prise sur le fait. En pleine rêverie. *De l'aide ?* Une demi-seconde, Claire l'a presque imaginée en aide familiale, ménagère, soignante… Quelle présomption. C'est deux dollars soixante-quinze de l'heure, Gloria. La vaisselle. Le balai-brosse. Pleurer nos gars. Oui, les corvées.

Elle ouvre le placard du haut pour sortir le Waterford. Cristal taillé. Par d'autres hommes au loin. Pas tous des

134

sauvages, en somme. Oui, ce sera parfait. Elle le tend à Gloria, qui sourit, le remplit.

— Vous savez ce qu'il faut faire, Claire ?

— Non ?

— Mettre un peu de sucre au fond. Elles durent plus longtemps, comme ça.

Elle ne connaissait pas le truc. Pas idiot. Du sucre. Prolonge la vie des fleurs. Donnez-leur du sucre, à nos gars. Charlie et sa chocolaterie. Mais qui était ce Charlie au Vietnam ? Ça sortait d'où ? Langage radio, sans doute. Charlie Delta Elipson. Appelle, appelle, appelle.

— Et c'est aussi bien de les tailler un peu en bas, poursuit Gloria.

Qui reprend les fleurs des mains de Claire, les dispose sur l'égouttoir, attrape un couteau, ôte un demi-centimètre à chaque tige, dispose le rebut dans sa main, douze petits machins verts.

— C'est vraiment incroyable, hein ?

— Quoi donc ?

— Ce type sur sa corde.

Claire s'adosse au plan de travail. Respire à fond. Un tourbillon d'idées. Elle ne sait pas, se demande. Cette histoire, cette apparition, la chipote, l'énerve. Quelque chose de lourd, d'ahurissant.

— Incroyable, dit-elle. Oui, c'est incroyable.

Qu'est-ce qui lui déplaît ? D'accord, c'est incroyable. La beauté du geste. L'occupation d'un espace présumé public. Ce brusque renversement. La croisée d'un homme, d'une ville, et la ville devient œuvre d'art. Marcher dans le vide, la transformer. Se réapproprier l'espace. Mais ce n'est pas tout, et il lui reste comme une rancœur. Une rancœur qu'elle se reproche, mais l'impression persiste, l'idée de cet homme, ange ou démon, perché là-haut. Après tout, pourquoi pas un ange ou un démon ? Marcia a le droit de croire ce qu'elle veut, de voir son fils dans le premier type qui se promène dans les airs, non ? Pourquoi pas Mike Junior ?

135

Où est le problème ? Qu'elle fasse un arrêt sur image, et puis voilà, son gars est revenu.

Mais cette aigreur.

— Je peux faire autre chose, Claire ?

— Non, non, tout est parfait.

— D'accord. Donc nous sommes prêtes.

Souriante, Gloria saisit le vase, se rapproche de la porte qu'elle pousse de ses épaules massives.

— J'arrive tout de suite.

Le battant ajouré se referme.

Claire arrange bien proprement tasses, soucoupes, cuillères. Qu'y a-t-il ? Le funambule ? Vulgaire, toute cette affaire. Ou peut-être pas. Facile, alors. Non, pas si facile. Elle n'arrive pas à mettre le doigt dessus. Mesquin, cette réaction. Du pur égoïsme. Elle sait qu'elle a tout le temps pour procéder comme les autres matins – sortir les photos, montrer le piano de Joshua, ouvrir les albums de souvenirs, aller voir sa chambre, les livres sur les étagères, le portrait dans l'almanach du lycée. Comme les autres fois, chez Gloria, chez Marcia, chez Jacqueline, même chez Janet. Surtout chez Janet. Qui leur avait projeté des diapos, et elles avaient toutes pleuré sur son *Casey au bâton*[11] à la reliure brisée.

Elle presse ses doigts écartés sur le plan de travail.

Joshua. C'est ça qui la chagrine ? Qu'elles n'aient pas prononcé son nom ? Qu'il soit resté absent de leur badinage, qu'elles l'aient ignoré jusque-là ? Mais non, ce n'est pas ça ? Ou bien si ?

Suffit. Assez. Prendre ce plateau. Ne pas tout gâcher. Superbe, le sourire de Gloria. Magnifiques, ses fleurs

On.

Y.

Va.

Claire se fige à peine entrée dans le salon. Elles ont disparu. Le plateau lui tombe presque des mains. Les cuillères se massent en cliquetant sur le rebord. Plus personne, pas même Gloria. Mais enfin ? Comment ont-elles fait ? Si vite ?

On dirait une farce de sales gosses. Vont-elles sortir brusquement des armoires ? Bondir derrière le canapé, comme ces têtes grimaçantes des foires qu'on doit viser avant qu'elles se cachent à nouveau ?

Elle croirait presque les avoir matérialisées, juste le temps d'un rêve, aussi vite évanoui.

Claire pose le plateau sur la table. La théière glisse, une bulle de thé gonfle au bout du bec verseur. Les sacs à main sont toujours là et une cigarette se consume toute seule dans le cendrier.

C'est alors qu'elle entend les voix. Évidemment. Que je suis bête. La porte du fond qui claque, puis celle du toit. Elle avait dû oublier de les refermer, elles auront senti le courant d'air.

Vite, dans le couloir. Leurs ombres en haut. Elle gravit les dernières marches, les rejoint, les voilà penchées sur la murette, à étudier le sud de la presqu'île. Il n'y a rien à voir, forcément, à part un voile de brume et la coupole du New York General Building.

— Il est quelque part ?

Elle sait que c'est impossible, bien sûr, pas d'ici en tout cas, même avec une visibilité parfaite. Mais au moins c'est agréable de les voir se retourner, hocher la tête, répondre « non » en chœur.

— Allumons la radio, ils en parleront peut-être aux informations.

— Bonne idée, dit Jacqueline

— Oh non, je ne préfère pas, dit Janet.

— Moi non plus, dit Marcia.

— Ils ne diront sûrement rien.

— Pas encore, non.

— Ça m'étonnerait.

Elles scrutent une dernière fois la ligne des toits, comme si elles avaient le pouvoir de faire apparaître la silhouette.

— Alors, mesdames ? Une tasse de thé, un café ?

— Diable, dit Gloria avec un clin d'œil, je n'osais plus vous le demander

— Quelque chose à grignoter, oui.

— Ça nous calmera peut-être ?

— Oui, oui.

— OK, Marcia ?

— En bas ?

— Misère, oui. L'air est brûlant comme une mariée d'août.

Elles aident Marcia à redescendre l'escalier intérieur, Janet d'un côté, Jacqueline de l'autre et Gloria derrière.

Au salon, la cigarette est consumée dans le cendrier de l'accoudoir. On dirait un homme brisé, prêt à tomber. Claire l'éteint. Regarde ses invitées, le bras sur l'épaule, serrées sur le canapé. Y a-t-il assez de sièges ? Que n'y a-t-elle pensé plus tôt ? Aller chercher le Sacco dans la chambre de Joshua ? Le poser par terre, et remplacer l'ultime empreinte de son fils par la sienne ?

Ce funambule qu'elle n'arrive pas à chasser de ses pensées. Une bulle irritante qui s'incruste. Oui, mesquin, d'accord, mais il n'y a rien à faire. Et s'il tombait sur quelqu'un ? Elle a entendu dire que, le soir, des nuées entières d'oiseaux heurtaient les vitres du World Trade Centre. Leur image dans le verre. Un choc et ils s'écroulent. Il en fera autant ?

Bon, assez. Suffit.

Rassemble tes idées, rassemble tes plumes, lisse-les, hisse-toi doucement.

— Les bagels sont dans le sachet, Claire. On a aussi apporté des doughnuts.

— Formidable. Merci.

Politesses.

— Ce qu'ils ont l'air bons !

— Ma parole.

— Je suis assez grosse comme ça.

— Oh, arrête. Si seulement j'avais ta ligne.

— Je te la donne, dit Gloria. Mais ne cours pas trop vite, tu vas en mettre partout.

— Non, non, tu as une très jolie silhouette, vraiment.

— Allez, allez .

— Mais si, c'est vrai.

Un pieux mensonge et le calme dans la pièce. Tout d'un coup, on ne mange plus. Les regards qui se croisent. Les secondes qui s'écoulent. Une sirène dehors. Le silence est brisé, et les idées prennent forme dans les esprits, comme l'eau épouse celle d'un pichet.

— Bien, dit Janet, qui se sert un bagel. Pas que je veuille être morbide..

— Janet !

— … pas morbide, non…

— Janet McIniff !

— … mais vous croyez qu'il est tombé ?

— Enfin, c'est une obsession ou quoi ?

— Non, non, c'est cette sirène, là, et…

— C'est ça, dit Marcia. Très bien Ne vous en faites pas pour moi…

— Bon Dieu ! dit Jacqueline.

— Je me pose la question, c'est tout.

— Finalement, je me la posais aussi plus ou moins, dit Marcia.

— Bon Dieu ! répète Jacqueline, étirant chaque syllabe comme du caoutchouc mou. Je n'arrive pas à le croire.

Soudain Claire aimerait être au loin, une plage quelque part, une rivière qui coule, une lame de bonheur qui la recouvre, un endroit à la Joshua, un petit moment caché, la main de Solomon qui l'effleure.

Elle est là sans y être. Un élément absent. Et qu'elles referment le cercle.

Peut-être est-ce pur égoïsme, oui. Elles n'ont pas remarqué la mezouza à la porte, ni le portrait de son mari, n'ont pas dit un mot sur l'appartement, se sont engouffrées dans le couloir et ça a démarré comme ça. Elles sont même montées sur le toit sans demander. Peut-être est-ce leur habitude, ou alors sont-elles impressionnées par les tableaux, les tapis, l'argenterie. Sûr qu'on a envoyé au front d'autres gosses de riches. Tous n'ont pas les pieds plats. Peut-être devrait-elle fréquenter d'autres femmes, plus proches d'elle en vérité. Mais elle est quoi, en vérité ? Il n'est de plus grande démocratie que la mort. La plus vieille des réclamations. Nous arrive à toutes. Riches et pauvres. Maigres et grasses. Pères et filles. Mères et fils. Un pincement, un feed-back. Le début de sa première lettre : « Chère Maman, juste pour te dire que je suis bien arrivé. » Et, bien plus tard : « Maman, cet endroit n'existe pas, ils m'ont tout enlevé pour me donner ce vide. » Oh. Oh. Prenez toutes les lettres du monde, d'amour, de joie, de haine, faites un tas devant les cent trente-sept qu'il m'a laissées, mettez-les bout à bout, les Whitman, les Wilde, les Wittgenstein et ceux que vous voudrez, aucune importance, la comparaison ne tient pas. Tout ce qu'il savait me dire ! Tout ce qu'il se rappelait ! Tout ce qu'il saisissait, devinait, comprenait !

Ce que font les fils : écrire à leur mère et parler du passé, se le remémorer jusqu'à ce qu'ils comprennent que le passé, c'est *eux*.

Mais pas lui, non, pas au passé, jamais.

Oublions les lettres. Que les machines se battent. Vous m'entendez ? Qu'elles fassent le boulot. En chiens de faïence à chaque bout du réseau.

Et les soldats à la maison.

Mon fils chez moi. Comme celui de Gloria. Et de Marcia. Qu'il se balade sur un fil, si ça lui chante. Qu'il se transforme en ange. Et celui de Jacqueline. De Wilma. Non, pas Wilma. Il n'y a jamais eu de Wilma. De Janet. Sans doute une Wilma aussi. Il y a peut-être un millier de Wilma dans ce pays.

Rendez-moi simplement mon fils. C'est tout ce que je demande. Ramenez-le, passez-le-moi. Immédiatement. Devant la mezouza, qu'il ouvre la porte, qu'il frappe les touches de son piano. Redonnez-leur à tous leurs beaux visages d'enfants. Sans cris, sans pleurs, sans jérémiades. Ici et maintenant. Pourquoi ne pas les rassembler tous ici ? Éliminez les frontières. Asseyez-les ensemble. Le béret sur les genoux. Un peu empruntés. L'uniforme froissé. Vous avez si bien combattu pour votre pays, fêtons donc ça à

Park Avenue ! Café ou thé, les gars ? Et une cuillerée de sucre pour avaler la pilule.

Tout leur bla-bla sur la liberté. Des âneries. La liberté ne se donne pas, elle s'obtient.

Je ne veux pas de cette urne.

Vous m'entendez ?

Ces cendres ne sont pas mon fils.

— Ça va, Claire ?

L'impression à nouveau de quitter une rêverie. Elle observait les mouvements des lèvres, des visages, sans écouter ce qu'elles racontaient, elles n'étaient pas d'accord, le funambule, avait-il bien fixé son câble, et elle était partie à la dérive… Fixé à quoi ? Ses chaussures ? L'hélico ? Le ciel ? Elle plie et replie ses doigts, les entend craquer en les détachant.

Vos os ont besoin de calcium, disait le bon docteur Tonnemann. C'est ça, du calcium. Buvez du lait, vos enfants resteront.

— Ça va, Claire ? demande Gloria.

— Oui, tout va bien, je rêvassais, c'est tout.

— Je connais ça.

— Ça m'arrive parfois, dit Jacqueline.

— Moi aussi, assure Janet.

— Chaque matin en me levant, je recommence à rêver, renchérit Gloria. La nuit, c'est fini. Je rêvais tout le temps, avant. Maintenant, je ne peux plus que la journée.

— Tu devrais prendre quelque chose, conseille Janet.

Claire ne sait plus ce qu'elle leur a dit – un truc bête, déplacé, qui les aurait indisposées ? Cette remarque de Janet, qui recommande un traitement. Ou était-ce pour Gloria ? Tiens, voilà cent pilules, le chagrin s'en ira. Non. Elle n'a jamais voulu. Plutôt juguler ça comme on jugule la fièvre. Mais qu'a-t-elle dit ? A-t-elle parlé du funambule ? À haute voix ? Qu'elle le trouvait un peu vulgaire ? Ou était-ce les cendres ? La mode ? Les câbles ?

— Qu'y a-t-il, Claire ?

— Je pensais juste à ce pauvre type.

Elle se donnerait des gifles de revenir là-dessus. Juste au moment où elle pouvait changer de sujet, repartir sur les bases habituelles, leur parler de Joshua, des sandwiches à la tomate qu'il adorait après l'école, des tubes de dentifrice qu'il n'enroulait jamais, des deux chaussettes qu'il mettait toujours dans la même chaussure, ou des anecdotes de cour de récré, d'un air au piano, tout ce qui lui passera par la tête, à condition de remettre cette matinée sur ses rails, mais non, il a fallu qu'elle manœuvre de travers.

— Quel type ? demande Gloria.

— Oh, celui qui est venu ici, répond soudain Claire.

— Qui ça ?

Elle choisit un bagel dans le saladier aux tournesols. Regarde ses invitées. Prend son temps, mord dans la pâte épaisse, coupe le reste en morceaux avec ses doigts.

— Le funambule ? Il est venu ici ?

— Non, non.

— Mais qui alors, Claire ?

Cette dernière saisit la théière et sert. Le liquide fume. Elle a oublié les rondelles de citron. Négligente, une fois de plus.

— Celui qui me l'a dit.

— Dit quoi ?

— Qui vous a dit quoi, Claire ?

— Vous savez bien qui c'est.

Alors les idées se rassemblent. Ça vient de loin, du fond. Elle le lit dans leurs yeux. Calme comme une pluie. Plus silencieux que les feuilles.

— Euh-hm, fait Gloria.

Le visage des autres qui se desserre.

— Moi, c'était un jeudi.

— Mike un lundi.

— Clarence, un lundi aussi. Jason un samedi. Et Brendon mardi.

— Pour Pete, j'ai reçu un télégramme de merde. Le 12 juillet, à six heures treize.

Éparpillé, Pete.

Elle a rétabli la situation, voilà qui fait du bien, ça vaudrait presque la peine de le dire, elle porte le bagel à ses lèvres mais n'y touche pas, elle les a remises sur la voie, comme les autres matins, ensemble, elles ne changeront plus de cap, c'est ce qui importait, et si, elles sont à l'aise, même Gloria prend un doughnut, sucre glace, blanc et brillant, grignote poliment un petit bout et hoche la tête vers Claire, comme pour lui annoncer : « Allez-y, confiez-vous. »

— Le portier a appelé. Nous dînions, Solomon et moi. Aux chandelles. Les lumières étaient éteintes. Il est juif, alors le samedi…

Bien joué, comme ça on n'en parlera plus.

— … bref, il y avait des bougies partout. Il n'est pas hyper-pratiquant, mais il apprécie certains rituels. M'appelle sa petite abeille, parfois. Depuis une dispute, un jour qu'il m'avait traitée de Wasp[12]. Enfin, moi, collet monté ?

Les mots viennent naturellement, c'est un soulagement, une respiration. Sourires autour d'elle, un peu hésitants, silencieux.

— J'ai ouvert la porte, poursuit-elle. C'était un sergent. Civil et courtois. Plein d'attentions pour moi. J'ai compris tout de suite à son expression. Les traits figés. On aurait dit un masque, ces trucs à deux sous des farces et attrapes. Les yeux bruns, le regard dur, et une grosse moustache. Je lui ai dit d'entrer Il a retiré sa casquette. Les cheveux courts, la raie au milieu grisonnant par endroits. Il s'était assis là, exactement.

Elle désigne la place de Gloria – ce qu'elle regrette, mais il est trop tard.

Gloria passe une main sur le canapé comme pour retirer toute trace de cet homme. Elle laisse un peu de sucre glace sur le cuir.

— Tout était tellement en place que j'avais l'impression d'être dans une peinture.

— Oui, oui

— Il n'arrêtait pas de retourner sa casquette sur ses genoux

— Le mien a fait ça aussi.

— Chut.

— Et il a seulement dit : « Votre fils a été emporté, madame. » Et moi je pensais : « Comment, "emporté" ? Emporté où, sergent ? Il n'a pas parlé de s'en aller. Nulle part. »

— Misère.

— Je lui souriais. Comme si ma bouche ne voulait rien faire d'autre.

— Moi, je m'étais effondrée, dit Janet.

— Chut, fait Jacqueline.

— J'avais comme des vapeurs dans le corps. Ça me remontait dans le dos, ça me sifflait dans la tête comme une cocotte-minute.

— Exactement.

— Et j'ai simplement dit : « Oui. » C'est tout. Le sourire aux lèvres. À l'intérieur, ça bouillonnait, ça fumait de par tout. J'ai dit : « Oui, sergent. » Et : « Merci. »

— Misère.

— Il a terminé son thé.

Toutes regardent leur tasse.

— Je l'ai raccompagné à la porte et voilà.

— Oui.

— Ensuite, Solomon a pris l'ascenseur avec lui. Je n'ai jamais raconté ça à personne. J'avais mal aux joues tellement j'avais souri. Ça n'est pas effroyable ?

— Non, non.

— Bien sûr que non.

— Et c'était comme si, toute ma vie, j'avais attendu qu'on vienne me dire ça.

— Oh, Claire.

— Je n'arrive toujours pas à comprendre ce sourire.

Bien sûr, elle a volontairement omis quelques détails, le grésillement de l'interphone, le portier qui bafouillait, ce moment d'hébétude avant qu'on frappe, comme sur la paroi d'un cercueil, le sergent qui s'est décoiffé, bonsoir madame, bonsoir monsieur, « Entrez, entrez » avaient-ils dit, il n'avait jamais vu un tel appartement, c'était évident, il suffisait de le regarder étudier les meubles, il était mal à l'aise et excité en même temps.

En d'autres circonstances, il aurait peut-être bien aimé Park Avenue, très classe, très chic, les beaux tableaux, les chandelles, les rites religieux. Elle l'avait surpris lorsqu'il s'était aperçu dans le miroir. Il s'était aussitôt détourné. Un geste qui aurait pu lui plaire, elle l'aurait trouvé sympathique – avec cette façon de tousser doucement dans le creux du poing : il ressemblait à ces magiciens qui déroulent de leur main un long foulard triste. Il étudiait les lieux comme prêt à détaler, comme s'il y avait mille portes, quand Claire l'avait invité à se rasseoir. Elle était allée lui chercher une part de cake à la cuisine. Pour dissiper la tension. Il l'avait mangée d'un air vaguement coupable. Des miettes étaient tombées par terre. Elle n'avait pu se résoudre à passer l'aspirateur après son départ.

Solomon voulait savoir ce qui s'était passé. Le sergent n'était pas libre de le lui révéler. Solomon avait rétorqué :

— Qui est libre, parmi nous, vous pouvez me le dire ? Si vous réfléchissez, monsieur, personne n'est libre ici.

La casquette avait recommencé à danser sur le genou.

— Dites-moi, avait-il insisté, d'une voix maintenant tremblante, dites-moi ou vous sortez de chez moi !

L'homme avait encore toussé dans son poing fermé. Le geste d'un menteur. On n'avait pas bien évalué toutes les circonstances de l'événement, mais Joshua était dans un café. À l'intérieur. Assis. Il y avait pourtant eu des mises en garde, à propos des cafés. Il s'y était rendu avec un groupe d'officiers, qui étaient sortis la veille en boîte. Pour se défouler un peu, sans doute. Elle n'avait pas réussi à le croire, mais elle s'était tue – son Joshua dans une boîte de nuit ? Impossible, mais elle avait laissé courir, oui c'était le mot, courir. Au petit matin, avait dit le sergent, heure locale. Un ciel bleu, éblouissant. Quatre grenades avaient roulé à leurs pieds. Il était mort en héros, assurait cet homme. Cette fois, c'est Solomon qui avait toussé.

145

— Conneries, on ne meurt pas en héros.

Elle ne l'avait jamais entendu jurer, encore moins devant un inconnu. Le sergent avait replié sa casquette sur son genou. Comme si sa jambe voulait prendre le relais et raconter l'histoire. Il jetait des coups d'œil aux gravures au-dessus du canapé. Miró, Miró au mur, qui est le plus mort de tous ?

Il avait retenu son souffle, la gorge en tôle ondulée.

— Je suis vraiment, vraiment navré, avait-il dit.

Une fois seuls dans la nuit silencieuse, Claire et Solomon s'étaient retrouvés debout, face à face au salon, il avait dit qu'ils ne s'écroulaient pas – ce qu'ils n'avaient pas fait, ce qu'elle ne ferait pas. Ils ne se reprocheraient rien. ne céderaient pas à l'amertume. Ils endureraient et surmonteraient, soudés.

— Et moi, je continuais à sourire, voyez ?

— Pauvre chérie.

— C'est affreux.

— Non, c'est compréhensible, Claire, je vous dis.

— Vous croyez ?

— Oui, oui, bien sûr.

— Mais je souriais tant que je pouvais !

— J'ai fait la même chose, Claire.

— Vraiment ?

— C'est comme ça qu'on arrive à retenir ses larmes, voilà la vérité.

Elle sait maintenant pourquoi le funambule la gênait tant. Une brusque certitude, une secousse qui part du fond du cœur. Rien à voir avec les anges ou les démons. Ni avec l'art, l'espace, la rencontre d'un homme et d'une structure, le dépassement des limites naturelles. Rien de tout cela.

Il était là-haut dans la solitude. Son corps, son esprit n'étaient que cela : seuls. Et seuls dans le mépris absolu de la mort.

De toutes les morts, par noyade, morsure de serpent, de piranha, de scorpion, sous les obus, les balles traçantes, sur un pieu, à coups de bazooka, de flèches empoisonnées, de couteaux de chasse, de claymores, de machettes, de mortiers, de bombes tuyau, de harpons, de gourdins, de lance-roquettes, de Kalachnikov, de queues de billard, par intoxication, immolation, strangulation, dépression, ennui, chagrin, des morts par overdose, opiacés, LSD, mescaline, champignon, agent orange, mercure, à moto, des morts devant le peloton, dans un piège à grenade, un piège punji, dans la gueule d'un croco, un accident de jeep, de paralysie, d'amnésie, d'ampoules aux pieds, morts encore d'amitié sincère, de douleur, de gangrène, d'hypothermie, de syphilis, de thrombose, d'électrocution, dans les sables mouvants, des rats dans les souterrains, torturés la tête sous l'eau, dans les bras d'un mignon, sous le rasoir d'une pute, victimes d'un sniper, du poker, de la roulette russe, d'excès de bureaucratie, morts dans un quota de morts, d'un coup de crayon, de gomme, de papier coupant, dans les pièges à mine, morts de Kennedy, de Johnson, de Nixon, de Kissinger, morts par négligence, non-assistance, erreur de classement, fratricide, génocide, suicide, morts d'un retard de livraison, d'apaisement, morts par calcul, ressemblance, abrogation, isolation, incarcération, autorité, signature, décret, morts pour cause d'Oncle Sam, morts de Charlie, morts dans le silence, morts de causes naturelles.

Le menu stupide et infini de la mort.

Mais mort tombé du fil ?

Mort d'exhibition ?

À quoi ça se résume. L'évidence physique. Vulgaire. Une valse de pantin. Un charlot sur sa corde. Se permettre une telle intrusion dans le programme établi de la matinée. Quel culot de jouer ce jeu avec son propre corps ! De jeter sa vie à la gueule du monde ! Comme si celle de Joshua ne valait pas un clou ! Oui, un pirate venu bouffer des lignes de code soigneusement élaborées. Ses frasques dans les airs. Café, biscuits et cet homme qui marche dans le ciel, qui efface toutes les instructions.

— Vous voulez que je vous dise ? annonce Claire en se penchant vers elles.

— Oui ?

Une seconde pour réfléchir. Un tremblement court sous sa peau.

— Je vous aime tellement toutes.

C'est Gloria qu'elle regarde en le disant, mais c'est adressé à chacune, sincèrement. La gorge un peu nouée. Elle étudie leurs visages. Douceur et courtoisie. Leurs sourires. Allez, les filles, allez. Laissons couler les heures, ce matin est le nôtre. Oublions ces saltimbanques. Laissons-les dans les airs. Buvons un café, rendons grâce. Aussi simple que ça. Ouvrons les rideaux, que la lumière soit. Et que ce soit le début d'une longue série. Plus personne ne s'immiscera. Nous avons nos garçons. Rassemblés. Ici même. À Park Avenue. Nous souffrons et nous sommes là pour nous soutenir.

Elle tend un bras incertain vers la théière. Le silence absent de la pièce, un assemblage de bruits, un froissement de sachets, le papier sulfurisé qu'on détache des muffins.

Claire soulève sa tasse et la vide d'un trait. S'essuie les commissures d'un geste preste.

Les fleurs de Gloria s'ouvrent déjà sur la table. Janet ramasse une miette dans son assiette. Jacqueline et son genou qui danse la gigue. Marcia le regard perdu. Mon gars là-haut est venu dire bonjour.

Sans un tremblement, sans une hésitation, Claire se lève maintenant.

— Je vais vous montrer la chambre de Joshua.

3

PEUR DE L'AMOUR

ÊTRE DANS CETTE VOITURE, QUAND ELLE A PERCUTÉ L'ARRIÈRE de la camionnette, c'était comme être dans un corps inconnu. L'image de nous qu'on ne veut pas voir Ça n'est pas moi, ça doit être quelqu'un d'autre.

Dans d'autres circonstances, on se serait peut-être garés, on aurait rempli un constat, conclu l'affaire avec quelques dollars. On serait peut-être même allés chez le premier carrossier réparer les dégâts, mais ça ne s'est pas produit. C'était un tout petit choc. Les pneus ont à peine crissé. On a pensé que le conducteur avait le pied sur le frein, ou que ses feux ne marchaient pas, et peut-être roulait-il comme ça depuis un moment. On ne pouvait pas les voir à cause du soleil. C'était une grosse camionnette, assez délabrée. Le coffre tenait avec de la ficelle et du fil de fer. Elle me rappelait les vieux chevaux de mon enfance, un de ces animaux lourds, impatients, têtus à force de coups de fouet sur la croupe. Les roues arrière ont dérapé d'abord. Le chauffeur a tenté de redresser. Son coude dépassait de la portière. Quand il est parti vers la droite, il a redonné un coup de volant, trop sec, et on l'a heurté à nouveau. Comme les autos tamponneuses à la foire, sauf qu'on n'a pas dérapé, on filait droit.

Blaine, qui venait d'allumer un joint, l'avait posé sur la cannette de Coca vide coincée entre nous Il avait juste tiré une ou deux taffes quand la camionnette a fait un

149

tête-à-queue, un peu comme un cheval qui se cabre. Ensuite, elle n'a pas arrêté de tourner sur elle-même : des décalcos sur la lunette arrière, le signe de la paix, les bosses sur les flancs, les vitres entrouvertes.

Il se passe quelque chose dans nos têtes quand surgit la terreur. Sans doute croit-on vivre ses derniers instants, cherchons-nous un moyen de les garder pour la suite du voyage. L'esprit prend d'excellentes photos, qu'il met dans un album pour entretenir le désespoir. On découpe proprement les bords, on recouvre de film plastique, puis on range l'album qu'on ressortira des décombres de nos vies.

Le conducteur avait un beau visage et les cheveux grisonnants. Des cernes noirs sous les yeux. Il n'était pas rasé, le col de sa chemise était orgueilleusement ouvert. Le genre de type qui garde toujours son calme, sauf que le volant lui glissait entre les mains et qu'il était bouche bée. Il nous a bien regardés, d'en haut, comme si lui aussi voulait se souvenir. Sa bouche formait un grand « O », il avait les yeux comme des soucoupes. Je me demande ce qu'il a pensé de moi, avec ma robe à franges, mon collier de perles rondes, ma coupe garçonne, mon eye-liner bleu roi, mes yeux voilés par le manque de sommeil.

Nous avions rangé à l'arrière les toiles qu'on avait vainement tenté de vendre au Max's Kansas City. Personne ne voulait de ces peintures, mais ce n'était pas une raison pour les abîmer, et nous les avions soigneusement disposées sur la banquette. On avait même intercalé des bouts de polystyrène pour éviter qu'elles frottent.

Si seulement nous avions autant pris soin de nous-mêmes.

Blaine avait trente-deux ans, moi vingt-huit. Nous étions mariés depuis deux ans. La voiture, une Pontiac Landau 1927, dorée avec des boiseries argent, était plus âgée que nous deux réunis. On écoutait du jazz des années 20, le lecteur de cartouches était caché sous le tableau de bord. La musique s'envolait vers l'East River. On avait encore tellement de coke dans le sang que, même aussi tôt le matin, il restait l'espoir de quelque chose.

La camionnette, un Bedford, continuait lentement à tourner en rond. Pendant un court instant, le capot a été face à nous. Du côté passager, j'ai aperçu deux pieds sur le tableau de bord. Deux jambes qui se séparaient au ralenti. La plante était très blanche sur le pourtour, mais c'était les pieds d'une Noire. Elle décroisait les chevilles. J'ai eu à peine le temps de distinguer le haut du corps. Elle était calme, comme résignée, les cheveux tirés en arrière, et un genre de collier à grosses boules. Si je ne l'avais pas vue ensuite traverser le pare-brise, j'aurais pu croire qu'elle était nue. Plus jeune que moi, une beauté. Son regard a croisé le mien, et elle semblait dire : « Qu'est-ce que tu fous là, salope blanche, toi, ta tunique indienne et ton carrosse du Cotton Club ? »

Elle a disparu de mon champ de vision. Le Bedford décrivait un cercle plus grand, nous l'avons contourné. La route s'ouvrait comme deux moitiés de pêche. Je me souviens d'avoir entendu un choc métallique derrière nous, un autre véhicule qui heurtait le leur, et le fracas d'une calandre sur la chaussée. Nous nous sommes rappelés ensuite qu'un camion de journaux avait projeté le Bedford contre le rail de sécurité – un gros camion carré avec une portière à glissière, ouverte côté conducteur, et la radio qui gueulait. Un choc d'une violence folle. Jamais ils n'auraient pu s'en sortir.

Jetant un coup d'œil derrière, Blaine s'est mis à accélérer jusqu'à ce que je crie :

— Arrête-toi, mais arrête-toi, s'te plaît !

Ces moments-là vous restent dans leur dépouillement. Nos vies dans la lumière. Tu dois descendre. Sois responsable. Reviens sur le lieu de l'accident. Fais le bouche-à-bouche à la fille. Soutiens-lui la tête car elle saigne. Parle-lui à l'oreille. Réchauffe ses pieds tout blancs. Trouve vite un téléphone. Sauve ce type à moitié broyé.

151

Blaine s'est garé sur la bande d'arrêt d'urgence, et nous sommes descendus. Au-dessus du fleuve, les mouettes criaient contre le vent. Les courants, la houle et les tourbillons étaient nimbés de lumière. Avec sa main sur le front pour se protéger du soleil, Blaine ressemblait à un de ces vieux explorateurs. Plusieurs voitures étaient coincées au beau milieu de la FDR, le camion de journaux planté de travers, et ça n'avait rien de ces télescopages impossibles que chantent parfois les groupes de rock – le sang, la fracture et l'autoroute américaines. Non, une impression de calme, un peu de verre cassé sur les voies comme des éclats de diamant, quelques liasses de journaux éparpillées sur le bitume et, au-delà, le corps de cette fille n'exprimait plus qu'une mare de sang. Le moteur de la camionnette hurlait et de la fumée s'échappait du capot. Le type devait avoir le pied coincé sur la pédale. C'était comme une plainte, aiguë, constante. Les portières des voitures s'ouvraient, quelques-uns s'échinaient sur leur klaxon, impatients de repartir. « Alors, connard ! » La chanson de New York. Nous étions seuls, à deux cents mètres du chahut. La route était sèche, par endroits le goudron dégageait de la vapeur. Le soleil derrière la rambarde. Les mouettes au-dessus de l'eau.

J'ai cherché le regard de Blaine. Il portait sa veste en laine et son nœud papillon. Il avait l'air ridicule, triste, les cheveux dans les yeux, raide figé dans le passé.

— Dis-moi que ça n'est pas arrivé, a-t-il dit.

Quand il est allé inspecter l'avant de la Pontiac, j'ai pensé que nous ne survivrions pas à ça. Pas tant l'accident ou la mort de la fille – car, d'évidence, elle était morte. Ni cet homme encastré sous son volant, certainement foutu lui aussi. Non, au simple fait que mon compagnon ne s'intéresse qu'à nos propres dégâts, le phare cassé, le pare-chocs déformé, notre vie finalement brisée, quand, pendant ce temps, les sirènes approchaient. Il a lâché un petit cri de désespoir, et je savais qu'il s'agissait de la bagnole, des toiles invendues, de ce qu'il adviendrait bientôt de nous. Alors j'ai dit :

— Vite, Blaine, allons-y ! Remonte, dépêche !

*

* *

En 73, nous avions renoncé à la vie dans le Village pour quelque chose de radicalement opposé : un cabanon au nord de l'État. Pendant un an, nous n'avions pratiquement pris aucune drogue, nous avions même arrêté de boire quelques mois. Jusqu'à la veille de l'accident. La fête n'avait duré qu'un soir. Après un réveil tardif le lendemain au Chelsea Hotel, nous devions retrouver nos bonnes résolutions, nous asseoir sur le porche dans le grand rocking-chair, et lentement laisser nos corps se purifier.

Nous roulions en silence. Nous avons quitté la FDR, puis le Bronx en direction du nord, ensuite la route à deux voies, le long du lac, enfin le chemin de terre jusqu'à chez nous. À une heure et demie de New York, le cabanon était planté au milieu des arbres, au bord d'un deuxième lac, plus petit. À peine un étang. Nénuphars et flore lacustre. La maison avait été construite dans les années 20, en cèdre rouge. Pas d'électricité. L'eau du puits, un fourneau à bois, une douche bricolée, les cabinets dehors, un peu branlants, et la remise qui nous servait de garage. Des framboisiers grimpaient à l'arrière autour des fenêtres. On les ouvrait et les oiseaux chantaient. Les roseaux cancanaient sous le vent.

Le genre d'endroit où il serait facile d'oublier que nous avions vu une jeune fille perdre la vie dans un accident, et peut-être un homme aussi, on ne savait pas.

Le soir tombait quand nous sommes arrivés. Le soleil effleurait la cime des arbres. Un martin-pêcheur assommait un poisson sur le ponton. Il l'a mangé, nous l'avons regardé s'envoler, quelques battements d'ailes suivis d'un glissement – tellement beau. J'ai pris la direction de l'étang,

153

Blaine a sorti les toiles, les a alignées contre la remise, dont il a ouvert les deux grands battants. Il a rentré la voiture, refermé le cadenas, effacé les traces de pneus avec le balai. S'arrêtant une seconde, il a jeté un coup d'œil vers moi en haussant vaguement les épaules. Cela fait, rien n'indiquait que nous étions jamais partis.

C'était une de ces nuits fraîches où les insectes se taisent.

Blaine a pris place près de moi sur le ponton et retiré ses chaussures. Il balançait ses jambes au-dessus de l'eau en fouillant dans les poches de son pantalon à pinces. Les cernes sous ses yeux comme des traces de suie. Il lui restait de la veille un sachet de coke aux trois quarts plein. Il l'a ouvert et recueilli un peu de poudre sur la longue clé fine du cadenas, qu'il m'a collée sous le nez, l'autre main par-dessous. J'ai fait signe que non.

— Juste un peu, pour décompresser.

— Juste un peu, alors.

C'était le premier trait depuis la veille – celui que nous appelions jadis le rince-cochon, l'antidote, le coup de térébenthine qui nettoie les pinceaux. Elle était forte, la poudre m'a brûlé le fond de la gorge. J'avais l'impression de patauger dans une eau chargée de neige. Blaine s'est fait trois bons sniffs. Il a renversé la tête en s'ébrouant et, poussant un long soupir, m'a posé un bras sur l'épaule. J'avais comme l'odeur de l'accident sur moi, la sensation de partir en tête-à-queue, le pare-chocs déformé, tout droit vers la glissière.

— Ça n'était pas notre faute, chérie.

— Elle était tellement jeune, cette fille.

— On n'y est pour rien, chou, tu m'entends ?

— Mais tu l'as vue par terre ?

— Je te répète que cet imbécile a freiné brusquement. Tu as oublié ? Il n'avait plus de feux arrière. Ce que j'y pouvais ? Enfin, merde, que voulais-tu que je fasse ? Il conduisait comme un taré, ce mec.

— Elle avait la plante des pieds si blanche.

— C'est pas de bol, mais on va pas en chier une pendule.

— Putain, Blaine, il y avait du sang partout.

— Va falloir que tu penses à autre chose.

— Cette pauvre nana, sur le sol.

— Tu n'as rien vu du tout, tu piges ? Tu m'écoutes ? On n'a rien vu.

— Parce qu'on passe inaperçus dans une Pontiac 1927, peut-être ?

— On n'y est pour rien, a-t-il répété. Oublie ça. Qu'est-ce qu'on pouvait faire ? Il a freiné subitement. Je te dis : il conduisait comme un veau.

— Tu crois qu'il est mort ? Le type ? Qu'il est mort lui aussi ?

— Refais-toi un petit rail.

— Quoi ?

— Il faut que tu effaces ça. Il ne s'est rien passé. Rien passé du tout.

Il a rangé son sachet de coke dans sa poche intérieure, passé une main sous l'encolure de son gilet. Nous portions de vieilles fripes depuis presque un an. Ça faisait partie de notre trip années 20. Je trouvais ça finalement grotesque. On avait l'air de figurants dans un théâtre minable. Deux autres peintres new-yorkais, Brett et Delaney, avaient fait un malheur en adoptant un mode de vie années 40, avec les costumes assortis. Le carnet mode du *New York Times* leur avait consacré sa couverture et ils étaient maintenant célèbres.

Nous avions poussé le truc plus loin, nous avions quitté la ville, mais gardé tout de même notre super-bagnole – seule concession. Nous n'avions pas l'électricité, nous lisions des bouquins d'un autre temps, nous peignions des tableaux dans un style révolu. Cachés, nous jouions les ermites, hyper-branchés, férus d'étude, passionnés de rigueur. Au fond de nous-mêmes, nous savions bien que nous n'étions pas originaux. Nous avions débarqué la veille chez Max – arrogants, sûrs de nous – où les videurs avaient rechigné à nous laisser entrer. Ne nous reconnaissaient pas. Ensuite, impossible d'atteindre la back-room. La serveuse nous a tiré le rideau devant le nez. Ça avait l'air de la réjouir. Il n'y avait plus aucun de nos amis. Nos toiles sous le bras, on a fait demi-tour vers le bar. Blaine a acheté un sachet de cocaïne au barman, le seul qui nous ait fait un compliment. Il a regardé les peintures par-dessus le comptoir, dix secondes tout au plus.

— Waouh, a-t-il dit.

Waouh. Ça sera soixante dollars, mec. J'ai de la Panama, aussi, si vous voulez. Premier choix. Waouh. À votre service. Waouh.

— Jette la coke. Fous-la à la flotte.

— Plus tard, ma chérie.

— Jette-la, s'il te plaît.

— Plus tard, mon chou, OK ? Ouh, j'ai les mâchoires qui démarrent. En fait, ça me fout les boules, ce type. Enfin, quoi. Quand on sait pas conduire, on s'abstient. Faut être con pour piler comme ça au milieu de l'autoroute ! Et la gonzesse ? Elle était pratiquement à poil. Je me demande si elle le suçait pas. Ouais, voilà, elle lui taillait une pipe, je parie.

— Elle baignait dans son sang, Blaine.

— Pas ma faute.

— Elle était en morceaux ! Et le type. Coincé sous son volant.

— C'est toi qui as décidé de fiche le camp. Toi qui m'as dit de remonter, de me dépêcher. Faudrait pas l'oublier !

Je l'ai giflé. J'étais étonnée, ça m'a brûlé la main. Je me suis relevée, j'ai quitté le ponton. Le bois a craqué. Ce vieux ponton dérisoire ne servait plus à rien, il semblait se moquer de l'étang. J'ai marché sur la terre battue vers le cabanon. Gravi le perron, ouvert la porte, me suis plantée au milieu de la pièce. Ça sentait vraiment le renfermé, des mois de graillon.

Ma vie, ce n'est pas ça. Pas ces toiles d'araignée. Je n'étais pas faite pour cette noirceur.

Nous avions été heureux ici pendant un an. Nous nous étions entièrement désintoxiqués. Le matin, on se levait avec les idées claires. On travaillait, on peignait. On s'était inventé une existence dans le calme. Terminé. Je me répétais que ça n'était rien qu'un accident. Nous avions eu la bonne réaction. Oui, on s'était barrés, mais on nous aurait peut-être fouillés, avec la coke, l'herbe, Blaine risquait d'être inculpé, ils auraient découvert mon nom, ça aurait fini dans les journaux.

J'ai regardé par la fenêtre. Un mince filet de lune glissait sur l'eau. Les pointes d'épingle des étoiles dans le ciel. Plus je les regardais, plus elles ressemblaient à des griffures. Et Blaine à un phoque, allongé, froid et noir, sur le ponton, prêt à plonger.

J'ai trouvé la lampe à huile dans l'obscurité. Les allumettes étaient sur la table. J'ai allumé et tourné le réflecteur dans l'autre sens. Je ne voulais pas me voir. Les effets de la coke. J'ai réglé la lampe au max, senti le dégagement de chaleur. Une perle de sueur sur mon front. Ma robe en tas par terre, j'ai gagné le lit, le matelas tendre, me suis couchée sur le ventre, nue sous les draps.

Je la revoyais. Surtout la plante des pieds, je ne sais pas pourquoi je les revoyais sur le goudron. Pourquoi étaient-ils aussi blancs en dessous ? Ça me rappelait une vieille chanson que fredonnait mon grand-père, une histoire de pieds d'argile[13]. J'ai enfoui ma tête dans l'oreiller.

Le loquet de la porte. Immobile, je tremblais – il faut croire que les deux sont possibles. Les pas ont résonné sur le plancher. Blaine respirait par à-coups. Ses chaussures ont atterri près du fourneau. Il a diminué l'intensité de la lampe. La mèche a chuchoté. Le monde se rétrécissait aux extrémités. La flamme a vacillé, puis s'est redressée.

— Lara, a-t-il dit. Chou.

— Qu'est-ce qu'il y a ?

— Écoute, je ne voulais pas crier, vraiment.

Il s'est avancé vers le lit et penché sur moi. Son souffle dans mon cou. Froid comme l'envers d'un oreiller.

— Un petit truc pour nous, a-t-il dit.

Il a tiré le drap sur mes cuisses. La coke a atterri en flocons sur mon dos. On avait déjà fait ça, des années plus tôt. Je n'ai pas bougé. Son menton dans le creux des reins. Le piquant de sa barbe naissante. Une main posée sur l'omoplate, la bouche qui remontait le long de mes vertèbres. La sensation de son visage par-dessus la peau, et le seul contact de ses lèvres, immatérielles, aériennes. Il a saupoudré encore un peu de poudre, un rail inégal qu'il a léché.

Électrisé, il a entièrement retiré le drap. Nous n'avions pas fait l'amour depuis plusieurs jours, même au Chelsea. Il m'a retournée, m'a demandé de ne pas suer, la coke ferait des grumeaux.

— Excuse-moi, a-t-il dit, jetant encore de la poudre sur mon bas-ventre. Je n'aurais pas dû crier comme ça.

Je l'ai tiré par les cheveux. Loin au-dessus de ses épaules, les nœuds du bois faisaient des trous de serrure au plafond.

Il murmurait à mon oreille :

— Pardon, pardon, pardon.

*
* *

On vivait sur l'argent ramassé à New York. À la fin des années 60, Blaine a réalisé plusieurs films expérimentaux en noir et blanc. Le plus connu, *Antioche*, montrait un vieil immeuble en démolition sur les quais. Tournés en 16 mm avec beaucoup de soin et de patience, des super-plans sur les grues mobiles et autres mastodontes, les boulets de deux tonnes qui défonçaient les façades. Le film posait les bases d'un courant artistique – les jeux de la lumière dans les murs fissurés, le reflet des fenêtres dans les mares, une architecture de la fracture. Un collectionneur célèbre a acheté le négatif. Blaine a ensuite écrit un essai sur l'onanisme du cinéaste : les films, annonçait-il, offraient une forme de vie dont la vie rêvait, un désir uniquement concentré sur eux. Ça se terminait par une phrase inachevée. Une obscure revue d'art l'a publié, mais il a réussi à se faire connaître dans les cercles qui l'intéressaient. Il débordait d'ambition. Dans un autre de ses films, *Calypso*, on le voit prendre son petit-déjeuner sur le toit du Clock Tower Building, avec l'horloge derrière. Il avait collé des photos du Vietnam sur les trois aiguilles. Et sur la trotteuse celle d'un moine en train de s'immoler, qui tournait sans fin autour du cadran.

Ça a fait fureur un moment. Le téléphone n'arrêtait pas de sonner, les réceptions se succédaient, les marchands battaient la semelle à notre porte. *Vogue* a fait son portrait. Le photographe l'avait vêtu d'une écharpe en tout et pour tout, déroulée sur les endroits stratégiques. On le couvrait d'éloges, et nous, on buvait ça comme du petit-lait. Mais quand on reste planté trop longtemps au milieu de la rivière, les berges finissent par s'éloigner. Il a même exposé au Guggenheim et, au bout d'un moment, tout le fric passait dans la dope. Coke, amphés, valium, sinsemilla, Quaalude, Tuinal, benzédrine : tout ce qu'on trouvait. On passait des semaines entières sans pratiquement dormir ; on traînait avec les grandes gueules du Village ; on se perdait de vue pendant des heures dans des fêtes infernales, la musique à fond la caisse, et qu'importe si l'un retrouvait l'autre dans les bras d'un troisième, d'une troisième. Ça nous faisait marrer et on continuait. Parties carrées. Partouzes. Noyées dans le speed. On sniffait des poppers au Copacabana en pompant du champagne. On s'apercevait au bout de la piste et on criait : « Le bonheur ! »

Un styliste connu m'a cousu une robe violette avec des boutons jaunes, qui étaient en réalité un concentré d'amphétamines. Blaine les a bouffés en dansant. Plus il était stoned, plus la robe s'ouvrait.

On entrait par les issues de secours, on sortait par l'entrée. Les nuits n'étaient plus noires, puisqu'il y avait le matin – il semblait naturel que le jour fasse des apparitions, que le réveil sonne à midi. On remontait en voiture à Park Avenue se foutre de la gueule des portiers aux yeux chassieux devant les immeubles chic. On allait aux premières séances des salles pornos de Times Square. *Une culotte en béton. La Chasse aux jupons. Chiennes en chaleur.* On accueillait le soleil sur les toits goudronnés de Manhattan. On ramassait les sinoques à Bellevue qu'on emmenait aussi sec bouffer au Trader Vic's.

Tout était fabuleux, y compris les descentes et la déprime.

J'ai attrapé un tic à l'œil gauche. J'essayais de ne pas y faire attention, mais c'était comme les aiguilles de l'horloge dans le film, sauf que j'avais la tête à la place du cadran. J'avais été très belle, Lara Liveman, native du Midwest, l'enfant blond de tous les privilèges. Mon père à la tête d'un empire automobile, ma mère norvégienne et mannequin. Je n'ai pas peur de le dire : les taxis se battaient pour moi. Mais la vie nocturne me vidait, la benzédrine me jaunissait les dents, j'avais le regard voilé. Parfois mes yeux avaient pratiquement la couleur de mes cheveux. Une drôle de sensation, ça, quand la vie vous quitte par le cuir chevelu. Un drôle de fourmillement.

Au lieu de m'asseoir devant mon chevalet, j'allais chez le coiffeur, deux, trois fois par semaine. Vingt-cinq dollars la coupe. J'en laissais quinze autres de pourboire et je descendais l'avenue en pleurant. J'allais me remettre à peindre, c'était une certitude. Je n'avais besoin que d'un jour de plus, une heure de plus.

Moins nous travaillions, plus nous avions la cote. J'avais plusieurs toiles en chantier, des paysages urbains, abstraits. Quelques collectionneurs surveillaient ça du coin de l'œil. Mais il manquait la volonté de finir. Plutôt que rester à l'atelier, je quittais le grand soleil d'Union Square pour me réfugier dans l'obscurité douillette de chez Max. Les videurs me connaissaient tous. Un cocktail m'attendait à ma table : d'abord un Manhattan, ensuite un Black Russian pour faire monter. Je planais au bout de cinq minutes. Je déambulais, bavardais, draguais, riais. Les rock-stars dans la backroom, et les peintres dans la salle. Des hommes dans les toilettes femmes. Des femmes dans les leurs, en train de fumer, jacasser, rouler des pelles, baiser Les *hash brownies* qui circulaient sur un plateau. Les mecs qui sniffaient de la coke dans un tuyau de bic. Le temps courait tous les dangers quand j'étais chez Max. Les clients portaient leur montre à l'envers, pour ne plus voir le cadran. Au moment de dîner, c'était peut-être déjà demain. Parfois, trois jours avaient passé quand je ressortais enfin. Je ne revoyais la lumière qu'au croisement de Park Avenue et de la 17e. Il arrivait que Blaine soit avec moi, ce n'était pas souvent le cas et, certains jours, franchement, je ne sais même plus.

Une pluie de fêtes, constamment. Au Village, la porte de Billy Lee, notre dealer, était toujours ouverte. Un beau mec, grand et mince. Il avait un jeu de dés qui servait à organiser nos ébats sexuels. On racontait pour rire que les gens défilaient dans son appartement, mais surtout qu'ils s'enfilaient. Il y avait des ordonnances dans tous les coins, en trois exemplaires avec un numéro BNDD[14], volées chez les toubibs de l'Upper West Side. Il se baladait à Park et Madison Avenue, cassait les fenêtres du rez-de-chaussée avec le moteur de la clim, et il s'introduisait chez eux. On connaissait un médecin dans le Lower East qui n'était pas avare de prescriptions. Billy droppait vingt cachets par jour. De temps en temps, il avait l'impression que le cœur lui enveloppait la langue. Il avait le truc pour sauter les serveuses du Max. Une seule lui résistait, Debbie, une blonde. Il m'arrivait de prendre la place de celles qui ne voulaient pas. Il me récitait à l'oreille des passages de *Finnegans Wake*. « Le père des fornicationnistes. » Il connaissait une vingtaine de pages par cœur. Ça ressemblait un peu à du jazz. Sa voix me restait dans les oreilles.

Les voisins de Blaine, et les miens aussi, ont plusieurs fois porté plainte pour tapage nocturne – ou diurne –, on a même été arrêtés pour possession de drogue, mais c'est une descente de police qui a mis fin à toute cette période. Ils ont enfoncé la porte et, aussitôt, ça grouillait de flics.

— Debout là-dedans ! avec un bon coup de matraque sur ma cheville.

J'avais trop peur pour crier. Pas vraiment une rafle ordinaire. Ils ont carrément soulevé Billy, assis sur le canapé, pour le poser par terre, le déshabiller et le fouiller devant nous. Il est parti les menottes aux poignets. Les Stups avaient lancé une action de grande envergure dans tout le pays. On s'en est sortis avec un avertissement : ils nous tenaient à l'œil.

On a sillonné les rues, Blaine et moi, à la recherche d'une dose de n'importe quoi. Les dealers habituels n'avaient rien. Max était fermé cette nuit-là. Les petits pédés méchants de Little 12th Street n'ont pas voulu nous laisser entrer. Manhattan était couvert de brume. On a acheté un sachet à Houston Street, mais c'était du bicarbonate. On s'en est quand même foutu plein le nez, au cas où il serait resté une trace de coke. Nous arrivions chez les bons vieux ivrognes du Bowery quand trois jeunes Philippins en bomber nous ont plaqués contre une devanture et mis un couteau sous la gorge pour nous vider les poches.

On a couru jusqu'à une pharmacie de l'East Side.

— Comment peut-on tomber si bas ? a dit Blaine.

Il avait du sang plein sa chemise. Mon œil gauche dansait la chamade, et rien à faire pour l'arrêter. Je me suis allongée, l'humidité du sol me rentrait dans le corps. Même pas la force de pleurer.

Un Latino, frais levé, nous a jeté une pièce de vingt-cinq cents. *E pluribus unum*[15].

Je savais qu'on atteignait le point de non-retour. Un de ces moments où, fatigué de couler, on veut arrêter de se trahir, de se décevoir – ou du moins on essaie et on use ses dernières cartouches. Tant qu'il reste une carte à jouer. On a vendu notre loft à Soho et acheté ce cabanon au nord de l'État, en pleine cambrousse, assez loin pour ne pas être tentés de foncer chez Max à la première occasion.

Blaine avait souhaité au départ rester un ou deux ans, voire davantage. Plus de dispersions. Peindre. Fabriquer nous-mêmes nos toiles. Retrouver l'innocence totale des débuts, l'originalité authentique. Rien à voir avec la philosophie hippie. On les détestait depuis toujours, ceux-là, leurs fleurs, leurs poèmes, leur idéologie simpliste. Au contraire, nous représentions l'avant-garde, nous étions les précurseurs. Les inventeurs du concept années 20, Scott et Zelda version clean. J'avais coupé mes cheveux à la garçonne. On avait gardé notre vieille bagnole, qu'on a fait retaper – cuir neuf pour les sièges, couche de vernis au tableau de bord. On l'a chargée de provisions : œufs, farine, lait, sucre, sel, miel, origan, haricots et des paquets de viande fumée à suspendre au plafond. Après un bon ménage, nous avons rempli le buffet de riz, de céréales, de confitures, même de marshmallows – on croyait vraiment redevenir aussi sains que ça. Blaine pensait qu'il était temps de revenir tout simplement à la toile, à un style proche de Thomas Benton ou de John Steuart Curry. Cette pureté, cette forme de pittoresque l'attiraient. Il ne voulait plus entendre parler de ses anciens camarades de Cornell University, les Smithson, les Turley, les Matta-Clark. Ils avaient fait tout ce qu'ils pouvaient, ils n'iraient pas plus loin, jurait-il. Leurs *Spiral Jetties*, *Split Houses* et autres poubelles éventrées étaient passées de mode.

J'ai décidé moi aussi de travailler le frémissement des arbres, les transformations de l'herbe, la terre. Je pensais être capable de traiter l'eau différemment, avec un rendu nouveau, saisissant.

Nous peignions les mêmes paysages chacun à sa façon – l'étang, le martin-pêcheur, le silence, la lune perchée sur les cimes, les taches rouges des carouges dans les feuilles. On avait décroché. On faisait réellement l'amour. Tout allait si bien, si bien, tellement bien. Avant cet aller et retour à Manhattan.

*

* *

Une aube bleue s'étirait dans la pièce. Blaine paraissait échoué en travers du lit. Impossible de le réveiller. Il grinçait des dents en dormant. Il avait les pommettes trop hautes, mais une certaine grâce dégingandée : il me faisait encore penser à un joueur de polo, parfois.

Je suis sortie sur le perron. Le soleil n'était pas levé mais il faisait si chaud que la rosée avait séché sur les feuilles. Une brise légère parcourait la surface du lac. Quelques kilomètres plus loin, la circulation sur l'autoroute était à peine un murmure.

Un avion découpait le ciel, laissant une ligne de coke derrière lui.

J'avais la gorge sèche et une douleur lancinante dans le crâne. J'ai mis un moment à me rendre compte que les deux dernières journées étaient une réalité : le voyage à New York, l'humiliation chez Max, l'accident et une nuit à faire l'amour. Le bruit reprenait ses droits dans notre vie tranquille.

J'ai jeté un coup d'œil vers la remise où Blaine avait caché la Pontiac. Nous avions laissé les tableaux contre le mur de bois, entre les vieilles roues du chariot, sans même un bout de plastique pour les protéger. Ils avaient pris la pluie et ils étaient foutus. Je me suis penchée pour les examiner. Une année de travail. L'eau avait détrempé la peinture qui avait coulé par terre. Les cadres allaient bientôt se voiler. Cruelle ironie. Tant d'efforts pour rien. La toile qu'on avait découpée nous-mêmes. Les pinceaux effilés à la pince à épiler. Des mois et des mois devant le chevalet.

Heurter une simple camionnette, voir disparaître son existence.

J'ai laissé Blaine dormir, ne lui ai rien dit, l'ai évité toute la journée. J'ai marché dans les bois, le long du lac et des chemins de terre. Rassembler ce qu'on aime, pensais-je, et se préparer à le perdre. Je me suis accroupie pour arracher des lianes sur les troncs d'arbres : la seule chose utile qui semblait encore en mon pouvoir. Quand, le soir venu, je me suis couchée, Blaine contemplait l'étang en léchant les derniers cristaux du sachet.

Le lendemain, nos tableaux étaient toujours au même endroit. Je suis allée en ville à pied. Passé un certain stade, le moindre truc peut devenir un signe. Devant moi sur la route, une volée d'étourneaux a quitté un amas de vieilles batteries de voitures, abandonnées sur le bas-côté.

*

*   *

Le Trophy Diner[16] se trouvait au bout de la rue principale, à l'ombre du clocher. Une rangée de pick-up était garée devant – les râteliers à fusils vides derrière leurs vitres. Il y avait aussi plusieurs breaks dans le jardin de l'église. Les mauvaises herbes poussaient à même le trottoir devant la porte. La clochette a couiné. Pivotant sur leurs tabourets, les habitués m'ont dévisagée depuis le comptoir. Plus nombreux qu'à l'accoutumée. Cigarettes et casquettes de base-ball. Ils se sont retournés aussi vite, collés les uns aux autres dans un même murmure. Je m'en fichais. Ils n'avaient jamais spécialement fait attention à moi.

J'ai souri à la serveuse qui n'a pas réagi. Je me suis assise à une table, sous une de leurs peintures – un vol de canards. Il restait sur le formica un désordre de sachets de sucre, de pailles et de serviettes en papier. J'ai poussé tout ça dans un coin, j'ai composé une figure géométrique avec les cure-dents.

Les types au bar étaient bruyants, surexcités, et je n'entendais pas bien ce qu'ils disaient. J'ai paniqué en pensant qu'ils parlaient de l'accident. Je cédais à l'irrationnel.

Du calme. Tiens-toi tranquille. Mange. Regarde le monde défiler devant toi.

Finissant par venir, la serveuse a glissé le menu sur la table et, sans rien me demander, une tasse de café. Cette fille affichait son ennui comme on brandit un étendard, et voilà qu'aujourd'hui elle se donnait de l'importance. Elle est repartie vite fait retrouver ses piliers de comptoir.

La faïence blanche de la tasse de café n'était pas propre : il restait des marques de calcaire. Je les ai ôtées à l'aide d'une serviette en papier. J'avais sous les pieds un journal plié, avec des taches de jaune d'œuf sur la première page. Le *New York Times*. Je n'avais pas ouvert un canard depuis bientôt un an. Au cabanon, il y avait une vieille radio à manivelle qu'on actionnait quand on voulait vraiment avoir les nouvelles. J'ai repoussé le journal le plus loin possible. Quoi qu'il y ait dedans, ça n'était rien comparé à l'accident, à nos toiles qui étaient foutues en conséquence. Toute une année de travail perdue. Je me suis demandé comment Blaine le prendrait. Je l'imaginais en train de se lever, torse nu, ébouriffé, il se gratte l'endroit où je pense, il sort en jetant un coup d'œil au garage, il se réveille pour de bon, il court dans l'herbe haute qui se redresse derrière lui.

Il ne se mettait pas facilement en colère – un de ses traits de caractère que j'appréciais toujours –, mais je voyais les cadres voler en morceaux devant le mur de bois.

L'envie d'arrêter le temps, de tout figer une seconde, s'accorder une chance de recommencer, rembobiner le film, supprimer l'accident, défilement arrière, la fille traverse le pare-brise dans l'autre sens. Il n'y a plus de verre brisé, elle garde ses pieds sur le tableau de bord et la journée repart, intacte, dans la douceur des précédentes.

Mais à nouveau cette mare de sang qui s'allongeait.

J'ai attiré l'attention de la serveuse. Les coudes sur le comptoir, elle palabrait avec ses clients. Il se dégageait d'eux quelque chose d'urgent. J'ai toussé bruyamment, lui ai encore souri. Elle a soupiré comme pour dire : « Ça va, ça va, y a pas le feu, j'arrive ! » Elle a fait le tour du bar et s'est arrêtée au milieu de la salle pour rire d'une plaisanterie inaudible.

Un des gars repliait son journal. J'ai eu le temps d'apercevoir le visage de Nixon – sa mine composée, les cheveux brillantinés, cette bouche avide. Je l'avais toujours détesté, pour les raisons qui viennent à l'esprit, mais aussi car cet homme détruisait le passé en nous empoisonnant l'avenir. Mon père avait été l'un des principaux actionnaires d'une firme automobile à Detroit, et l'énorme fortune familiale venait de fondre en quelques années. Je ne convoitais pas mon héritage – loin de là –, mais je voyais ma jeunesse fiche le camp, les moments merveilleux où il me prenait sur ses épaules, me chatouillait sous les bras, me bordait au lit, m'embrassait. Une époque révolue, chaque jour plus lointaine par la force du changement.

— Qu'est-ce qui se passe ?

Ma voix aussi nonchalante que possible.

La pointe du stylo sur son bloc, la serveuse attendait.

— Vous n'êtes pas au courant ? Fini, Nixon.

— Il s'est fait descendre ?

— Bon Dieu, non. Démission.

— Aujourd'hui ?

— Demain, ma poule. La semaine prochaine. À Noël.

— Je vous demande pardon ?

Elle tapotait sur son menton avec la pointe de son stylo.

— C'que vous voulez ?

J'ai commandé une omelette paysanne en bafouillant, puis j'ai bu un peu d'eau dans le verre en plastique.

Une image m'a traversé l'esprit. Avant Blaine – la dope, la peinture, le Village –, j'avais été amoureuse d'un jeune gars de Dearborne. Engagé volontaire au Vietnam, il était revenu avec le regard vide des combattants et un éclat de balle entre deux vertèbres. J'étais stupéfaite quand, à son retour en 68, il a fait campagne pour Nixon. Il arpentait les rues du centre-ville dans son fauteuil roulant, approuvant toutes ces choses qui le dépassaient complètement. C'est à ce moment que nous avons rompu. Je croyais avoir compris pour le Vietnam, on n'y laisserait que des ruines et du sang. Les mensonges répétés forgent l'histoire, mais pas forcément la vérité. Il gobait tout. Son fauteuil était couvert d'autocollants. *Nixon vote Jésus-Christ*. Il allait de porte en porte colporter des ragots sur Hubert Humphrey. Il m'avait même acheté une chaînette avec l'éléphant républicain. Je l'avais portée pour lui faire plaisir, pour lui rendre ses jambes, mais c'était comme si le feu s'était éteint sous ses paupières. On lui avait compressé la cervelle dans un tiroir de poupée. Je me demandais encore ce qui serait advenu si, restant avec lui, j'avais fait l'apologie de l'ignorance. Il avait vu le film de Blaine sur le Clocktower et il m'avait écrit : il avait tellement ri qu'il était tombé de son fauteuil, il ne pouvait plus se relever, il rampait, voulait-on bien l'aider à se redresser ? Il disait à la fin de sa lettre : « Va te faire foutre, insensible salope, tu m'as roulé le cœur dans la farine. » Pourtant, quand je repensais à lui, je le retrouvais au clair de lune, sous les tribunes du stade au lycée, avec un sourire et trente-deux dents étincelantes.

La mémoire fait des détours forcés : oui, compresser tout ça dans un tiroir.

Derrière l'épaule de mon GI, je revoyais la fille de l'accident. Sans la plante de ses pieds. Entière, cette fois, et jolie. Ni maquillage, ni eye-liner, ni faux-semblants. Souriante, elle me demandait pourquoi je m'étais enfuie, pourquoi je refusais de lui parler, pourquoi je ne m'étais pas arrêtée, viens, s'il te plaît, jette un coup d'œil au bout de métal qui m'a ouvert le dos, tu as goûté les caresses du goudron à quatre-vingts à l'heure ?

— Tout va bien ? s'est inquiétée la serveuse en posant mon assiette sur la table.

— Oui, merci.

Elle a remarqué ma tasse de café pleine.

— Un problème ?

— Ça ne me dit rien, c'est tout.

Et de me regarder comme une extraterrestre. Elle ne boit pas son café ? Appelez la Commission des activités anti américaines.

Du vent, ai-je pensé. Fous-moi la paix. Va refaire ta vaisselle, elle est sale.

Je lui ai souri sans commentaire. L'omelette était trop baveuse. J'ai avalé une bouchée et senti aussitôt la graisse me retourner l'estomac. J'ai allongé la jambe pour récupérer le journal, me suis penchée pour le ramasser. Un article décrivait les exploits d'un homme, il avait marché sur un fil tendu entre les tours du World Trade Centre. Cela faisait apparemment six ans qu'il étudiait les bâtiments et, le jour dit, il ne s'est pas contenté de jouer au funambule. Il a dansé sur son câble, s'est même allongé dessus. « Quand je vois trois oranges, je jongle. Quand je vois deux tours, je marche », disait-il. Je me suis demandé ce qu'il ferait s'il débarquait ici et me trouvait en morceaux par terre, trop nombreux pour jongler avec.

J'ai feuilleté le reste. Il était question de Chypre, d'épuration des eaux, d'un meurtre à Brooklyn, mais surtout de Nixon, de Ford et du scandale du Watergate. Je n'étais pas très au courant. Blaine et moi ne nous occupions guère de tout ça : la politique dans ce qu'elle a de pire. Pour changer, c'est à Washington qu'on répandait du napalm. J'étais contente que Nixon démissionne, mais ça ne serait pas le grand soir pour autant. Ford aurait ses cent jours, il ferait lui aussi fabriquer des bombes, et puis voilà. Il ne se passait rien de beau ou d'intéressant, semblait-il, depuis que ce maudit Sirhan Sirhan avait pressé sur la détente. Le rideau était tombé, la fête était finie. Tout le monde parlait de liberté, mais personne n'en savait rien, de la liberté. Sauf à vouloir se distinguer, il n'y avait plus de cause suffisante pour mourir.

Et rien concernant un accident sur la FDR, pas même une minuscule brève en bas de page.

Pourtant elle était toujours là à me dévisager. Je ne sais pourquoi le conducteur me laissait presque indifférente, c'était toujours elle, seulement elle. Je cheminais dans l'ombre vers son cadavre, le moteur du Bedford rugissait, le verre brisé formait un halo autour d'elle. Dieu, es-tu si grand que ça ? Sauve-la. Ramasse-la, dégage ces tessons de ses cheveux. Lave cette chose à terre qui ne sera jamais du sang. Ressuscite-la tout de suite, refais-moi un corps de cette chair broyée

J'avais salement mal à la tête. Un tourbillon de pensées. Je me sentais vaciller sur mon siège. Peut-être l'organisme qui éliminait la coke. J'ai pris une tranche de pain grillé et l'ai maintenue devant ma bouche. Sans manger. Rien que l'odeur du beurre me donnait la nausée.

Derrière la vitrine, les pneus à flanc blanc d'une antiquité se rangeaient contre le trottoir. Il m'a fallu un moment pour comprendre que je n'hallucinais pas, ce n'était pas un vieux film qui surgissait dans ma mémoire. Le portière s'est ouverte, une chaussure s'est plantée sur le sol. Blaine a posé une main à angle droit sur son front, exactement comme sur l'autoroute, deux jours plus tôt. Il avait laissé les années 20 au vestiaire et, avec son jean et sa chemise de bûcheron, il faisait très couleur locale. Il a repoussé la mèche qui lui tombait sur les yeux, traversé la rue, quelques voitures se sont arrêtées devant lui. Il a souri en m'apercevant derrière la vitre. Les mains enfoncées dans les poches, il marchait curieusement d'un pas leste, le tronc légèrement en arrière. On aurait dit un représentant, un publicitaire, faux jusqu'au bout des ongles. Ne manquait plus que le costume en polyester. Il a souri encore. Peut-être savait-il, pour Nixon. Ou, plus probablement, il n'avait pas encore constaté que nos tableaux étaient irrécupérables.

La clochette a sonné au-dessus de la porte, il a fait un signe de tête à la serveuse et aux habitués. Un couteau à palette dépassait d'une de ses poches.

— Tu as une petite mine, chérie.

— Nixon a démissionné.

Souriant encore, il s'est penché pour m'embrasser.

— Ah, Richard le roublard. Tu sais quoi ? J'avais oublié les toiles.

J'ai frissonné.

— C'est vraiment génial, a-t-il dit.

— Hein ?

— On les a laissées dehors toute la nuit et il a plu.

— Je sais.

— Ça fait une sacrée différence.

— Désolée.

— Désolée ?

— Ouais, Blaine, je suis désolée, navrée.

— Waouh !

— Quoi, waouh ?

— Mais tu ne comprends pas ? C'est un coup de théâtre, un dénouement inattendu. Tu piges ?

Relevant la tête, je lui ai répondu que non, droit dans les yeux. Je ne pigeais pas. Lui, je le voyais, mais sinon rien, que dalle.

— Cette fille est morte.

— Ah, tu ne vas pas recommencer.

— Recommencer ? Merde, c'était avant-hier, Blaine !

— Combien de fois devrai-je te le répéter ? Ça n'était pas notre faute. Relax. Et parle moins fort, s'te plaît, Lara.

Les paupières plissées, le regard fixe, il a tendu le bras pour me prendre la main : pas notre faute, pas notre faute, pas notre faute.

Non, il ne roulait pas trop vite, disait-il, il s'abstenait en général d'accrocher le pare-chocs d'un con qui ne sait pas conduire. Ça arrive, ces choses. On touche. Il a pris un bout de mon omelette. La fourchette est restée un instant braquée sur moi. Il a baissé les yeux et mâché lentement.

— Je viens de découvrir un truc super et tu ne m'écoutes même pas.

J'avais l'impression qu'il me testait avec une de ses conneries, une de ses farces idiotes.

— Un vrai *satori*, a-t-il poursuivi.

— Quoi, sur la fille ?

— Il faut que tu arrêtes, Lara. Que tu te ressaisisses. Écoute ce que je te dis.

— C'est Nixon, alors ?

— Non, ça ne concerne pas Nixon. Rien à foutre de Nixon. L'histoire lui réglera son compte, à celui-là. Écoute-moi, s'il te plaît. Tu perds la tête.

— Et cette fille a perdu la vie.

— Ça suffit maintenant. Relax, merde.

— Le mec est peut-être mort, lui aussi.

— Fer-me-la. Je l'ai à peine touché. Ses feux ne marchaient même pas.

La serveuse revenant, il a lâché ma main. Il s'est commandé un petit-déjeuner « Chasseur », avec œufs brouillés, double ration de bacon et saucisses de gibier. La fille a reculé, s'est retournée, et il a suivi ses hanches du regard.

— Réalise, a-t-il dit. Si tu réfléchis bien, c'est l'œuvre du temps. Un travail sur le temps.

— Quoi, sur le temps ?

— Les toiles Une observation du temps sur le temps.

— Oh putain, Blaine.

Ses yeux avaient un éclat qu'ils n'avaient pas eu depuis longtemps. Il a déchiré plusieurs sachets de sucre, les a versés dans son café. Des grains ont giclé sur la table.

— Attends. On a fait notre série années 20, hein ? On a revécu cette période, hein ? La preuve d'un certain savoir-faire, d'accord ? Elles tenaient la route, ces peintures, tu l'affirmais toi-même. La référence était manifeste. Du formalisme. Corseté, sinon uniforme. Tout cela suivait un but. On s'y est attelé. Et tu as vu ce qu'elles sont devenues sous la pluie ?

— Ouais, j'ai vu.

— Quand je suis sorti ce matin, ça m'a mis K.-O. Et puis je les ai examinées de plus près. Elles sont abîmées, et pourtant superbes. Tu ne trouves pas ?

— Non.

— Il se passe quoi lorsqu'on peint une série de toiles pour les confier aux éléments ? On permet au présent de retravailler le passé. Il y a truc radical à exploiter là-dedans. On continue dans le formalisme et on laisse le présent remodeler le résultat. Les éléments prennent le pouvoir, se substituent à l'imagination. Le monde physique participe à ton œuvre, tu as un nouvel aboutissement, une nouvelle interprétation. Tu piges ? C'est excellent.

— Cette fille est morte, Blaine.

— Laisse tomber.

— Non, je ne laisserai pas tomber.

Il a levé les mains, puis elles ont claqué sur la table. Les grains de sucre éparpillés ont bondi. Plusieurs types se sont retournés au comptoir.

— Oh, merde, a-t-il dit, à quoi bon discuter avec toi ?

On lui a servi son petit-déjeuner qu'il a attaqué d'un air sombre. Il n'arrêtait pas de me regarder. Comme si j'allais brusquement changer, redevenir la jolie fille qu'il avait jadis épousée, et je ne voyais que la haine dans ses yeux bleus. Rageur, il a entamé sa saucisse d'un violent coup de couteau, comme s'il en avait après elle. De la viande morte. Il s'était rasé trop vite, il avait du jaune d'œuf au coin de la bouche, accroché à sa barbe. Et il a rembrayé sur ses projets – un homme peut trouver un sens à toute chose. Sa voix faisait penser au zézaiement d'une mouche dans un bocal. Son besoin de sécurité, de justification. Il fallait que je fasse partie du programme. L'envie me tenaillait de lui dire que je n'avais jamais cessé d'aimer le fan de Nixon dans son fauteuil roulant ; que la vie n'était depuis qu'une série d'incongruités, puériles, inutiles, usantes ; nos toiles, nos calculs, nos échecs, cela n'était que du vent, à mettre à la poubelle ; mais j'ai préféré me taire, entre les murmures du comptoir et le cliquetis des fourchettes.

— On a terminé, a-t-il dit en claquant des doigts.

La serveuse est presque revenue en courant. Blaine lui a laissé un pourboire extravagant, nous avons retrouvé le soleil dehors. Il a chaussé ses grosses lunettes noires et il est parti d'un bon pas vers le garage au bout de Main Street. Sans se retourner, sans m'attendre.

— Eh mec, j'ai une commande un peu spéciale ! a-t-il dit aux deux jambes qui dépassaient du châssis d'une voiture

Le mécanicien a glissé sur sa planche à roulettes.

— C'que j'peux faire pour vous, m'sieur ?

— J'ai besoin d'un phare pour une Pontiac 1927. Et d'un pare-chocs avant, aussi.

— Une quoi ?

— Vous pouvez me trouver ça ou pas ?

— On est en Amérique, chef.

— Bon, alors, ça roule ?

— Ça prendra du temps. Et de l'argent.

— Aucun problème, j'ai les deux.

Son cure-dents à la bouche, le mécano a souri, avant de rejoindre un bureau encombré de dossiers, copeaux de taille-crayon, calendriers à pin-up. Les mains de Blaine tremblaient, mais il s'en fichait, il ne pensait qu'à ses projets, ses peintures, le travail qui l'attendait une fois la voiture réparée. Il lui suffisait de remplacer un pare-chocs et un phare pour oublier le reste de l'histoire, et ensuite au boulot. Je me demandais si cette nouvelle lubie allait se transformer en obsession, et combien de temps ça durerait – une heure, un an, jusqu'à la fin de sa vie ?

— Tu viens ? a-t-il dit en ressortant du garage.

— Non, je vais me promener.

— On devrait en faire un film. Tu vois ? La naissance d'un nouveau projet. Depuis le tout début. Un documentaire, tu ne crois pas ?

*

*   *

Une file de fumeurs devant le Memorial Hospital, au coin de la 98e et de First Avenue. Chacun ressemblant à sa dernière cigarette, consumé, prêt à tomber. Derrière les portes battantes, la réception avait l'air pleine à craquer. Un nuage de fumée à l'intérieur aussi. Des traces de sang par terre Un tas de junkies sur les bancs. Un hôpital qui avait besoin d'une clinique.

Je me suis frayé un chemin. J'en étais au cinquième hosto et je finissais par croire que le conducteur et la jeune fille avaient filé aussitôt à la morgue.

Le gardien m'a indiqué le guichet informations. Au bout du couloir, une fenêtre était découpée dans le mur, près d'une porte anonyme. Il y avait une grosse femme assise derrière. On aurait cru une speakerine à la télévision. Des lunettes accrochées à son cou. M'approchant, je lui ai demandé à voix basse s'ils avaient admis un homme et une femme, suite à une collision sur la FDR, mercredi après-midi.

— Ah, vous êtes un parent ?

— Oui, ai-je balbutié. Une cousine.

— Vous êtes là pour les objets personnels ?

— Comment ?

Elle m'a étudiée une seconde.

— Les objets personnels.

— Oui, si.

— On a besoin de votre signature.

Un quart d'heure plus tard, j'avais dans les mains un carton avec les affaires de John A. Corrigan, décédé. Il contenait un pantalon noir, découpé aux ciseaux, une chemise de même couleur, un maillot de corps blanc, taché, un slip et des chaussettes dans un sac en plastique, une médaille religieuse, une paire de tennis noires aux semelles trouées, son permis de conduire, une amende pour stationnement interdit dans John Street, datée du mercredi 9 août à sept heures quarante-quatre, un paquet de tabac à rouler, des feuilles, quelques dollars et, bizarrement, un porte-clés avec la photo de deux jeunes enfants noirs. Il y avait aussi un minibriquet rose, qui ne semblait pas à sa place. Je ne voulais pas de cette boîte. Je l'ai acceptée car j'étais gênée – pour justifier mon mensonge, sauver la face, sinon ma peau. Je commençais à me persuader qu'avoir fui l'accident était un homicide involontaire, au moins un délit, et j'en commettais maintenant un second, beaucoup moins grave, mais j'en étais malade. J'avais envie de poser le carton sur les marches de l'hôpital et de m'évader de moi-même Je venais de mettre tout ça en branle, avec pour récompense les objets personnels d'un mort. J'étais clairement à côté de mes pompes. Il était temps de rentrer, et qu'allais-je faire de ces affaires pleines de sang ? J'ai étudié le permis de conduire. Le type semblait plus jeune qu'à mon souvenir – un souvenir fugitif, certes. Des yeux curieusement effrayés, qui regardaient au-delà de l'objectif.

— Et la fille ?

— Morte en arrivant, m'a répondu l'employée platement. Elle a relevé la tête en ajustant ses lunettes.

— Autre chose ?

— Non, rien, ai-je marmonné.

Un puzzle sans certitude. John A. Corrigan – né le 15 janvier 1943, un mètre soixante-quinze, soixante-dix-huit kilos, les yeux bleus – était probablement le père de deux enfants noirs du Bronx. Peut-être le mari de cette malheureuse qui avait traversé le pare-brise. Et les filles du porte-clés étaient-elles les siennes ? Ou alors n'y avait-il rien d'officiel dans tout ça et, comme avait pensé Blaine, il ne s'agissait que d'un plan cul.

Un imprimé, photocopié, était plié au fond de la boîte : le formulaire de sortie du corps. Avec un griffonnage, pratiquement illisible : « Tamponnade cardiaque. Clindamycine 300 mg. » J'étais soudain de nouveau sur l'autoroute. Le pare-chocs heurtait l'arrière de la camionnette, je partais en tête-à-queue. La tôle, l'eau, la glissière.

L'odeur de la chemise sale a surgi du carton quand je me suis retrouvée à l'air. J'ai eu cette drôle d'envie de donner le tabac à rouler à la rangée de fumeurs.

Une bande de jeunes Portoricains s'était rassemblée devant la Pontiac. Tennis colorées, pantalons à pattes d'eph', le paquet de cigarettes sous la manche du T-shirt. J'avais les nerfs à fleur de peau, ils l'ont senti quand je me suis faufilée entre eux. Tendant le bras par-dessus mon épaule, un grand maigre a sorti de la boîte le sac contenant les sous-vêtements de John Corrigan. Il l'a lâché en simulant un cri. Les autres ont gloussé. Une meute. Je me suis penchée pour ramasser et une main m'a touché les seins.

Me redressant de toute ma hauteur, j'ai fixé le gamin dans les yeux.

— Je te préviens...

Je me donnais l'impression d'avoir bien plus de vingt-huit ans, comme si les décennies s'étaient accumulées en quelques jours. Il a reculé de deux pas.

— Je regarde, c'est tout.

— Ouais, ben regarde ailleurs.

— Tu m'emmènes ?

— Une Pontiac ! a hurlé un autre. Eh, c'est pas une bagnole, c'est la chiotte à Eliot Ness !

Encore des ricanements.

— Eh m'dame, fais-moi monter !

Je voyais derrière lui un garde de l'hôpital qui se dirigeait vers nous. Il portait la chéchia et courait à petits bonds en parlant dans un walkie-talkie. Les Portoricains se sont éparpillés dans la rue en piaillant.

— Vous n'avez rien, m'dame ? m'a demandé l'homme en uniforme.

Je ferraillais avec ma clé dans la serrure. J'avais peur qu'il fasse le tour de la voiture, qu'il aperçoive le phare cassé et découvre le pot aux roses, mais il s'est contenté de m'aider à quitter ma place de stationnement. Je l'ai vu dans le rétroviseur, qui ramassait le sac plastique, resté sur le trottoir. Il l'a examiné un instant, puis il a haussé les épaules et l'a jeté dans une des poubelles.

J'ai tourné en pleurant vers Second Avenue.

J'avais raconté à Blaine que j'allais en ville acheter une ces caméras vidéo ultramodernes, pour qu'il puisse filmer l'évolution de sa nouvelle série. Mais les seuls magasins que je connaissais, pour ce genre de matériel, étaient situés dans la 14e, près de mon ancien quartier. Qui a écrit qu'on ne peut plus rentrer chez soi ? Finalement, j'ai filé à l'ouest vers Riverside Park, où je me suis garée dans un petit parking au bord du fleuve. Des house-boats se balançaient sur l'eau. J'avais posé le carton sur le siège passager. La vie d'un inconnu. Jamais, jamais je n'avais rien fait qui ressemble à ça. J'étais passée de l'intention au réel, j'avais armé le détonateur. Inconcevable qu'on m'ait donné cette boîte : une simple signature et au revoir. J'ai pensé à la jeter dans l'Hudson, mais il est certaines choses auxquelles on ne peut se résoudre. J'ai de nouveau examiné la photo. Ce n'est pas lui qui m'avait conduit ici, mais la fille dont je ne savais toujours rien. C'était absurde. Et après ? J'apprenais à ressusciter les morts ?

Descendant de voiture, je suis allée piocher un journal dans une poubelle, que j'ai feuilleté à la recherche d'un article ou d'un avis de décès. L'édito était une nécrologie de l'Amérique de Nixon, mais il n'y avait rien au sujet d'une jeune Noire, victime de non-assistance à personne en danger.

Prenant mon courage à deux mains, je suis partie vers le Bronx, à l'adresse indiquée sur le permis de conduire. Partout de grands terrains en friche. Des sacs plastique accrochés à des kilomètres de grillages, des catalpas rabougris, brisés par le vent. Des carrosseries, des garages, véhicules neufs et d'occasion. Une odeur de brique et de caoutchouc brûlés. Sur un reste de mur, quelqu'un avait écrit : « Dante est aujourd'hui dépassé. »

J'ai mis un temps infini à trouver. Deux voitures de police étaient rangées sous la Major Deegan. Dans la première, les flics avaient calé une boîte de doughnuts sur la planche de bord, comme dans les séries télé de troisième zone. Ils m'ont regardée, bouche bée, me ranger devant eux. Je n'avais plus peur de rien. S'ils voulaient m'arrêter pour délit de fuite, eh bien ils n'avaient qu'à.

— C'est un quartier violent, m'dame, m'a dit l'un d'eux, qui avait un fort accent new-yorkais. Votre tacot risque d'attirer l'attention.

— On peut faire quelque chose pour vous, m'dame ? a demandé l'autre

— Peut-être ne pas m'appeler « m'dame » ?

— Ouh, farouche, la dame.

— Vous cherchez quoi ? Y a rien que des ennuis, ici.

Pour confirmer ses dires, un énorme camion réfrigérant a ralenti aux feux de croisement. Le conducteur baissait sa vitre en se rapprochant du trottoir. Il est reparti à fond de train en nous apercevant.

— Pas de négresses, aujourd'hui ! a crié un des agents à son intention.

Se retournant vers moi, il a pâli, puis m'a souri en plissant les paupières. Et il a remis son bourrelet en place au-dessus de sa ceinture.

— Les gagneuses ne sont plus là, a-t-il explicité d'un air contrit.

— Alors, que peut-on faire pour vous, *madame* ? a dit l'autre.

— J'ai des objets à rapporter.

— Ah bon ?

— Oui, dans ma voiture.

— D'où vous la sortez, celle-là ? C'est quoi ? Un modèle 1850 ?

— La voiture de mon mari.

Deux minces sourires, mais ils ne semblaient pas mécontents que je les divertisse un peu. Ils ont fait le tour de la Pontiac, passé une main sur le tableau de bord, admiré le frein à main. Je m'étais souvent demandé si on n'avait pas inventé ce trip années 20, Blaine et moi, dans le seul but de la conserver. C'était notre propre cadeau de mariage. Chaque fois que je m'asseyais dedans, j'avais l'impression de revenir à des temps plus simples.

L'un des flics a examiné l'intérieur du carton. Ils me dégoûtaient, mais je n'étais pas en position d'objecter. J'ai eu une pointe de remords en repensant aux sous-vêtements que j'avais laissés devant l'hôpital, comme s'ils manquaient à l'appel, que la reconstitution serait incomplète sans eux. Il a prélevé la contredanse, puis le permis de conduire. L'autre hochait la tête.

— Eh, c'est l'Irlandais, le curé.

— Mais oui.

179

— Celui qui nous emmerdait, le jour de la rafle. Qui se traînait dans un fourgon déglingué.

— C'est au quatrième étage, madame. Je veux dire, il y a son frère qui vide l'appartement.

— Un curé ?

— Un moine, paraît-il. Un de ces prêtres-ouvriers, là. Théologiste de je ne sais quoi.

— Théologien de la libération, a corrigé le collègue.

— Un de ces types qui voient le bon Dieu à la soupe populaire.

J'avais des frissons de haine. J'ai déclaré que l'hôpital m'envoyait, que je faisais partie de l'administration, je devais remettre ces objets personnels en main propre, d'ailleurs voulaient-ils bien les apporter au frère du défunt ?

— Pas notre travail, madame.

— Vous voyez cette allée qui fait le tour ? Suivez-la jusqu'au quatrième bâtiment marron. L'entrée est à gauche. Prenez l'ascenseur.

— Ou l'escalier.

— Faites quand même attention à vous.

Combien de trous du cul dans un commissariat moyen ? Le Vietnam les avait aguerris, désinhibés. Ils ne se prenaient pas pour rien. Dix mille hommes et leurs canons à eau. Tirez sur les nègres. Tapez sur les gauchistes. Si ça vous plaît pas, dehors. Ne croyez qu'une parole : la nôtre.

J'ai marché vers les tours. Un moment d'affolement. Difficile de se calmer quand le cœur bat à ce point. Gamine, je regardais les chevaux approcher de la rivière pour se rafraîchir, les jours de grande chaleur. On les aperçoit entre les marronniers, ils descendent la pente, pataugent dans la boue, repoussent un nuage de mouches. Puis ils s'enfoncent progressivement dans l'eau, nagent ou renoncent. C'était pour moi une illustration de la peur, parfois teintée de honte – mais ces immeubles, ici, étaient un territoire inconnu de ma jeunesse, inconnu des peintres, ça n'existait que là. J'avais eu une enfance protégée. Même quand je me droguais, je ne serais jamais venue dans un endroit pareil.

J'ai dû me persuader qu'il fallait continuer. J'ai compté les fissures dans le béton, les mégots, les enveloppes par terre, encore cachetées, piétinées. Et les tessons de verre. On a sifflé, je ne me suis pas retournée. Quelqu'un fumait de l'herbe derrière une fenêtre ouverte. Cela n'était pas s'immerger dans l'eau : j'avais l'impression de transvaser des seaux de mon propre sang, qui clapotait et se renversait en chemin.

Une couronne de fleurs mortes, brunes et desséchées, ornait la porte d'entrée. À l'intérieur, les boîtes aux lettres cabossées portaient des marques de brûlures. Ça puait le produit contre les cafards. Les plafonniers étaient bizarrement peints en noir, à l'aérosol.

Une femme épaisse, la quarantaine, avec une robe imprimée à fleurs, attendait devant l'ascenseur, un cabas à chaque bras. Comme s'ils lui servaient de balancier. Elle a repoussé une seringue du pied en poussant un profond soupir. La chose s'est immobilisée contre un mur, il y avait encore une bulle de sang au bout de l'aiguille. La dame m'a fait un signe de tête, auquel j'ai répondu en souriant. La blancheur de ses dents. Les fausses perles sur sa grosse poitrine.

— Beau temps, ai-je dit, et nous savions toutes deux exactement de quoi il retournait.

L'ascenseur s'est mis en marche. Les chevaux dans la rivière. Regardez-moi couler.

Je lui dit au revoir au quatrième étage, elle montait au dixième. Les câbles ont craqué dans la cage comme des branches mortes.

Il y avait quelques personnes devant la porte, des Noires surtout, en vêtements sombres qu'elles semblaient avoir empruntés pour la journée. Leur maquillage les trahissait. Criard, tape-à-l'œil. L'une d'elles portait un fard à paupières scintillant, sur un regard où la fatigue le disputait à l'épuisement. Les flics avaient parlé de prostituées : j'ai brusquement pensé que la jeune fille du Bedford pouvait en être une. J'en étais comme soulagée, et je me suis brusquement figée en analysant ma réaction – les murs se refermaient sur moi. J'étais minable à ce point ?

Ce que je faisais était impardonnable et je le savais. Le cœur battant, j'ai avancé jusqu'à la porte : les Noires se sont écartées et j'ai franchi leur rideau de chagrin.

C'était ouvert : une jeune femme balayait l'appartement. Son visage avait quelque chose de ces mosaïques en Espagne. Le mascara avait coulé sous ses yeux noirs. Une simple chaînette en argent au cou. À l'évidence, ce n'était pas une « gagneuse ». Je me suis sentie aussitôt déplacée, vêtue en dépit du bon sens, je la dérangeais dans son silence. Derrière elle, un homme qui ressemblait à celui du permis de conduire, bien qu'en plus costaud, plus joufflu, les joues glabres. J'en avais le souffle coupé. Chemise blanche, veston et cravate noire. Un visage large, rougeaud, les paupières gonflées par la douleur. J'ai bafouillé que l'hôpital m'avait chargée de rapporter les affaires d'un M. Corrigan.

— Ciaran Corrigan, a-t-il dit en me rejoignant, la main tendue.

Il donnait l'impression d'un homme qui trouverait son bonheur à faire les mots croisés au lit. Il a pris le carton et l'a inspecté. Il a étudié le porte-clés une seconde avant de l'empocher.

— Merci, a-t-il dit.

Il avait un léger accent et se tenait comme certains Irlandais que j'avais rencontrés. Ramassé sur lui-même, mais hyper-réceptif. L'Espagnole a pris la chemise sale pour l'emporter à la cuisine. Les taches de sang étaient toujours visibles. Devant l'évier, elle a enfoui son nez dans l'étoffe puis, jetant un coup d'œil vers moi, elle a baissé la tête. Son torse mince se soulevait. Elle a brusquement ouvert le robinet au-dessus de la chemise qu'elle a gorgée d'eau et essorée, comme si John Corrigan allait refaire apparition et la lui demander propre. On n'avait ni envie ni besoin de moi, pourtant quelque chose me retenait là.

— L'enterrement est dans trois quarts d'heure, m'a appris l'Irlandais. Veuillez m'excuser, mais…

Le bruit d'une chasse d'eau dans l'appartement du dessus.

— Il y avait aussi une jeune fille, ai-je répondu.

— Oui, c'est elle qu'on enterre. On nous a dit que sa mère serait libérée de prison une heure ou deux. Pour mon frère, c'est demain. Il sera incinéré. C'est un peu compliqué, mais enfin, c'est arrangé.

— Ah.

— Je vous prie de m'excuser.

— Bien sûr.

Un prêtre est soudain arrivé. Petit, trapu, il s'est présenté comme le père Marek. L'Irlandais lui a serré la main et m'a observée une seconde, visiblement étonné que je sois encore là. Je suis sortie sur le palier, où je me suis arrêtée avant de faire demi-tour. La porte semblait avoir été forcée plusieurs fois.

Toujours dans la cuisine, l'Espagnole suspendait la chemise sur un cintre au-dessus de l'évier. Tête baissée, elle paraissait absorbée par le souvenir. Elle a de nouveau enfoui son visage dans le tissu mouillé.

J'ai bafouillé :

— Pourrais-je me joindre à vous ?

Haussant les épaules, l'Irlandais a regardé le prêtre qui, soulagé d'avoir quelque chose à faire, a griffonné un plan sur un bout de papier. Puis, me prenant par le coude, il m'a entraînée dehors.

— Avez-vous un mot à dire, dans l'affaire ? m'a-t-il demandé.

— Un mot à dire ?

— Son frère insiste pour le faire incinérer avant de repartir demain en Irlande. Vous seriez capable de l'en dissuader ?

— Pourquoi ?

— Ce n'est pas très religieux.

183

Plus loin dans le couloir, une des femmes pleurait tout ce qu'elle savait. Elle s'est tue en voyant l'Irlandais à la porte. Il avait serré sa cravate sous son col, arrangé son veston sur ses épaules. L'Espagnole le suivait. Elle avait une allure fière et digne et le silence s'est fait. L'Irlandais a appuyé sur le bouton de l'ascenseur en m'étudiant.

— Navré, ai-je répondu au prêtre. Je n'ai pas voix au chapitre.

J'ai couru vers la porte de l'ascenseur qui se refermait. L'Irlandais a tendu le bras pour la bloquer, et nous sommes descendus. Avec un sourire réservé, l'Espagnole m'a expliqué qu'elle devait rentrer s'occuper de ses enfants, c'était aussi bien qu'il y ait quelqu'un pour accompagner Ciaran.

Sans réfléchir, j'ai offert à ce dernier de l'emmener en voiture. Il devait se joindre au convoi, m'a-t-il confié, il ignorait pourquoi.

Il se tordait les mains en débouchant à la lumière.

— Je ne connaissais même pas cette fille, a-t-il dit.

— Comment s'appelait-elle ?

— Je ne sais pas. Je n'ai que le nom de sa mère : Tillie.

Cela semblait tout, mais il a ajouté :

— Si, je crois que c'est Jazzlyn, ou quelque chose comme ça.

*

*   *

Je me suis garée près du cimetière Saint-Raymond à Throgs Neck – assez loin quand même pour que personne ne remarque la Pontiac. Un ronronnement montait de la voie express. On sentait autour du portail une odeur d'herbe fraîchement coupée, et les effluves du détroit de Long Island.

Le soleil traçait des colonnes entre les grands troncs. Malgré les graffitis sur les mausolées et quelques pierres tombales vandalisées, on avait du mal à se croire dans le

Bronx. D'autres services avaient commencé, surtout dans le cimetière nouveau, mais je n'ai pas eu trop de mal à reconnaître le groupe. Le cercueil suivait une allée bordée d'arbres. Les enfants étaient tout en blanc et les femmes s'étaient arrangé une tenue de bric et de broc : jupes trop courtes, talons trop hauts, le décolleté masqué par de longues écharpes. Comme au retour d'un étrange vide-grenier : de vieilles fripes noires par-dessus leurs vêtements de couleur. L'Irlandais était si pâle, si blanc, au milieu.

Coiffé d'un feutre avec une plume violette, un type dans un costume voyant les suivait à distance, l'air stoned et hostile et à la fois. Il portait un col roulé noir et une minuscule cuillère au bout d'une chaîne en or.

Un gamin qui devait avoir à peine huit ans jouait du saxophone, c'était splendide, on aurait dit un jeune clairon de la guerre de Sécession. Des salves de notes fusaient et se dispersaient dans le cimetière.

Je suis restée en retrait, près de la rue, dans un carré d'herbes hautes. Quand la cérémonie a commencé, le frère de John Corrigan a croisé mon regard et m'a fait signe d'approcher. Une vingtaine de personnes se tenaient autour de la tombe, dont quelques jeunes femmes pleurant à chaudes larmes.

— Ciaran, a-t-il dit en me tendant sa main, comme s'il avait oublié.

Embarrassé, il m'a souri de travers. Nous étions les deux seuls Blancs. J'ai eu envie d'ajuster sa cravate, de le recoiffer, l'arranger un peu.

Une femme – cela ne pouvait être que la mère – sanglotait entre deux hommes en costume. La rejoignant, une plus jeune a déployé un joli châle noir sur ses épaules.

— Merci, Ang.

Le pasteur – mince, noir et beau gars – a toussé et la foule s'est tue. Il a évoqué l'âme triomphante après la chute des corps, le besoin de glorifier l'esprit libéré de la chair. Jazzlyn avait eu la vie dure, a-t-il dit. Ce que la mort ne justifiait ni n'expliquait. Une vie entière ne peut se résumer à une tombe. Peut-être n'était-ce ni le moment ni l'endroit, a-t-il continué, mais il voulait parler quand même de la justice. Il a répété : de la justice. Seules la sincérité, la vérité l'emportaient à la fin. Et les chambres de la justice avaient été saccagées. De jeunes filles comme Jazzlyn forcées de commettre d'horribles choses. De plus en plus terribles à mesure qu'elles grandissaient. Le monde était infect et leur imposait ses lois. Elle n'avait pas demandé ça, mais c'est le sort qu'on lui avait réservé : le joug de la tyrannie. L'esclavage était aboli, pourtant l'évidence démontrait le contraire. Il n'y avait d'autres armes pour le combattre que la charité, la justice, la bonté. Ce n'était pas un argument simpliste, a-t-il dit, pas du tout. Il est plus difficile de faire le bien que le mal. Les malveillants le savent mieux que les autres, voilà pourquoi ils deviennent mauvais. Et pourquoi ils le restent. Le mal est l'apanage de ceux qui jamais n'atteindront la vérité. C'est le masque de la bêtise, du manque d'amour. On peut bien rire de la bonté, la trouver mièvre et dépassée, qu'importe – ce n'est rien de tout ça, il faut se battre pour la préserver.

— La justice, a dit la mère de Jazzlyn.

Le pasteur a hoché la tête, levé les yeux vers les arbres. Jazzlyn avait grandi à Cleveland, puis à New York, a-t-il poursuivi, elle avait vu au loin se profiler la bonté et jamais elle n'avait douté de la rencontrer un jour. C'était toujours un voyage difficile. Mais trop d'épreuves l'attendaient en chemin. Elle avait bien eu quelques amis, des gens de confiance, comme John Corrigan qui était décédé avec elle, mais le monde en réalité l'avait jugée, condamnée, il avait profité de sa gentillesse. La vie nous impose tant d'obstacles avant de nous accorder une miette de sa beauté. Voilà qu'aujourd'hui elle s'en allait vers un endroit où il n'y avait plus d'État pour l'asservir et l'enchaîner, plus de scélérats pour la vouer au pire, et personne parmi les siens pour exploiter sa chair. Il s'est redressé en déclarant .

— Qu'il soit dit qu'elle n'avait pas honte

Le groupe a acquiescé silencieusement.

— Honte à ceux qui voudraient l'avilir.

— Oui, a-t-on répondu.

— Que cela nous serve de leçon à tous, a dit le pasteur. Vous marcherez un jour dans la nuit et la vérité brillera comme une étoile, alors vous aurez derrière vous une vie dont vous ne voudrez plus.

— Oui, a-t-on dit encore.

— Le fléau de cette vie, la plaie de cette vie. Le chemin de la bonté se révélera à vous. Vous le suivrez et vous ferez le bien. Cela ne sera pas facile, les peurs et les difficultés seront là, mais les fenêtres s'ouvriront au Ciel et vos cœurs purifiés s'envoleront.

J'ai subitement revu Jazzlyn traverser le pare-brise. Un horrible vertige, le prêtre parlait toujours, je n'entendais plus rien. Son regard ne quittait pas l'homme au feutre violet. Je me suis retournée une seconde. Le type se mordait les lèvres, voûté, furieux, comme prêt à en découdre. Son chapeau lui mangeait le visage, mais il semblait bien avoir un œil de verre.

— Les serpents périront avec les serpents, a dit le pasteur.

— Et comment ! a renchéri une voix de femme.

— Ils disparaîtront.

— Une bonne fois…

— Qu'ils nous laissent tranquilles !

L'homme au chapeau n'a pas bougé. Ni lui ni personne.

— Va-t'en ! a crié la mère de Jazzlyn, d'une voix ivre de rage.

Tillie se contorsionnait, on aurait dit qu'elle se défaisait d'une camisole de force. Des mouvements saccadés soulevaient ses épaules. Un des types en costard lui a touché le bras.

— Fous-moi le camp ! a-t-elle répété.

J'ai craint un instant que cela me soit adressé, mais elle criait à ce type derrière moi. D'autres voix se sont jointes à elle, plus fortes. Le prêtre a levé les mains pour apaiser les esprits. C'est alors que j'ai compris : Tillie avait depuis le début les bras entravés dans le dos par une paire de menottes. Les types en noir à ses côtés étaient des flics en civil.

— Casse-toi, Birdhouse, a-t-elle dit.

Se dressant sur la pointe des pieds, l'homme au feutre a finalement souri de toutes ses dents. Il a porté la main à son chapeau avant de tourner les talons. Quelques exclamations ont jailli dans le groupe, qui suivait le maquereau du regard. Se décoiffant au bout de l'allée, il a brandi son couvre-chef sans se retourner, pour un au revoir qui n'en était pas un.

— Les serpents sont partis, a dit le prêtre. Qu'ils restent au large.

Ciaran m'a soutenue par le bras. J'étais gelée, je me sentais sale, dehors, dedans. Je n'avais pas le droit d'être là. J'empiétais sur un territoire qui n'était pas le mien. Mais il se dégageait de cette cérémonie quelque chose de pur et de vrai : « Alors vous aurez derrière vous une vie dont vous ne voudrez plus. »

Les voix s'étaient tues, quand soudain la mère, Tillie, a lâché :

— Enlevez-moi ces saloperies !

Les deux flics fixaient un point devant eux sans rien dire.

— Je vous dis de m'enlever ces trucs ! a-t-elle insisté.

L'un d'eux s'est finalement exécuté.

— Bon Dieu ! s'est-elle exclamée.

En agitant ses mains engourdies, elle a fait le tour de la tombe ouverte, vers Ciaran. Son écharpe s'est détachée, révélant un décolleté profond. Mal à l'aise, l'Irlandais s'est empourpré.

— J'ai une petite histoire à raconter, a-t-elle annoncé.

Elle s'est raclé la gorge tandis que l'émotion s'emparait du groupe.

— Ma Jazzlyn, elle devait avoir dix ans. Elle avait vu un château en photo dans un magazine quelque part. Elle a pris les ciseaux pour le découper, et elle l'a collé sur le mur au-dessus de son lit. Comme je disais, ça va pas loin, j'y avais jamais trop repensé. Mais quand après, elle a rencontré Corrigan…

Tillie a montré son frère, qui regardait ses chaussures.

— … un jour qu'il apportait le café, elle lui a parlé de son château, peut-être qu'elle se faisait suer, qu'elle avait envie de tailler une bavette, enfin bref. Parce que Corrigan, vous savez, il écoutait tout et tout le monde. Et, bien sûr, Corrie, ça l'a fait marrer. Il lui a dit que, là où il avait grandi, il y en avait, des châteaux comme ça. Qu'un de ces quatre matins, il l'emmènerait en voir un. Juré, craché. Chaque fois qu'il apportait du café, il racontait à ma petite fille qu'il y pensait, à son château. T'vas voir ça, il disait. Un jour, il s'occupait des douves. Le lendemain, il mettait des chaînes au pont-levis. Ensuite, c'était les tourelles. Et à la fin il préparait un grand banquet. Où ils boiraient de l'hydromel, un genre de pinard, et il y aurait plein de bonnes choses à manger, et des gens qui joueraient de la harpe, et des danses et tout.

— Oui, a dit une femme avec des paillettes autour des yeux.

— Tous les jours, il lui sortait un nouveau truc sur son château. C'était leur petit jeu à eux, et Jazzlyn elle adorait ça, ça la faisait bicher.

Elle a saisi le bras de Ciaran.

— C'est tout, a-t-elle conclu, tout ce que j'avais à dire. Voilà. Et merde. Pardonnez-moi.

Le groupe a prononcé une série d'amen et, se tournant vers les autres femmes, elle a ajouté quelques mots presque inaudibles, à propos de toilettes dans le château. Des rires ont fusé et il s'est produit une drôle de chose : elle a cité un poète dont je n'ai pas non plus distingué le nom, seulement des fragments de vers – des portes ouvertes, le soleil qui tombait, raide comme une poutre, au milieu du plancher. Elle leur balançait ça avec l'accent du Bronx et, tout d'un coup, le dernier vers est comme tombé par terre et elle le regardait tristement, son poème déchu. Elle s'est reprise en disant que Corrigan était lui aussi plein de portes ouvertes, et qu'avec Jazzlyn ils devaient se marrer là où ils étaient. Toutes les portes seraient ouvertes, surtout celle du château.

Enfin elle a posé la tête, en larmes, sur l'épaule de Ciaran :

— J'ai été une mauvaise mère, une mère de merde.

— Mais non, non, pas du tout.

— Des conneries, son histoire de château.

— Il existe quelque part.

— Je suis pas complètement conne, me traite pas comme une môme !

— Ça va aller.

— Je la laissais se shooter.

— Vous êtes trop dure avec vous-même.

— Elle se shootait dans mes bras.

En agrippant le revers de son veston, Tillie a levé la tête au ciel.

— Où sont mes petites ? a-t-elle imploré.

— Le bon Dieu prend soin d'elles, je suis sûr.

— Non, mes petits-enfants ! Les bébés de ma petite !

— Elles vont bien, Tillie, a affirmé une femme près de la tombe.

— On s'occupe d'elles.

— Elles viendront te voir, Tee.

— Tu me promets ? Où elles sont ? Chez qui ?

— Je te dis, Tillie, elles vont très bien.

— Promets-moi.

— Je te jure, a dit une des femmes.

— Me raconte pas des craques, Angie.

— Je te jure, Till, que c'est vrai.

Prenant appui sur Ciaran, elle a cherché son regard et lui a dit, droit dans les yeux :

— Tu te rappelles ce qu'on a fait ? T'as pas oublié ?

Il ressemblait au type qui, un bâton de dynamite dans la main, se demande s'il vaut mieux éteindre la mèche ou le lancer très loin. Jetant un coup d'œil vers moi, puis vers le pasteur, il a recueilli Tillie dans ses bras et l'a serrée très fort.

— Corrie me manque aussi, a-t-il dit.

S'approchant, les autres femmes lui ont présenté à leur tour leurs condoléances. Elles donnaient l'impression d'embrasser son frère réincarné. Les sourcils levés, il m'observait – son expression paraissait juste, bonne. Une fille puis une autre arrivait dans ses bras.

Il a cherché dans ses poches le porte-clés avec les photos des enfants, qu'il a tendu à la mère de Jazzlyn. Étudiant l'objet un moment, elle a souri, puis elle s'est détachée de lui et l'a giflé. Il avait l'air de la remercier. Un des flics a réprimé un sourire. Les lèvres pincées, Ciaran hochait la tête en reculant vers moi.

Je n'avais pas idée des complications qui m'attendaient.

Le prêtre a toussé et demandé le silence pour quelques mots encore. Il a récité les prières usuelles, le traditionnel « De poussière tu es fait, en poussière tu retourneras ». Mais il croyait fermement que la poussière un jour redeviendrait matière, que ce n'était pas seulement le miracle de la foi, mais le miracle de ce monde, les morts restent vivants, ils le sont dans nos cœurs, et c'est ainsi qu'il voulait conclure. Il était temps de porter cette jeune femme en terre et qu'elle repose, car c'est ce qu'il lui souhaitait : le *repos*.

À la fin de la cérémonie, les flics ont remis les menottes aux poignets de Tillie. Elle a poussé un dernier cri. Ils l'ont emmenée. Elle s'est éloignée, la voix étranglée, en sanglots.

J'ai quitté le cimetière avec Ciaran. Il a retiré sa veste et noué les manches autour de son cou, non par nonchalance, simplement parce qu'il faisait chaud. Nous avons suivi l'allée jusqu'au portail de Lafayette Avenue. Il marchait un quart de pas devant moi. Selon l'angle de la lumière, les gens peuvent changer d'aspect d'un moment à l'autre. Plus âgé que moi, il devait avoir trente-cinq ans, mais il paraissait brusquement plus jeune. Il me donnait envie de le protéger – ce côté gamin joufflu, sa démarche souple, ce léger embonpoint à la taille Il s'est arrêté pour regarder un écureuil bondir sur une grande pierre tombale. C'était un de ces instants où tout vous semble instable, et je suppose que s'attarder sur ce genre de détail n'a en fait rien d'étrange. L'écureuil a grimpé à un arbre, ses griffes faisaient comme le plic-plic de l'eau dans une cuvette.

— Pourquoi avait-elle les menottes ?

— Elle est condamnée à huit mois de prison, je crois. Pour prostitution, et une affaire de vol.

— Ils ne l'ont laissée sortir que pour les obsèques ?

— Oui, si j'ai bien compris.

Il n'y avait rien à ajouter. Le prêtre avait déjà tout dit. Passé le portail, nous avons pris la même direction, vers la voie express, mais Ciaran s'est arrêté pour me serrer la main.

— Je vous ramène chez vous.

— Chez moi ? a-t-il dit, riant à moitié. Elle est amphibie, votre voiture ?

— Pardon ?

— Non, rien.

Nous avons suivi Quincy Avenue, où je m'étais garée. Je pense qu'il a compris en voyant la Pontiac. Face à nous, une roue sur le trottoir, le phare cassé, le pare-chocs cabossé. Il s'est figé un instant en pleine rue, en hochant la tête comme si tout s'expliquait. Son visage s'est décomposé – un château de sable qui s'effrite en accéléré. Je tremblais en montant, puis en tendant le bras pour lui ouvrir la portière.

— Alors c'est cette voiture, hein ?

Sans rien dire, je passais un doigt sur le tableau de bord, recouvert de pollen.

— Un accident.

— Cette voiture, a-t-il répété.

— On n'a pas fait exprès. Vraiment pas.

— « On » ? a-t-il relevé.

Je parlais exactement comme Blaine, je le savais. Je ne faisais que refouler ma culpabilité. Avec elle les échecs, les drogues, l'imprudence. Je me sentais incapable, inepte. Comme si j'avais brûlé la maison, que je m'efforçais de la retrouver dans les décombres, mais il n'y avait plus que l'allumette qui avait mis le feu. Je m'obstinais, j'enfonçais mes ongles dans la terre à la recherche de n'importe quelle excuse. Pourtant une autre en moi persistait à croire que j'étais honnête, aussi honnête qu'on peut après avoir fui les lieux du crime, et la vérité en même temps. Blaine avait dit que ces choses-là arrivent. C'est un raisonnement pitoyable mais, au fond, il avait raison. Ça arrive. Non, on n'avait pas fait exprès. Un accident avait surgi de la poussière, une poussière dans un million d'autres.

Je grattais le pollen sur le tableau de bord, j'essuyais mes mains sur mon jean. L'esprit aspire toujours à la simplicité. Il évite les lourdeurs. J'avais envie de faire vrombir le moteur, de précipiter la voiture dans la première rivière. Ce qui aurait pu n'être qu'un minuscule coup de frein, ou de volant, devenait totalement incompréhensible. J'avais besoin de voler. D'être un de ces animaux qui ont besoin de leurs ailes pour survivre.

— Vous n'êtes pas du tout employée de l'hôpital, alors ?

— Non.

— C'est vous qui conduisiez ?

— Qui quoi ?

— Vous conduisiez ou pas ?

— Je suppose que oui.

Le seul mensonge de toute ma vie qui ait eu un sens. Il y a eu entre nous comme un léger craquement : nos corps comme des voitures, une collision.

Ciaran avait les yeux fixés sur le pare-brise. Il a émis un petit son qui tenait plutôt du rire. Il a remonté puis baissé sa vitre, glissé un doigt le long de la portière, tapé sur le verre, le poing à demi fermé, comme en quête d'une issue.

— Je vais dire *une* chose.

J'avais l'impression d'être enveloppée par du verre qui allait se fendiller et retomber en pluie.

— Une chose, c'est tout, a-t-il répété.

— Allez-y.

— Vous auriez dû vous arrêter.

Sa paume a claqué sur le tableau de bord. Je voulais qu'il me maudisse, qu'il me regarde de haut et me condamne, moi, mes mensonges, mon impunité, ma pseudo-bonne conscience, mon irruption chez son frère. Sans me l'avouer, j'avais envie qu'il me batte, dur, fort, jusqu'au sang, qu'il me démolisse.

— OK, a-t-il dit, je me barre.

Il avait la main sur la poignée de la porte. Il l'a poussée avec l'épaule, prêt à descendre, mais il l'a refermée et s'est enfoncé dans son siège, épuisé.

— Putain, vous auriez vraiment pu vous arrêter. Pourquoi vous ne l'avez pas fait ?

Une voiture a commencé à se garer devant nous, une grosse Oldsmobile bleue avec des ailes à liseré gris. Sans rien dire, nous l'avons regardée manœuvrer entre la Pontiac et l'autre véhicule. Elle avait juste la place. Elle reculait, elle avançait, elle recommençait. Immobiles, nous l'avons observée comme si c'était la chose la plus importante du monde. Le type s'échinait sur son volant et se retournait souvent. En faisant une ultime marche arrière avant le point mort, il a juste effleuré la calandre de la Pontiac. Nous avons perçu un bruit infime : le dernier bout de verre qui se détachait du phare. Le type a bondi au-dehors, les bras levés, conciliant, et je l'ai repoussé d'un geste. Il avait des lunettes sur une tête de chouette, et l'effet de surprise était presque comique. Il est parti d'un pas vif sur le trottoir, jetant quand même un coup d'œil vers nous pour être sûr qu'il n'avait pas rêvé.

— Je ne sais pas. Je ne sais pas pourquoi. Il n'y a pas d'explication. J'avais peur. Je suis navrée. Je ne le répéterai jamais assez.

— Merde.

Évitant mon regard, il a allumé une cigarette, entrouvert la vitre, recraché la fumée par un coin de la bouche.

— Écoutez, a-t-il dit. Je ne peux plus rester là. Déposez-moi quelque part.

— Où ?

— Je ne sais pas. Vous voulez boire un café ? Ou un verre de quelque chose ?

Nous étions affolés par le courant qui passait entre nous. J'avais assisté au décès de son frère. L'avais réduit en miettes. Sans répondre, acquiesçant à peine, j'ai enclenché une vitesse et déboîté dans la rue vide. Un verre tranquille dans un bar sombre, il y avait pire.

Ce soir-là, en rentrant chez moi – si ce cabanon l'était encore –, je suis allée me baigner. L'eau trouble était pleine d'algues bizarres, en vrille, avec de drôles de feuilles. Les étoiles comme des clous dans le ciel – ôtez-en quelques-uns et le noir s'effondrait. Blaine avait terminé plusieurs toiles qu'il avait disposées autour du lac, sur le rivage et dans la forêt. Il semblait se rendre compte, vaguement déçu, que son idée était idiote, mais il voulait poursuivre l'expérience. Les trucs les plus absurdes trouvent toujours au moins un acheteur. J'ai continué à nager en espérant qu'il rentrerait se coucher. Il était sur le ponton, assis sur une couverture qu'il m'a mise sur le dos quand je suis ressortie du lac. Un bras sur mon épaule, il m'a ramenée au cabanon. J'avais envie de tout, sauf de revoir cette lampe à huile. Il me fallait des interrupteurs, du courant électrique. Blaine a tenté de m'attirer au lit, mais je lui ai simplement dit non, ce n'était pas le moment.

— Dors, lui ai-je conseillé.

J'ai dessiné à la table de la cuisine. Je n'avais rien fait au fusain depuis très longtemps. Les formes naissaient sur la feuille. J'ai repensé au jour de notre mariage – levant son verre devant nos invités, il avait dit en souriant : « Jusqu'à ce que la vie nous sépare[17]. » Le genre de plaisanterie qu'il aimait bien. Je croyais à cette époque que nous serions ensemble jusqu'au dernier souffle.

Je voyais au contraire que je n'avais plus qu'un désir : fiche le camp ailleurs, n'importe où dans un ailleurs propre.

Il ne s'était pas passé grand-chose avec Ciaran, apparemment, ou du moins pas tout de suite. C'était pour le reste une journée ordinaire. Nous avions simplement quitté le cimetière, traversé le Bronx, pris le pont de Third Avenue, évité la FDR.

Il faisait chaud, le ciel était d'un bleu lumineux. Avec les vitres baissées, Ciaran avait les cheveux au vent. Il a voulu que je ralentisse à Harlem pour regarder les maisons aux devantures transformées en chapelles.

— On dirait des petites boutiques, a-t-il remarqué.

Nous nous sommes arrêtés le temps d'écouter une chorale qui répétait dans l'église baptiste de la 123ᵉ. Des voix hautes, angéliques, et les vallées lumineuses du Seigneur. Il pianotait sur le tableau de bord d'un air absent. On avait l'impression que la musique l'animait de l'intérieur. Il a parlé de son frère, de lui, qui dansaient tous les deux comme des piquets. Pourtant, leur mère jouait du piano quand ils étaient petits. Un jour, à Dublin, Corrigan avait poussé le Steinway sur ses roulettes devant le rivage sur la promenade, Ciaran ne savait plus pourquoi. Les curieux aléas de la mémoire, disait-il. Elle revenait aux moments les plus inattendus. Ils avaient calé le piano au soleil sur le bord de la plage. La seule fois, se souvenait-il, où on l'avait confondu avec son frère. Leur mère s'était trompée dans les prénoms et l'avait appelé John – « John, viens ici, mon chéri ! » Il était déjà grand, et pourtant cet instant restait pour lui l'incarnation de l'enfance : peut-être était-il encore là-bas, aujourd'hui même et pour toujours, sans ce frère qui ne reviendrait plus.

Il a juré et tapé du pied sur le tapis de sol.

— Allons boire ce verre que vous m'avez promis.

Sur un des ponts au-dessus de Park Avenue, un gamin retenu par un harnais et un jeu de cordes pulvérisait de la peinture sur la pierre. J'ai repensé à Blaine, à ses toiles, qui étaient aussi une sorte de graffiti, sans plus.

Nous avons suivi Lexington jusqu'à l'Upper East Side, trouvé un rade minable vers la 64ᵉ. Le barman, jeune avec un immense tablier blanc, nous a à peine regardés quand nous sommes entrés. Pas de juke-box, des murs tapissés d'enseignes au néon : bière, bière, bière. Et des coques d'arachides partout par terre. Assis au comptoir, quelques types édentés écoutaient le match de base-ball à la radio. Les miroirs étaient jaunes, mouchetés. Ça sentait la vieille frite Il y avait un écriteau au mur : « La beauté est dans le portefeuille de celui qui regarde. »

Nous avons pris place à une table, commandé deux Bloody Mary. Mon chemisier collait au cuir rouge de la banquette. La lueur d'une petite bougie tremblotait entre nous, et la cire liquéfiée était pleine de saletés. Ciaran a déchiré son napperon en minuscules morceaux pendant qu'il me racontait la vie de son frère. Il rentrait le lendemain à Dublin, après l'incinération, pour jeter ses cendres dans la baie. Il ne voyait aucune nostalgie là-dedans, ça semblait naturel. Le ramener à la maison. Il marcherait sur le rivage, attendrait la marée montante, puis il disperserait ses cendres au vent. Cela n'était pas du tout contraire à sa religion. Corrigan n'avait jamais évoqué d'enterrement d'aucune sorte, et Ciaran était sûr qu'il préférait l'air à la terre.

Il aimait son frère, disait-il, car il aidait les gens à devenir ce qu'ils croyaient impossible. Il pinçait un coin secret de leur cœur, les envoyaient où ils n'imaginaient pas. Même mort, il y arriverait encore. Corrigan voyait en Dieu l'une des dernières grandes explorations . les hommes et les femmes pouvaient essayer des tas de trucs, mais le vrai mystère serait toujours ailleurs. Il allait jeter ses cendres et les laisser se poser où elles voudraient.

— Et ensuite ?

— Aucune idée Je voyagerai peut-être. Ou je resterai à Dublin. Ou alors je reviens tenter ma chance ici.

Il n'avait guère aimé New York au début – les foules et la saleté –, mais peu à peu il s'était laissé séduire, ça n'était pas si mal. On arrivait ici comme on entrait dans un tunnel, disait-il, c'était une surprise de voir que la lumière au bout n'avait pas d'importance, parfois même le tunnel la rendait supportable.

— On ne sait jamais ce qui peut se passer dans un endroit comme ça.

— Vous reviendrez, alors ? Un jour ?

— Peut-être. Corrigan ne voulait pas s'enraciner. Mais il avait rencontré quelqu'un, et je crois qu'il ne serait plus jamais parti.

— Amoureux ?

— Ouais.

— Pourquoi l'appelez-vous Corrigan ?

— C'est comme ça. Toujours été comme ça.

— Mais John, non ?

— Trop banal pour lui.

Il a débarrassé la table des petits bouts de napperon, qui ont voleté comme des flocons pendant qu'il faisait une réflexion étrange sur les mots – capables d'exprimer les choses, mais parfois impuissants à révéler ce qu'elles ne sont pas. Il a détourné les yeux. Le néon devant la vitre gagnait en intensité sous le crépuscule du soir.

Sa main a effleuré la mienne. La faiblesse du désir, toujours.

Je suis restée une heure encore. Nous ne disions presque plus rien. J'étais à court de mots. Envolées, les paroles d'usage. Les jambes molles, je me suis levée avec la chair de poule.

— Ce n'est pas moi qui conduisais.

Il a déplié son corps pour m'embrasser au-dessus de la table.

— Je m'en doutais.

Il a montré l'alliance à mon doigt.

— À quoi il ressemble ? a-t-il demandé

Je n'ai pas répondu et il a souri, un sourire où se lisait toute la tristesse du monde. Et il a fait signe au barman d'apporter deux autres Bloody Mary.

— Il faut que j'y aille.

— Je les boirai tout seul.

Un pour lui, un pour son frère.

— Comme vous voudrez.

— Oui, a-t-il dit.

Deux PV m'attendaient sur le pare-brise : un pour stationnement interdit, l'autre parce que mon phare était cassé. J'ai failli tomber à la renverse. Avant de démarrer, je suis revenue devant la vitrine et, une main en visière, j'ai regardé en vitesse. Le menton sur ses bras croisés, Ciaran discutait au comptoir avec le serveur. Je me suis figée quand il a jeté un coup d'œil et j'ai tourné la tête. Des roches sont enterrées profondément dans le sol et, malgré tous les tremblements de terre, elles ne verront jamais la surface.

L'amour fait peur, je crois.

Peur.

LIVRE DEUX

« Et que le vaste monde poursuive sa course folle... »

IL LES A SOUVENT VUES DANS LE PRÉ : une nichée de buses à queue rousse, trois petits poussins dans des brindilles entremêlées au bord d'une branche. Même d'assez loin, ils pressentaient le retour de leur mère et piaulaient, réjouis, en claquant du bec. Un pigeon dans ses serres, elle arrivait un instant plus tard. Planait, se posait, une aile déployée pour cacher un côté du nid. Elle arrachait les morceaux de chair rouge qu'elle lâchait dans leur gosier. Le tout avec une aisance qu'aucun mot ne saurait décrire. Le balancement de l'autre aile pour une parfaite stabilité. La nourriture qui tombait où il fallait, sans hésitation, sans erreur.

Ces moments-là lui donnaient du cœur à l'ouvrage. Six ans à s'entraîner dans des endroits très différents. Dont ce pré. Une étendue herbeuse de presque un kilomètre, dont un quart seulement parcouru par un câble, au centre, où le vent souffle fort. Maintenu en ligne droite par une série de cavalettis – des chevrons perpendiculaires, arrimés au sol. Il les détendait parfois pour créer du jeu, et il travaillait l'équilibre. Il se plaçait au milieu, là où c'est le plus dur. Bondissait d'un pied sur l'autre. Il avait emporté un balancier trop lourd, pour s'habituer au changement, dénoncer la routine. Quand un ami venait le voir, il lui demandait de frapper sur le câble avec un bout de bois, et il épousait chaque oscillation. Il le faisait même sauter dessus pour voir s'il arriverait à l'éjecter.

Plus que tout, il aimait courir sur la corde sans balancier, n'être plus qu'un mouvement, un flux. Il comprenait bien cela, l'entraînement le prouvait : être en haut, être en bas étaient deux choses bien différentes. Mutuellement exclusives. Il pouvait se rattraper avec les mains ou les jambes – mais c'était l'échec. Il pratiquait sans cesse de nouveaux exercices : feindre une chute, faire la roue, un tour complet sur lui-même, jouer au ballon avec le front, marcher sur la pointe des pieds, les chevilles attachées. Mais ça n'était que des exercices, impensables lors d'une marche.

Un jour qu'il faisait orage, il a surfé sur le câble après avoir desserré les haubans. Vraiment dangereux. Les bourrasques imprimaient au fil des vagues brutales. Latérales, verticales, imprévisibles. Des tourbillons sous la pluie. Le balancier effleurait l'herbe haute, jamais le sol. Et il riait à la barbe du vent.

Plus tard seulement, en revenant à la cabane, il s'est rendu compte que le balancier valait bien un paratonnerre : il aurait pu être foudroyé sur son câble en acier, au beau milieu du pré.

La cabane de rondins était restée inhabitée plusieurs années. Une pièce unique, trois fenêtres et une porte. Une fois les volets dévissés, l'humidité entrait avec la brise. Il lui est arrivé de s'assommer en oubliant le tuyau qui pendait au plafond. Il observait les acrobaties des mouches sur les toiles d'araignée. Se sentait bien là, malgré les rats qui détalaient sur le plancher. Il passait par les fenêtres en dédaignant la porte : une manie, sans raison. Le balancier sur l'épaule, il partait dans l'herbe vers la corde raide.

Parfois les élans paissaient à l'orée de la forêt. Ils levaient la tête, l'observaient en reculant dans les arbres. Il s'était demandé ce qu'ils pensaient – comment ils voyaient ce corps flottant, croisé d'une ligne noire. Il était ravi quand ils ont commencé à s'attarder. Des groupes de deux ou trois, jamais loin de la lisière, qui avançaient un petit peu plus chaque jour. Viendraient-ils se frotter le dos contre ses *hommes morts* – les gros piliers de bois qu'il avait plantés dans le sol ? Les grignoter, les ronger jusqu'à ce qu'ils cèdent et détendent son fil ?

Il est revenu en hiver, non pour s'entraîner, mais pour se relaxer et mûrir son projet. Presque sans sortir de la cabane, qui dominait la prairie. Les plans et les photos des tours étalés sur la table de bois brut, devant la petite fenêtre qui donnait sur le vide.

À sa grande surprise, il a vu un après-midi un coyote approcher, gambader joyeusement dans la neige, sous le câble. À son point le plus bas, l'été, il l'avait tendu à quatre mètres cinquante du sol. La couche de neige était à présent si épaisse que l'animal pouvait aisément sauter par-dessus.

Le temps de remettre des bûches dans le fourneau et le coyote a disparu. Un fantôme. Presque sûr de l'avoir rêvé, mais à la jumelle il a retrouvé ses empreintes dans la blancheur. Vêtu seulement de ses bottes, d'un jean et d'une écharpe sur sa chemise de bûcheron, il est parti dans le sentier dégagé à la pelle. Il a grimpé au poteau, s'est dressé sur le câble sans son balancier, a couru en ligne droite vers les empreintes. Le paysage, immaculé, étant enivrant. Il avait l'impression de sauter sur un cheval vers un lac de fraîcheur. La neige réinventait une lumière qui se courbait, se colorait, se réverbérait. Il était hilare, comme défoncé. Je devrais plonger, nager. Il a levé un pied avant de bondir, les bras tendus et les mains droites. Et il a compris avant même de s'enfoncer. Pas le temps de jurer. La neige était dense et crissait, il avait sauté à la verticale comme depuis le bord d'une piscine. Il aurait fallu au contraire rouler à la renverse, s'allonger sur le dos. Immergé jusqu'au torse, il ne pouvait plus sortir. Pris au piège, il s'est mis à gigoter. Ni lourdes ni lestes, ses jambes ne répondaient pas. Une prison de neige, une cage qui fondait sur ses chevilles et coulait dans ses bottes. Dégageant ses coudes, il a tenté de saisir le fil – trop haut. Sa chemise était remontée en haut de sa nuque. C'était comme s'immiscer dans une deuxième peau, froide et mouillée. Il sentait les cristaux glacés sur ses côtes, son ventre, son nombril. Il fallait tenir, combattre –

se sortir de là, pensait-il, était le travail de toute une vie. Serrant les dents, il a tenté encore de se dégager, millimètre après millimètre. Des élancements pénibles dans tout le corps, pour finalement retomber dans cette cage. Avec la menace grise du crépuscule et le regard des arbres, en faction à l'orée du bois.

Cet homme se hissait d'un seul doigt à la barre fixe, mais il n'avait ici pour se rattraper qu'un fil hors d'atteinte. L'idée s'est imposée qu'il risquait de rester là, figé jusqu'au dégel qui, progressivement, le déposerait au sol, décomposé, quatre mètres cinquante sous le câble – la chute la plus lente qu'on puisse imaginer, et le coyote qu'il avait admiré viendrait lui ronger les os.

Ses mains, en revanche, étaient libres, qu'il réchauffait à force de contractions. Prudemment, mesurant bien ses gestes – il savait que son cœur battait moins vite dans le froid –, il a dénoué son écharpe, l'a fait passer autour du fil et s'est cramponné à chaque bout. Elle projetait des éclats de neige, menaçait de s'effilocher. Ce n'est pas le câble qui le trahirait, il le connaissait de l'intérieur, mais l'écharpe était vieille, usée, elle pouvait longuement s'étirer avant de se déchirer. Il a creusé avec ses pieds les parois de sa cage jusqu'à ce qu'elles ne cèdent plus. À chaque centimètre gagné, l'écharpe s'allongeait. Ne pas chuter brusquement. S'accrocher, persister. C'était possible, maintenant. Puis en pivotant les talons, il a dégagé une jambe, s'est déporté sur le côté, s'est hissé. L'autre pied est venu, triomphe et liberté. Une main sur le fil, le salut.

Il s'est agenouillé avant de s'étendre un moment sur le câble, les yeux dans le ciel, l'acier en guise de colonne vertébrale. Il faisait nuit, à peine quelques étoiles. Dieu ne lui inspirait pas grand-chose mais, crachant les cristaux collés à sa bouche, il l'a remercié quand même.

Plus jamais il ne marcherait dans la neige : ces beautés-là devaient seulement lui rappeler ce qui peut advenir. Il a accroché son écharpe à la porte et, le lendemain soir, il a revu le coyote, qui reniflait, incertain, autour de sa tombe vide.

Il se rendait de temps à autre en ville, au bar de la grand-rue où se retrouvaient les cow-boys, des hommes durs qui ne voyaient en lui qu'un petit homme, mollasson, incapable. À la vérité, il était bien plus fort que n'importe lequel. Quand l'un d'entre eux le défiait au bras de fer, il refusait. Il fallait garder le corps intact. Une entorse, et c'était le désastre. Une épaule démontée, six mois de perdus. Il les amadouait, leur montrait des tours de cartes, jonglait avec les dessous de verre. Il leur tapait sur le dos en partant, en profitait pour leur faire les poches. Puis il déplaçait leurs pick-up jusqu'à la prochaine rue, laissait la clé dans le contact et rentrait chez lui en riant au clair de la lune.

Punaisé derrière la porte de la cabane : « Personne ne tombe jamais à moitié. »

Il croyait à la beauté, à l'élégance de ses marches. Arriver à l'autre bout était une religion. Une fois seulement il avait chuté en s'entraînant – une seule et unique fois, c'est pourquoi cela ne devait plus se produire, c'était hors du possible. Mais l'erreur – *une* erreur – était nécessaire. Dans toute œuvre d'art, il doit rester un petit fil qui dépasse. Cependant il s'était cassé plusieurs côtes en tombant et, lorsqu'il respirait vraiment à fond, un minuscule pincement au cœur lui servait d'aide-mémoire.

Certains jours, il s'exerçait nu, juste pour voir ses membres travailler. Il accordait son corps aux notes du vent. À l'affût des rafales, de ce qui les annonçait – une suggestion, un murmure. La sécheresse de l'œil était un bon indicateur : « Le voilà. » Il apprenait à interpréter le moindre son. La vitesse des insectes était révélatrice. Il aimait que le vent souffle violemment. Il marchait contre lui, arc-bouté et bravache, rassemblant toutes ses forces. La brise venait de tant d'endroits différents, des quatre points cardinaux si elle voulait, apportant avec elle l'odeur des arbres, des marécages, des élans

Il était parfois si à l'aise qu'il suivait en même temps le cheminement des cerfs, les feux de forêt et les tourbillons de fumée, la buse qui tournoyait au-dessus du nid, mais le summum était de ne plus rien voir Il valait mieux imaginer la scène, l'imprimer dans son esprit, une tour en ligne de mire, un plan de rues sous ses pas. Figer cette image-là en faisant corps avec le câble. Pas toujours agréable, cette intrusion de la ville dans la prairie, mais il fallait assembler le tout, l'herbe, le ciel et les buildings. C'était comme s'élever mentalement sur un deuxième fil.

Il avait d'autres endroits pour s'entraîner – un champ au nord de l'État de New York, le parking vide d'un entrepôt sur les quais, un bout de marais côtier près de Long Island –, mais c'est le pré qu'il avait le plus de mal à quitter. Un regard derrière lui et, enfoncé jusqu'au cou dans la neige, son sosie le saluait.

Il entrait dans le bruit de la ville. Un tapage de verre et de béton, les clameurs des moteurs, les piétons comme de l'eau autour de lui. L'impression d'être un émigrant d'antan, le pied sur un rivage neuf. Il cheminait autour de la presqu'île, mais le World Trade quittait rarement son regard. Il était la limite de ce qu'un homme pouvait faire. Personne n'avait jamais osé le rêver. L'audace lui gonflait les muscles. Il allait secrètement reconnaître le terrain, passait devant les gardes, montait l'escalier. La tour sud était encore inachevée, pratiquement inoccupée, une chrysalide d'échafaudages. Il se demandait qui étaient les gens qui s'affairaient là, dans quel but. Son casque d'ouvrier sur le crâne, il débouchait sur le toit. Coulait les deux blocs de béton dans son moule intérieur. La vision des doubles cavalettis en haut. Horizontaux. Deux Y à chaque bout du câble tendu. La lumière renvoyée par les vitres, sa propre image dans les fenêtres, un jeu de miroirs jusqu'en bas. Il levait une jambe au-dessus du vide, trempait un pied dans l'air, faisait le poirier au bord

En redescendant, il avait l'impression de saluer son vieil ami : toujours enfoncé jusqu'au cou, mais à quatre cent douze mètres du sol.

Il inspectait à l'aube le périmètre de la tour sud, en notant les horaires des livraisons, lorsqu'il a aperçu une femme avec un chandail vert, tout contre l'édifice, qui se baissait sans cesse pour lacer ses chaussures. De petites pluies de plumes s'échappaient de ses mains. Elle ramassait les oiseaux morts qu'elle mettait dans des sacs plastique. Des passereaux, dont beaucoup de pinsons à gorge blanche. Profitant d'une absence de vent, ils avaient afflué la nuit précédente et percuté les vitres, éblouis par l'éclairage. Ou ils avaient tourné autour des bâtiments jusqu'à l'épuisement. Leur instinct les avait abandonnés. Elle lui a donné une plume de fauvette à gorge noire, qu'il a emportée dans le pré, et clouée à la porte de la cabane. Un autre pense-bête.

Il voyait en chaque chose un sens, un signal, un dessein.

Mais en définitive il savait que tout dépendait du câble. De lui et du câble. Soixante-quatre mètres de long au-dessus d'un gouffre béant. Les tours étaient conçues pour résister à des oscillations d'un mètre en cas de grand vent. Une violente rafale, un brusque changement de température étaient susceptibles de les faire tanguer. Alors le câble se raidirait et imprimerait des secousses. Un aléa qu'on ne pouvait exclure. S'il marchait, il faudrait résister ou partir en vol plané. Le câble pouvait également se briser, se détacher, et l'un des bouts tranchants décapiter quiconque aurait le malheur de se trouver sur son chemin. Tout devait être étudié avec un soin méticuleux : le tendeur, les moufles, les élingues, l'alignement. On aurait besoin de connaître précisément la résistance des torons. Il voulait une tension de trois tonnes. Mais plus un câble est tendu, plus la graisse a tendance à suinter. Et la graisse est sensible à la chaleur, elle se liquéfie rapidement et ruisselle sur l'acier.

Il a vérifié chaque détail avec ses amis. Une équipe s'introduirait dans le second édifice, l'aiderait à installer les haubans, tendre les filins – tout en évitant les gardiens – et ils communiqueraient à l'aide d'un interphone. Faute de quoi, l'aventure serait impossible. Ils ont appris par cœur les plans des bâtiments déroulés devant eux. Les cages d'escalier. Les postes de surveillance. Ils avaient repéré des cachettes où on ne les trouverait jamais. C'était comme préparer l'attaque d'une banque. Les soirs d'insomnie, il se promenait seul dans les rues ternes autour du WTC . au loin, toutes lumières allumées, les tours paraissaient n'en faire qu'une. Il s'arrêtait à un carrefour et se projetait là-haut dans le ciel, silhouette plus noire que le noir.

La veille de la marche, il a déroulé le câble sur toute la longueur d'un pâté de maisons. Les gens dans leurs voitures le regardaient faire. Il était indispensable de bien le nettoyer. Il l'a frotté avec un torchon imbibé d'essence, puis l'a lissé avec du papier de verre. Il fallait s'assurer qu'un brin d'acier rebelle ne se planterait pas dans ses chaussons. La moindre barbe pouvait être mortelle. Un crochet à viande. Dans tout câble, les torons doivent être ajustés avec précision. Le pire étant une éventuelle torsion interne – un serpent qui se déplace dans sa propre peau.

Il se composait de six torons épais, constitué chacun de dix-neuf fils d'acier ; 2,22 centimètres de diamètre ; torsadé à la perfection, avec un pas de torsade serré, pour donner à ses pieds la meilleure prise possible. Ses amis et lui l'ont parcouru d'un bout à l'autre en s'imaginant dans les airs.

Ils ont mis dix heures à l'installer dans la nuit. Il était épuisé. N'avait pas emporté assez d'eau. Craignait d'être paralysé, déshydraté, de se briser au premier mouvement. Mais la simple vue du fil enfin tendu l'a transporté. L'interphone a grésillé : ils étaient prêts, ils avaient fini. Une décharge d'énergie pure l'a régénéré. Le silence semblait attendre son balancement. La lumière du matin gagnait les quais, le fleuve, les chantiers navals, les bas quartiers de l'East Side. Elle s'étendait, diffuse – les portes, les auvents, les corniches, les fenêtres, les briques, les balustrades, les toits. Elle rebondissait sur le béton jusqu'au bout de la presqu'île. Il a fait un signe à la silhouette de l'autre côté, lui a murmuré quelques mots dans le combiné.

Un pied sur le câble – le plus sûr des deux. La pointe, la plante, puis le talon. Le gros et le second orteils enserrent l'acier. Les chaussons sont fins, la semelle en cuir de buffle. Il s'arrête un instant, redresse le fil par la force du regard Manœuvre le balancier en alu, qui roule, tout frais, entre ses paumes. Vingt-cinq kilos, le poids d'une femme coupée en deux. L'empreinte sur la peau, féminine comme de l'eau. Pour l'empêcher de glisser, il a gainé le milieu de caoutchouc. Un geste des doigts à gauche, le mollet droit se contracte. Le petit doigt influe sur la forme de l'épaule. Le pouce maintient la barre en place. Une légère impulsion à droite, et aussitôt un contrepoids à gauche. Le jeu du balancier invisible à l'œil nu. La fatigue disparaît, la mémoire s'ouvre et revêt des muscles exercés de longue date. Elle n'a plus qu'à conduire ses mains et, ça y est, il se lance.

L'espace d'un instant, presque rien ne se passe. Il n'est même plus là. Chuter ne lui effleure pas l'esprit. C'est un flottement. Il pourrait aussi bien se trouver dans le pré. Le corps se relâche, épouse la forme du vent. L'épaule guide la jambe, la gorge apaise le talon, irrigue les ligaments de la cheville. Un coup de langue sur les dents et la cuisse se détend. La fraternité du coude et du genou. La hanche s'aligne quand le menton se redresse. Au milieu rien ne bouge. L'estomac est un bol plein d'eau – s'il glisse, le bol se rétablit tout seul. La voûte plantaire cherche et trouve la courbure du fil. Un deuxième pas, un troisième. Une mécanique synchrone. Les cavalettis sont déjà loin derrière.

Il est en deux secondes l'essence du mouvement, il peut faire ce qu'il veut. Dehors, dedans son corps, dans le bonheur d'appartenir à l'air, sans passé, sans avenir – et les caprices jaillissent sur le fil. Il transporte sa vie d'une extrémité à l'autre. Bientôt il n'aura plus conscience de respirer, et il le sait.

La beauté pour motivation. Le ravissement ultime d'une marche. Tout réécrire depuis là-haut. D'autres possibles à forme humaine. Par-delà les lois de l'équilibre.

Être un instant sans corps et venir à la vie.

TAGS

DÉJÀ EN ÉQUILIBRE ENTRE DEUX WAGONS, dans l'étuve moite du matin. Encore neuf vues sur le rouleau. Presque toutes les autres prises dans l'obscurité. Deux loupées au moins, quand le flash n'a pas suivi. Quatre photos de rames en mouvement. Et celle du Concourse là-haut, sûrement foirée aussi.

Il tangue sur le marchepied quand le métro s'arrache de Grand Central. Flippe un peu en pensant aux prochains virages. La vitesse. Ce que ça gueule dans les oreilles ! C'est vrai, il a souvent peur. L'acier résonne dans son corps. Comme si le train circulait dans ses baskets. Tout contrôler, tout oublier. Il a parfois l'impression d'être le conducteur. Un peu trop à gauche et la rame percute la paroi, un million de cadavres accrochés au mur. Un peu trop à droite, et c'est le dérapage, salut, c'était sympa de se voir, à tout à l'heure dans les gros titres. Il est monté dans le Bronx, une main sur l'appareil, l'autre sur la portière du wagon. Pieds écartés pour l'équilibre, les yeux fixés sur le tunnel, à la recherche de nouveaux tags.

Parti pour le boulot à Manhattan, mais ras-le-bol des peignes, des ciseaux, des lotions. Que ce matin lui offre un beau graff tout neuf. C'est la seule chose qui mette de l'huile dans ses rouages, ensuite la journée file. Tout le reste lui passe au-dessus de la tête, seuls les tags brillent dans ses pupilles. *Phase 2. Kivu. Super Kool 223.* Leurs lettres, bouclées, enflées, courbées, décalées, les flammes et les nuages, il adore.

Il prend l'omnibus juste pour voir qui est venu cette nuit, ceux qui ont laissé leur marque, jusqu'où ils sont allés le long des voies. Il ne s'intéresse plus guère à la surface, les quais, les ponts, les murs des entrepôts, les camions des éboueurs. Ça craint, tout ça. N'importe quel *chulo* peut faire un lettrage là-haut en trois coups d'aérosol. Lui, c'est ceux du métro qu'il aime. Qu'il repère dans le noir. Tout au fond des tunnels. L'étonnement. Plus ils sont loin, mieux c'est. Révélés brusquement par les phares, si vite qu'il n'est jamais tout à fait sûr de les avoir vus. *Joe 182. Coco 144. Topcat 126.* Parfois c'est juste un griffonnage. D'autres montent du ballast jusqu'à la voûte, peut-être deux ou trois bombes pleines, des arabesques qui ne veulent pas s'arrêter, comme si elles respiraient toutes seules. Un mètre cinquante de long, certaines. La plus folle dépasse les cinq mètres sous Grand Concourse.

Pendant un temps, ils n'ont employé qu'une couleur : l'argent surtout, parce qu'il luit dans les profondeurs, mais depuis cet été, ils y vont avec deux, trois, quatre, du rouge, du bleu, du jaune, même du noir. Il était bluffé en les découvrant – des graffs en quadri, là où personne n'irait regarder ! Le mec était stoned, ou génial, ou les deux. Toute la journée, il avait trippé dessus. L'éclat. La taille. Le relief. Ils avaient même plusieurs becs sur leurs bombes, ça se voyait au grain de la peinture. Il les imaginait en train de se faufiler, oubliant le troisième rail, les rats, les taupes, l'odeur, la crasse, les scories, le mâchefer, les trappes, la signalisation, les câbles, les tuyaux, les aiguillages, *John 3:16*, les détritus, les grilles, les flaques.

Les *cojones* de faire ça sous l'asphalte ! Comme si, au-dessus, tout avait été peint, il n'y avait plus que ce territoire-là à conquérir. Je suis là le premier : c'est chez moi. Ouvre les yeux et pleure.

Les rames bombées d'un bout à l'autre, ça l'éclatait depuis les premières. Il était comme une pièce d'un puzzle multicolore. À brinquebaler vers Manhattan entre les rats. Il fermait les yeux et roulait des épaules, près de la portière, enfermé dans un tourbillon de couleurs. Tout le monde n'avait pas l'audace de couvrir entièrement un train. Fallait être hyper-branché. Escalader le mur du dépôt, sauter sur les voies, asperger une rame, détaler, et elle démarrait au matin, les vitres opaques sous le soleil, l'acier bariolé de haut en bas. Il avait essayé de traîner avec les taggers du Concourse, portoricains, dominicains, mais ils ne voulaient pas de lui, aucun. Il parlait trop propre. Ils le traitaient de *simplón, cabronazo, pendejo*. Évidemment, il avait eu les meilleures notes au bahut, toute l'année. Pas sa faute, ça s'était trouvé comme ça – il était le seul à ne pas sécher les cours. Alors ils se foutaient de sa gueule, et il repartait, tête baissée. Il avait pensé à aller voir les Noirs, de l'autre côté du Concourse, mais finalement non. Quand il était revenu du salon avec l'appareil photo, il avait dit aux Portos qu'il leur apporterait la gloire, et ils s'étaient encore foutus de lui. Un Skull de douze ans l'avait frappé devant toute la bande, rien que pour l'humilier.

Puis, un jour au milieu de l'été, en route pour le taf, il s'est glissé entre deux wagons d'une rame à l'arrêt après la 138ᵉ. Il se balançait sur la barre entre les crochets quand elle est repartie, et il a aperçu une tache, floue, trop vite. Aucune idée de ce que ça représentait, un truc énorme, argenté, voluptueux. Imprimé tout le jour sur sa rétine.

C'était là, à lui seul, son trésor. Impossible de l'enlever, de le décaper. On ne plonge pas les murs du métro dans un bain d'acide. Le tag absolu. C'était comme découvrir la banquise.

Au retour, il est monté au même endroit du train, juste pour vérifier, et c'était toujours là, *Stegs 33*, en lettres grasses, seul au milieu du tunnel, sans concurrent d'un autre gang. Ça lui trouait le cul que le mec soit allé si loin laisser sa signature. Surtout qu'il avait dû tracer pour remonter : le troisième rail, l'escalier poisseux, la grille métallique, la lumière, les rues, la ville, mais son nom sous ses pieds.

215

Traversant le Concourse d'un pas assuré, il regardait maintenant, crâneur, les taggers de l'autre côté, restés dehors toute la journée. *Pendejos*. Il avait un secret. Il savait où. Lui seul avait la clé. Il les toisait en roulant des épaules.

Alors il a pris le métro aussi souvent que possible. Il se demandait si les graffeurs emportaient avec eux une torche, s'ils descendaient à deux ou trois, comme ceux des dépôts, un qui fait le pet, un qui braque la lampe, le troisième à l'aérosol. C'était devenu un peu moins pénible d'aller couper les cheveux chez le beau-père. C'était l'été et il avait le temps de traîner sur les rails. D'abord il avait collé les yeux à la fenêtre, puis il avait commencé à sauter entre deux voitures, scrutant les murs, cherchant des traces fraîches dans les souterrains. Il aimait croire qu'ils agissaient seuls, insensibles à l'obscurité, craquant peut-être une allumette pour vérifier un contour, renforcer une couleur, remplir un espace blanc, cambrer une lettre. Du travail de guérillero. Même la nuit, il ne s'écoulait pas plus d'une demi-heure entre deux rames. Les tags qu'il aimait le plus enveloppaient tout, débordaient sur le sol, les parois, les voûtes. Au passage du train, il les photographiait mentalement, les révélait ensuite toute la journée sur le papier de sa mémoire : des lignes, des points, des boucles.

Jamais il n'en a fait lui-même, mais s'il avait pu, sans risques, sans baffes du beau-père et sans garde à vue, il aurait inventé un style nouveau, avec un peu de noir dans le noir, de blanc dans le blanc, pimenté de rouge-blanc-bleu. Il aurait bidouillé les couleurs, mélangé du black et du portoricain, déliré avec tout ça, puisque c'était le but du jeu – épater, agresser, se faire remarquer. Il pourrait. Ça s'appelait le génie. Mais à condition d'y arriver le premier – ce que lui avait appris un de ses profs. Le génie est solitaire. Un jour, il avait eu une idée : acheter un projecteur de diapos, mettre la photo de son père dans le passe-vue, braqué sur la maison. Et même un projo dans chaque pièce, pour que sa mère soit obligée de se le cogner partout – le mari qu'elle avait foutu dehors, qu'il n'avait pas revu depuis douze ans, qu'elle avait remplacé par Irwin. Ça serait génial, ça, comme un super-tag, un fantôme bien réel dans le noir.

Il se demande si les auteurs revoient jamais leur œuvre après s'être retournés une dernière fois, quand ils ont fini, que la peinture sèche à peine dans le tunnel. Après le coup d'œil vite fait en franchissant le troisième rail – et gaffe parce que c'est deux mille volts dans les quilles, ça. Une rame peut toujours débouler aussi, les flics arriver avec un arsenal de torches et de matraques. Ou à leur place un de ces *putos* hirsutes, le feu dans les yeux et le cran d'arrêt ouvert, il t'ouvre les poches, le ventre, et il se barre. Faut savoir graffer rapido, mettre les bouts fissa.

Il se cramponne quand ça secoue. La 33e. La 28e. À Union Square, il traverse le quai pour prendre la ligne 5, attend le sursaut du départ. Rien de neuf sur les murs, ce matin. Certains jours, il pense finalement à acheter quelques bombes, quitter le train en marche et arroser, mais il sait bien au fond de lui qu'il n'est pas fait pour ça : c'est plus simple avec l'appareil. Un coup d'obturateur et les tags sortent du noir, se hissent hors des galeries. Quand la rame accélère, il cale l'appareil sous sa chemise pour l'empêcher de rebondir et de heurter le métal. Quinze prises déjà, sur un rouleau de vingt-quatre. Une au moins sera-t-elle réussie ? Mystère. C'est un client du salon qui, l'année dernière, lui a donné l'appareil, un friqué de Wall Street, tout dans la frime, celui-là. Il lui a collé dans les mains, avec l'étui, et puis voilà. Il ne savait vraiment pas quoi en faire. Il l'avait jeté sous son lit en rentrant puis, un après-midi, l'avait ressorti pour l'examiner. Alors il s'était mis à tout photographier.

Ça lui plaisait. Il l'emportait systématiquement. Sa mère a fini par payer les développements au labo. Jamais elle ne l'avait vu passionné comme ça. Un Minolta SRT-102. Il aimait bien le sentir dans ses mains, la forme était étudiée pour. Et ça lui servait de lunettes noires, il se cachait derrière quand un truc l'emmerdait – Irwin, par exemple, ou sa mère, ou les mecs à la sortie du lycée.

Si seulement il pouvait rester en sous-sol toute la journée, dans la pénombre, la chaleur, à naviguer entre deux wagons, prendre ses photos, et puis la gloire. Il avait entendu parler d'une nana, l'année dernière, qui avait fait la couverture du *Village Voice* avec un cliché d'une bagnole taggée qui entrait dans le tunnel du Concourse. L'exposition était parfaite, l'obscurité et le soleil derrière, les phares qui filaient droit sur l'objectif, et le dégradé des couleurs au fond. Le bon endroit, le bon moment. Paraît-il qu'elle avait décroché le gros lot, au moins quinze dollars. Il avait cru d'abord à une rumeur, mais il avait trouvé le canard à la bibliothèque et, pas d'erreur, elle avait même une double page à l'intérieur, avec son nom en bas à droite des photos. On disait aussi que deux jeunes mecs de Brooklyn traînaient sur les rames, l'un avec un Nikon et l'autre un Leica.

Lui aussi avait tenté le coup. Apporté un agrandissement au *New York Times* au début de l'été. Le cliché était impeccable : un taggeur sous le pont de Van Wyck, la bombe à la main. Un beau contre-jour, le type accroché à ses cordes, les nuages qui s'effilochaient en arrière-plan. Un truc pour la une, il était sûr. Il avait pris une demi-journée au salon, même mis une chemise et une cravate. Il était entré dans l'immeuble de la 43ᵉ, avait demandé le directeur artistique, comme quoi il avait une accroche terrible, une exclu, il avait potassé le jargon dans un bouquin. Le gars à la réception, un grand *moreno* balèze, avait téléphoné, puis il s'était penché sur le comptoir :

— Pose-la ici, ton enveloppe, frangin.

— Mais je veux le voir, le directeur.

— Il est occupé.

— Ben, quand c'est qu'il est libre, alors ? Allez, Pepe, s'il vous plaît.

Le type s'était retourné en rigolant, une fois, deux fois, puis il l'avait fixé droit dans les yeux :

— « Pepe » ?

— Monsieur

— Quel âge as-tu ?

— Dix-huit ans.

— Allez, dis-moi, gamin.

— Quatorze, avait-il avoué en baissant la tête.

— Un petit Horatio Alger ! s'était exclamé l'homme, hilare, avant de repasser un ou deux coups de fil, les paupières baissées, comme s'il avait déjà la réponse. Assieds-toi là, mon gars, je te dirai quand il arrive.

La réception : panneaux de verre jusqu'au sol, costards, jambes fines et mollets galbés. Deux heures, il était resté, puis le gardien lui avait fait signe. Il avait bondi sur le DA, lui avait fourré l'enveloppe dans les mains. Un bout de salade coincé entre les dents, le type finissait la moitié d'un Reuben-sandwich. Une photo à lui tout seul. Un vague merci puis DA avait quitté le bâtiment, l'enveloppe sous le bras, marché le long de Seventh Avenue, au-delà des peep-shows et des anciens combattants à la rue. Le temps de le suivre quelques centaines de mètres, et il s'était perdu dans la foule. Ensuite, plus de nouvelles, que dalle. Il avait attendu, mais le téléphone n'avait jamais sonné. Il était même revenu au journal le surlendemain, mais le *moreno* ne pouvait rien faire de plus.

— Désolé, mon gars.

Peut-être le DA avait-il perdu la photo. Ou alors il la lui piquerait. Ou il pouvait appeler d'un moment à l'autre. Ou encore il avait laissé un message au salon, et Irwin avait oublié. Mais finalement un coup d'épée dans l'eau.

Il avait essayé une autre fois, avec un gratuit du Bronx, une feuille merdique du quartier. Là, c'était le non absolu : il avait entendu ricaner à l'autre bout du fil. Mais un jour, ils le supplieraient à genoux. Lui lécheraient les pieds. Ils se marcheraient dessus rien que pour apercevoir ses baskets. Fernando Yunqué Marcano. Imagiste. Même en espagnol, le mot lui plaisait. Ça ne voulait rien dire, mais ça sonnait bien. Il le mettrait sur ses cartes de visite, s'il en faisait faire. *Fernando Y. Marcano. Imagiste. Le Bronx. États-Unis.*

Il avait vu un mec à la télé qui exploitait une drôle d'idée, et ça lui rapportait du fric. Il retirait des briques dans les façades des bâtiments. C'était bizarre mais il pigeait plus ou moins le principe. Les immeubles changeaient de visage. La lumière passait à travers. Ça faisait réfléchir les gens, ils ne voyaient plus les choses pareil. Il faut regarder le monde avec un truc à soi, un truc unique. Voilà à quoi il pense en balayant la boutique, avant de faire tremper les ciseaux, de ranger les flacons. Tous ces courtiers pleins aux as qui veulent « désépaissir », et un coup de tondeuse sur la nuque. Irwin prétend que la coiffure est un art :

— Et le salon une galerie d'art, plus grande que tu en auras jamais. Tu as New York au bout des doigts, ici.

Il a envie de lui répondre : « Oh, ta gueule. T'es pas mon vieux. Prends le balai et ferme-la. Rince-les toi-même, tes flacons. » Mais il ne peut pas. Ça ne passe pas entre le cerveau et la bouche. C'est là que la photo entre en jeu. L'image du non-dit entre lui et les autres, et qu'ils aillent se brosser.

Quand le train s'ébranle, il presse négligemment ses paumes sur chacun des wagons pour garder l'équilibre. La rame prend de la vitesse, mais les freins grincent et un arrêt brutal l'envoie dinguer contre le métal. Les épaules encaissent le plus gros, le dessin d'une des chaînes s'imprime sur sa jambe. Il inspecte rapidement son appareil. Parfait, il n'a rien. Sinon, c'est le moment qu'il préfère. L'immobilisation. Ils sont dans le tunnel, assez près de la station, où il fait déjà sombre. Il agrippe le bord de la portière, se redresse et s'adosse.

Nonchalant. Peinard. Un nouvel arrêt, entre Fulton et Wall Street, cette fois dans le noir total. Les costards, les brushings, prêts à sortir en masse.

La rame ne fait plus de bruit et il aime ces silences. Il a le temps d'examiner les murs. Un coup d'œil dans le wagon au cas où il y aurait les flics, puis il prend appui sur une chaîne, plante ses mains sur le toit et se hisse des deux bras. Debout sur la tôle, il arriverait à toucher la voûte – bon endroit pour un tag –, mais il garde la position et examine l'autre bout. Le marquage rouge et blanc sur l'arrondi des murs. Quelques lueurs jaunâtres au loin.

Il s'habitue à l'obscurité, chasse les petits points blancs sur sa rétine. En queue du train, de minces barres de couleur se dégagent des voitures et s'évasent en hauteur. Mais il n'y a rien sur les murs. L'Antarctique du graffeur. Il s'attendait à quoi ? Des taggers au sud de Manhattan ? Eh, on ne sait jamais. Ça, ça serait du génie. Droit au but. Fais-moi briller ça, *maricon*.

Il sent la chaîne qui gigote sous son pied, le signe du départ. Il se cramponne au rebord du toit. Jamais aucun tagger n'a aspergé la voûte. Un espace vierge. Il devrait initier le mouvement, une place à prendre. Se dressant sur la pointe des pieds, il observe la rame sur toute sa longueur. Repère au bout du tunnel ce qui pourrait être un bombage sur le mur de gauche, jamais vu celui-là. vite fait, oblong, avec un genre de liseré rouge autour d'une lettre en argent – un P, un R, peut-être un 8. Flammes et nuages. Ça vaudrait la peine de traverser le train – longer les endormis, les morts –, de s'approcher, déchiffrer, mais la rame s'ébranle à nouveau et cette fois c'est la bonne. Ses pieds se reposent sur la plateforme, il reprend appui de chaque côté. Les roues grincent et il imprime lentement l'image dans sa mémoire. La compare à d'autres tags à d'autres endroits, et donc, oui, celui-là est tout neuf. Il brandit le poing silencieusement, quelqu'un a osé graffer là.

Quelques secondes plus tard, c'est l'éclairage blafard de Wall Street, les portières s'ouvrent en sifflant dans la station. Il garde les yeux fermés, enregistre la hauteur, la couleur, le relief de ce tag, le situe dans son plan de métro à lui pour le retrouver sur le chemin du retour. Il prendra la photo et se l'appropriera.

Un grésillement. Des parasites qui avancent vers lui. Il se penche. Quatre flics arrivent du bout du quai. Sûr qu'ils l'ont vu. Ils vont le sortir de sa planque, lui coller une amende. Les walkies-talkies, le matos qui s'agite à la ceinture. Il ouvre, se glisse dans le wagon. Attend une bonne taloche sur l'épaule. Rien. Il se colle au métal froid de la portière. Les aperçoit qui courent en direction des tourniquets. Comme s'il y avait le feu quelque part. Un cliquetis ambulant. Menottes, revolvers, matraques, bloc-notes, lampes torches et va savoir quoi d'autre. Il doit y avoir un mort, pense-t-il. Un mec a clamsé quelque part.

En protégeant son appareil, il se glisse dehors avant que les portières se referment avec leur bruit de ventouse. Léger, sautillant, il passe dans le tourniquet, monte l'escalier. Tant pis pour le salon. Irwin attendra.

RÉSEAU OUEST

TÔT LE MATIN, LES NÉONS TREMBLOTENT. On arrête les applis graphiques pour faire une pause. Dennis fait tourner la blue-box[18] sur le PDP-10 au cas où on aurait une bonne connexion.

On est tous les quatre, Dennis, Gareth, Compton et moi. Dennis, le plus âgé, aura bientôt trente ans. On le surnomme grand-père – déjà deux fois qu'il revient du Vietnam. Compton sort de l'UC Davis. Gareth s'est lancé dans la programmation il y a une dizaine d'années. Moi, je n'ai que dix-huit ans. Ils m'appellent le gamin. J'en avais douze quand j'ai commencé à traîner autour de l'Institut.

— Combien de sonneries ? demande Compton.

— Trois, répond Dennis, qui a l'air de s'ennuyer déjà.

— Vingt, dit Gareth.

— Huit.

Compton se tourne aussitôt vers moi :

— Eh ! le gamin ouvre la bouche.

D'accord, la plupart du temps, je laisse mes applis parler à ma place. C'est comme ça depuis le jour de 68 où je suis entré à l'Institut par le sous-sol. En douce. Je séchais les cours au lycée. Un gamin en short avec des lunettes tordues. Leur ordi crachait de la bande perforée, les types aux consoles ont bien voulu me laisser voir. Le lendemain, ils m'ont trouvé endormi sur le pas de la porte.

— Eh, regarde, c'est le gamin.

Maintenant je suis là tous les jours, toute la journée, et faut reconnaître, je suis le meilleur programmeur. C'est moi qui ai fait toutes les corrections sur la blue-box

Quelqu'un décroche à la neuvième sonnerie, Compton me tape sur l'épaule, se penche vers le micro et s'adresse au type d'une voix douce, pour ne pas le faire flipper.

— Eh, salut, raccrochez pas, c'est Compton.

— Je vous demande pardon ?

— Compton au bout du fil. Vous êtes ?

— Une cabine.

— Ne raccrochez pas.

— C'est une cabine téléphonique, monsieur.

— À qui ai-je l'honneur ?

— Vous demandez quel numéro ?

— Vous êtes bien à New York ?

— J'ai du travail, moi.

— Vous êtes près du World Trade Centre ?

— Ouais, mais…

— Quittez pas.

— Vous devez faire erreur.

Le mec coupe. Deux touches sur le clavier, Compton relance le numéroteur et ça répond à la treizième sonnerie.

— Ne raccrochez pas, j'appelle de Californie.

— Hein ?

— Vous êtes près du World Trade Centre ?

— Je t'emmerde.

Un ricanement au bout du fil et *blam !* terminé. Compton lance six numéros à la fois, puis il attend.

— Allô ?

— Bonjour. Monsieur ?

— Oui ?

— Monsieur, vous trouvez-vous au sud de Manhattan ?

— Qui est à l'appareil ?

— On se demandait si vous pouviez jeter un petit coup d'œil dans le ciel ?

— Ha, ha, très drôle !

Encore un qui raccroche.

— Allô, madame ?

— Je crois que vous faites erreur.

— Allô ! Ne quittez pas.

— Désolée, j'ai pas que ça à faire.

— Excusez-moi, euh…

— Appelez les renseignements, OK ?

— Et mon cul, dit-il à personne puisqu'elle a coupé.

On se demande si on ne ferait pas mieux d'en finir, de retourner aux programmes. Il doit être quatre ou cinq heures du matin, le soleil va bientôt se lever. On pourrait même rentrer si on voulait, se reposer vraiment au lieu de dormir une fois de plus sous les tables. Les duvets traînent entre les câbles, et les vieux cartons à pizza servent d'oreiller.

Mais à nouveau Compton presse *enter*.

C'est un truc qu'on fait tout le temps pour se marrer, on pirate des lignes avec l'ordi, on appelle, par exemple, Dial-A-Disc[19] à Londres, la fille de la météo à Melbourne, l'horloge parlante de Tokyo, ou la cabine qu'on a dénichée aux îles Shetland, juste pour rigoler un coup. Ça nous défoule un peu entre deux lignes de code. Évidemment, on boucle les appels, on les superpose, on les réachemine n'importe comment, pour qu'on ne puisse pas remonter à la source. D'ailleurs, on passe par les préfixes 800 pour brouiller les pistes : ceux de Hertz et Avis, Sony, et même le Centre de recrutement des armées en Virginie. Gareth prend son pied avec ça : il s'est fait réformer au Vietnam. Dennis porte un T-shirt OCCIDENTAL DEATH depuis qu'il est revenu, et il est aux anges.

Un soir de flemme, on a craqué les mots de passe de la Maison-Blanche, et on a appelé le Président. En prenant soin de router par Moscou. Dennis a annoncé :

— J'ai un message urgent pour la présidence.

Il a débité les mots de passe à toute allure.

— Une seconde, monsieur, lui a-t-on dit à l'autre bout.

On a failli pisser dans nos frocs. Ils nous ont basculés sur deux autres secrétaires et on allait parler à Nixon, mais Dennis a eu la trouille et il a balancé au mec :

— Dites à M. le président qu'on manque de papier cul à Palo Alto.

On était morts de rire, mais ensuite, pendant des semaines, on était sûrs de recevoir de la visite. Et puis c'est devenu un sujet de plaisanterie, même le livreur de pizza y a droit : on l'appelle 008.

C'est Compton qui a lu le message ce matin, posté sur le forum permanent de l'Arpanet. Une dépêche d'*Associated Press*. On n'y a pas cru au départ : un type dansait sur la corde raide au-dessus des buildings à New York. Compton a appelé quelqu'un de chez AT&T, s'est fait passer pour un technicien maison, comme quoi on vérifiait les circuits, il devait faire des tests sur les cabines, il lui fallait d'urgence une série de numéros autour du World Trade. Il n'avait plus qu'à les entrer, l'ordi a fait le reste, et on a parié sur les chances qu'avait le mec de tomber. Pas plus compliqué que ça.

Le PDP module le signal multifréquence, ça fait penser à un air de pipeau, et un inconnu répond à la neuvième sonnerie.

— Euh, allô ?

— Êtes-vous près du World Trade Centre, monsieur ?

— Hein ? Quoi ?

— Non, sérieux. Vous êtes près des tours ?

— Y avait ce téléphone qui sonnait, et, euh, j'ai décroché, voilà...

Un de ces accents bien de New York, une voix jeune, peut-être éraillée par le tabac, et le mec est de mauvais poil.

— Je sais, dit Compton, mais est-ce que vous voyez les tours ? De là où vous êtes. Il y a quelqu'un, là-haut ?

— Qui est à l'appareil ?

— Il n'y a personne là-haut ?

— Si, je le vois, là.

— Comment ?

— Je vous dis que je le vois.

— Super ! Vous le regardez, alors ?

— Ouais, ça fait vingt minutes, un peu plus... Vous êtes... ? Le téléphone a sonné, et...

— Il le voit !

Compton balance une claque sur le bureau, sort son étui à stylos et l'envoie voler dans la pièce. Ses longs cheveux volent sur son front. Gareth part en dansant vers le bloc imprimante, pendant que Dennis me fait une clé au cou et me frotte le crâne de l'autre main. Il ne se marre pas autant que nous, mais il aime bien qu'on prenne notre pied, sergent papa gâteau en retraite.

— Je te l'avais dit ! crie Compton.

— Mais qui c'est ? demande la voix.

— Génial !

— Putain, qui c'est ?

— Il est toujours sur sa corde ?

— Qu'est-ce qui se passe ? Vous vous payez ma tête ?

— Il est toujours là ?

— Ouais, ça fait vingt, vingt-cinq minutes !

— Bravo ! Il bouge ?

— Il va se tuer, oui.

— Il avance ?

— Non, il vient de s'arrêter !

— Quoi, là-haut ?

— Ouais !

— En équilibre ? Dans les airs ?

— Ouais, il joue avec le balancier. Il le monte, le descend.

— Au milieu du fil ?

— Près du bout.

— Tout près ?

— Assez près.

— Comment ça ? Cinq mètres ? Dix mètres ? Il perd pas l'équilibre ?

— Il est droit comme un *i* ! Mais qui c'est, à la fin ? C'est quoi, votre nom ?

— Compton. Et vous ?

— Jose.

— Jose ? Cool. *¿ Que onda, amigo ?*

— Quoi ?

— *¿ Que onda, carnal ?*

— Je parle pas espagnol, mec.

Compton couvre le micro et tape sur l'épaule de Gareth.

— Incroyable, ce type, non ?

— Ouais, ben, le perds pas.

— Y a des questions du SAT[20] moins connes que lui.

— Fais gaffe, il va se barrer !

Compton se penche sur la console et dégage le micro.

— Vous pouvez nous dire ce qui se passe, Jose ?

— Comment ça, ce qui se passe ?

— Je sais pas, décrivez-nous la scène.

— Ah. Ben, il est tout là-haut…

— Et ?

— Il ne bouge plus

— Ah… ?

— Mais d'où vous appelez ?

— De Californie.

— Sérieusement ?

— Je déconne pas.

— Vous vous foutez de moi, hein ?

— Non.

— C'est une blague ?

— Pas du tout, Jose.

— C'est la télé ? Je passe à la télé ?

— Y a pas de télé, ici. Des ordinateurs, plutôt.

— Des quoi ?

— C'est compliqué, Jose

— Je parle à un ordinateur, c'est ça ?

— T'inquiète pas, mec.

— Mais c'est quoi ? La caméra cachée ? Vous me filmez, là ? Je suis à l'écran ?

— Quel écran, Jose ?

— Allez, dites-le qu'il y a une caméra qui tourne, quelque part. C'est super-poilant, cette émission. Oh, c'est bon, vous lâchez le morceau ? Je me fends la gueule, chaque fois que je regarde !

— C'est pas la télé.

— Vous êtes Alan Funt, hein ?

— Qui ?

— Elles sont où, vos caméras ? Je les vois pas. Ah, c'est vous, à l'étage, dans le Woolworth Building ? C'est vous, là ? Ohé !

— Je vous assure, Jose, on est en Californie.

— Et vous voulez me faire croire que je parle à un ordinateur ?

— Plus ou moins.

— Z'êtes en Californie ? M'sieur ! Madame ! Oui, m'sieur, là. s'il vous plaît !

Il gueule, le combiné loin de la bouche, et on entend des voix, des bribes, le bruit du vent dans le téléphone, ça doit être un de ces trucs à pièces au milieu d'une rue, couvert d'autocollants avec des filles à poil. Il y a des sirènes en arrière-fond, des gens qui poussent des cris de joie, un rire de femme, un klaxon, des exclamations, un type qui vend des cacahuètes, un autre qui regrette de ne pas avoir le bon objectif, comme quoi il est trop loin, et un autre encore qui hurle :

— Tombe pas !!!

— Madame ! J'ai cette espèce d'allumé, là, un Californien, qu'y dit. Allez savoir ! Eh. Z'êtes toujours là ?

— Oui, Jose. Et le funambule ?

— Vous êtes un ami à lui ?

— Non.

— Comment vous le connaissez, alors ? Puisque vous en parlez ?

— C'est compliqué. On a truc pour téléphoner gratis... Dites, il est encore là-haut ? C'est tout ce que je veux savoir.

À nouveau, le gars s'écarte du combiné, sa voix ne tient qu'à un fil. Mais il hurle :

— Vous dites que vous êtes d'où ?

— De Palo Alto.

— Sans blague ?

— Absolument, Jose.

— Il dit que le mec est de Palo Alto ! Et son nom ?

— Compton.

— Il s'appelle Compton. Ouais, Compton ! Vas-y, ouais ! Euh, attendez. Il y a un gars, là, qui veut savoir : Compton comment ? Son nom de famille.

— Non, c'est le mien, mon nom de famille, Compton.

— Mais je veux dire LUI, son nom, c'est quoi ?

— Jose, vous ne voulez pas nous dire ce qui se passe ?

— J'peux en avoir un peu, de votre came ? Vous êtes sous quoi, sous trip ? Vous êtes vraiment un de ses copains ? Eh ! Écoutez ! J'ai un cinglé en ligne qui appelle de Californie. Il dit que le type, là-haut, est de Palo Alto. Le funambule, de Palo Alto !

— Jose, Jose, écoutez-moi une seconde, OK ?

— J'entends pas bien. C'est quoi, son nom ?

— Je ne sais pas !

— Je crois que la liaison est mauvaise. Oui, un genre de cinglé. Je ne sais pas, il débloque ! Une histoire d'ordinateur à la con. Oh, putain ! Nom de Dieu !

— Quoi, quoi ?

— Oh, bordel !

— Quoi ? Allô ?

— Non !

— Jose, vous êtes là ?

— Putain d'Adèle.

— Allô, vous êtes là ?

— Ah, merde alors.

— Allô ?

— Incroyable.

— Jose !

— Oui, je suis là. Il vient de sauter, vous avez vu ?

— Il vient de quoi ? !

— De sauter. Oh, nom de Dieu !

— Il a sauté ?

— Non !

— Il est tombé ?

— Mais non.

— Il est mort ?

— Pas du tout !

— Mais alors quoi ?

— Il a sauté d'un pied sur l'autre. Il est tout en noir. On le voit bien, là-haut. Ce type est fabuleux ! Bordel à queue ! Je croyais qu'il allait se ramasser. Mais non, il saute à cloche-pied ! Oh, mec !

— À cloche-pied ?

— `xactement.

— Comme à la marelle ?

— Plutôt comme une danseuse. Il vient de... Oh, merde ! Ah, nom de Dieu. Ah, putain, ça me les scie. Il fait les ciseaux, maintenant. Sur le fil !

— Génial !

— Non, vous imaginez ? C'est un gymnaste, ou quoi ? On dirait qu'il danse. C'est un danseur, alors ? C't'un danseur, votre copain ?

— Ça n'est pas vraiment un copain, Jose.

— Non, je te jure, il doit être relié à quelque chose, attaché, quoi. Au fil. Je parie qu'il y a un truc. Enfin, faire les ciseaux à c'te hauteur ! Faut être taré.

— Jose, écoutez, on a fait un pari entre nous. À quoi il ressemble ?

— Là, il bouge plus, carrément plus.

— Vous le voyez bien ?

— Comme une mouche ! Petite, toute noire. C'est tellement haut. Mais on voit ses jambes, quand il saute.

— Il y a du vent ?

— Non, il fait lourd aujourd'hui.

— Pas de vent ?

— Là-haut, doit y en avoir, ouais. Mince, il est monté tout là-haut, quand même. Je sais vraiment pas comment ils arriveront à le faire descendre. C'est plein de poulets dans les tours.

— Hein ?

— Les flics. Ils sont partout sur les toits. Des deux côtés.

— Ils essaient de le choper ?

— Non. Il est hors d'atteinte. Debout au milieu. Avec son balancier. Oh, putain, non, c'pas vrai !

— Quoi ? Qu'est-ce qu'il y a ? Jose ?

— Hein ?

— Il s'accroupit. Non, mais regardez.

— Il quoi ?

— Ben, il s'assoit.

— Comment ça, il s'assoit ?

— Il s'assoit sur le fil. Il est malade, ce mec !

— Jose ?

— Vous avez vu ça ?

— Allô ?

Silence, on l'entend qui respire devant le combiné.

— Jose. Eh, *amigo*. Jose ? Oh, l'ami…

— Non.

Le micro devant ses lèvres, Compton se penche sur l'ordinateur.

— Jose, mon pote ? Tu m'entends ? Jose, t'es là ?

— Impossible.

— Jose.

— Je déconne pas.

— Comment ?

— Il s'allonge.

— Sur le fil ?

— Putain, ouais, sur le fil !

— Et ensuite ?

— Il a une jambe repliée en dessous. Il regarde le ciel Ce qu'il a l'air… bizarre.

— Et la barre ?

— La quoi ?

— Le balancier.

— Sur le ventre. Ce type est fou furieux.

— Et il reste comme ça ?

— Ouaip.

— Il pique un somme ?

— Quoi ?

— ¿ *La siesta* ?

— Putain, mais il va me rendre dingue, celui-là !

— Quoi, moi ? Non, Jose, pas du tout, bien sûr que non.

Un long silence, comme si Jose venait de s'élever là-haut et de prendre place sur la corde avec le danseur.

— Jose ? Eh ! Allô ? Jose. Comment il va se relever ? Jose ? S'il vient de s'allonger, comment il va se relever ? Vous êtes sûr qu'il s'est allongé ? Jose ? Vous êtes là ?

— Vous me prenez pour un menteur ?

— Non, je, euh… je vous demande.

— Dis-moi un truc, mec. T'es vraiment en Californie ?

— Ouais.

— Prouve-le.

— Je peux pas vraiment le…

Compton couvre à nouveau le micro.

— Quelqu'un, donnez-moi la ciguë.

— Trouve un autre mec, conseille Gareth. Dis-lui de te passer quelqu'un d'autre.

— Un peu moins illettré, peut-être.

— Il dit s'appeler Jose, et il connaît pas trois mots d'espagnol.

Compton reprend :

— Jose, fais-moi plaisir, s'il te plaît. Tu peux me passer une autre personne ?

— Pourquoi ?

— On fait une expérience.

— Depuis la Californie ? C'te blague ! Vous me prenez pour un débile, c'est ça, hein ?

— Passe-moi quelqu'un d'autre, OK !

— Pourquoi ?

À nouveau il éloigne le combiné de sa bouche – la foule bavarde autour de lui, pousse des *oh !* et des *ha !* Ensuite il le lâche carrément.

— Tarés ! murmure-t-il, puis d'autres mots inaudibles, et il se met à crier pendant que l'appareil balance au bout de son cordon, et les voix se mélangent au vent.

— Quelqu'un veut parler à cette andouille ? Il raconte qu'il appelle de Californie !

— Jose, passe-nous quelqu'un, s'il te plaît ?

Le combiné se balance toujours, moins vite. Les voix deviennent plus claires, on entend des sirènes derrière, un vendeur de hot-dogs, je me représente la scène, toute une foule rassemblée sur le trottoir, des taxis arrêtés, des têtes levées, et Jose est encore là, le micro du téléphone à hauteur des genoux.

— Oh, j'en sais rien, mec ! Un connard de Californien. Je crois qu'il veut vous dire quelque chose. Ouais, c'est ça, ce qui se passe ici. Il se fout de ma gueule. Vous voulez.

— Eh, Jose, Jose, vas-y, passe-le-nous !

Au bout d'une ou deux secondes, il reprend le téléphone :

— OK, y a un type qui veut bien.

— Ah, Dieu merci.

— Allô, dit un homme, tout bas.

— Salut, ici Compton, on est en Californie, et…

— Salut, Compton.

— Je me demandais si vous pouviez nous décrire la situation, chez vous.

— Euh, c'est un peu difficile, là.

— Ah ?

— C'est affreux, ce qui se passe

— Hein ?

— Le type est tombé

— Quoi ?

— S'est écrasé par terre. C'est la folie, maintenant. Vous entendez les sirènes ? Écoutez. Z'entendez pas ?

— Faut tendre l'oreille…

— Y a les flics qui arrivent en courant. Ça grouille dans tous les sens.

— Jose ? Jose, c'est toi ? Quelqu'un est tombé ?

— Juste là, il est désintégré. À mes pieds. Putain, le sang partout.

— Qui est-ce ? C'est Jose ?

— Et les sirènes qui hurlent !

— Ouais, c'est ça, oui.

— Le mec est en morceaux.

— Tu te fous de ma gueule ?

— C'est vraiment affreux.

Un claquement sec, plus rien, et Compton nous regarde, les yeux exorbités.

— Vous croyez qu'il est mort ?

— Bien sûr que non.

— C'était Jose ! dit Gareth.

— Pas la même voix.

— Si, c'était lui. Jose. Il se vengeait. Franchement, pour en arriver là…

— Refais le numéro !

— On sait jamais. C'est peut-être vrai que le type est tombé.

— Refais-le !

— Tant que c'est pas confirmé, je me considère gagnant ! hurle Compton.

— Non, non, fait Gareth.

— Oh, les mecs ! lance Dennis.

— Un pari, c'est un pari. Il faut trancher.

— Eh !

— Tu es mauvais perdant, de toute façon.

— Refais le numéro.

— Les mecs, on a du boulot, dit Dennis On pourrait les finir ce soir, ces corrections, non ?

Il me tape sur l'épaule

— Pas vrai, gamin ?

— Tu parles, on est déjà demain.

— Et s'il est tombé ?

— Il n'est *pas* tombé. C'était ce con de Jose.

— C'est occupé !

— Essaie un autre !

— Va sur l'Arpanet, mec.

— Atterris.

— Trouve une cabine !

— Reroute l'appel.

— C'est pas possible que ça soit occupé !

— Eh ben, libère la ligne !

— Je suis pas Dieu, encore.

— Ben, trouve-le quelque part.

— Aaaah, mince. Elles sonnent toutes dans le vide.

Enjambant les cartons à pizza, Dennis va balancer une claque sur le flanc du PDP-10 puis il se frappe la poitrine, en pleine OCCIDENTAL DEATH.

— Au boulot, les gars !

— Oh, Dennis, ça va.

— Il est cinq heures du mat'.

— Il *faut* savoir.

— Non, on bosse.

On est quand même sous ses ordres, c'est lui qui distribue le fric à la fin de la semaine. Non qu'on achète quoi que ce soit en dehors de *Rolling Stone* et des BD. Dennis fournit tout le reste, jusqu'aux brosses à dents dans la salle de bains au sous-sol. Il a appris au Vietnam tout ce qu'il y a besoin de savoir. Son expression favorite : « Je connais les ficelles, j'additionne les uns et les Xerox. » Il gagne sa vie avec nos applis pour le Pentagone, mais ce qui l'intéresse vraiment, c'est la transmission de paquets.

D'ici un siècle ou deux, selon lui, on aura tous l'Arpanet dans la tête. Une puce dans le crâne, greffée au bas de la nuque, qui permettra de communiquer sur un forum électronique aussi facilement qu'on pense. Comme pour l'électricité, dit-il. Faraday, Edison, Einstein, et ensuite ça. C'est le Wilt Chamberlain de l'avenir.

Ça me plaît. C'est cool, cette idée. Et c'est possible. On serait débarrassé des lignes téléphoniques. On ne veut pas nous croire, mais c'est vrai. Un jour, il suffira de penser un truc pour que ça arrive. « Éteindre la lumière », et hop, elle s'éteint. « Faire du café », et la machine se met en marche.

— Allez, juste cinq minutes.

— OK, dit Dennis. Cinq, pas plus.

— Ils sont en boucle, les ordis ?

— Ouais.

— Essaie de ton côté, alors.

— C'est si simple, un coup de fil.

— Viens là une seconde, gamin. Lance la blue-box.

— Allez, à la pêche !

J'ai bricolé mon premier poste à galène à l'âge de sept ans. Un peu de fil électrique, une lame de rasoir, un bout de crayon, des écouteurs, le carton d'un rouleau de P.Q. J'ai fabriqué un condensateur variable avec des couches de papier alu et de plastique, vissées ensemble. Pas de piles. J'avais trouvé le plan dans un numéro de *Superman*. Je ne recevais qu'une station, mais je m'en fichais. Je me branchais dessus tard le soir dans mon lit, pendant que mes parents se disputaient dans leur chambre. Défoncés à l'acide et au speed, ils passaient sans cesse du rire aux larmes. À la fin des émissions, je mettais la main sur le casque et j'écoutais les parasites.

Plus tard, en fabricant une autre radio, j'ai appris qu'on pouvait se fourrer l'antenne dans la bouche pour les éliminer. Et ça améliore la réception.

Eh bien, quand on programme aussi, le monde rapetisse et ne bouge plus. On oublie tout le reste. C'est comme une transe. Pas besoin de regarder derrière soi. Un petit son et lumière qui vous pousse en avant. On trouve un rythme de croisière. On continue. Les équations obéissent, les variations suivent. Les bruits rétrécissent vers un point unique, comme une explosion à l'envers. Tout se résume à des points. Ça peut être un programme de reconnaissance vocale, ou pour jouer aux échecs, ou une appli pour un radar d'hélicoptère, c'est pareil : le seul truc qui compte, c'est la prochaine ligne de code. Les bons jours, on peut en écrire mille. Quand ça va pas, impossible de trouver celle qui fout tout par terre.

Je crois que je n'ai jamais eu autant de chance, c'est comme ça et je ne me plains pas. Et cette fois, j'attrape un poisson en deux minutes.

— Je suis dans Cortlandt Street, dit-elle.

Je pivote sur mon siège en brandissant le poing.

— J'en tiens une !

— Le gamin a quelqu'un.

— Le môme !

— Quittez pas, lui dis-je.

— Comment ? dit-elle.

Il y a des bouts de pizza par terre, des canettes de soda vides. Les gars rappliquent, virent tout ça à coups de pied, et un cafard s'échappe d'un carton. J'ai branché deux micros sur l'ordi, couverts de mousse d'emballage, et ils tiennent sur des cintres pliés en deux. Je les ai faits moi-même, ils sont super-sensibles, distordent assez peu. C'est facile, il suffit de disposer deux membranes l'une sur l'autre, et de bien les isoler. Les haut-parleurs aussi, je les ai récupérés sur de vieilles radios et je les ai bricolés.

— Regarde-moi ce fourbi lâche Compton qui dégage, d'une chiquenaude, la boule de mousse sur le micro.

— Je vous demande pardon ? dit la dame.

— Excusez-moi. Bonjour, je m'appelle Compton, répond-il en me virant de ma chaise.

— Bonjour, Colin.

— Il est toujours là-haut ?

— Avec une salopette noire.

— Je vous l'avais dit qu'il était pas tombé

— Pas exactement une salopette, non. Un genre de combinaison, plutôt. Avec un col en V. Pantalon à pattes d'eph. Il a l'air très posé.

— Posé ?

— Et mon cul, dit Gareth. Il est posé, aussi ? Non, mais elle rêve ? *Posé* ? Et puis quoi encore ?

— Ta gueule, dit Compton en s'approchant du micro. M'dame ? Allô ? Vous parlez bien du type sur son fil ?

— Il a dû se faire aider.

— Quoi, là-haut ?

— Non, je pense que c'est impossible de tendre un câble entre les tours. Enfin, je veux dire : tout seul. Ils sont sûrement plusieurs.

— Vous voyez quelqu'un d'autre ?

— La police, c'est tout.

— Ça fait combien de temps qu'il est là ?

— Environ quarante-trois minutes.

— Environ ?

— Je suis sortie du métro à huit heures moins dix.

— Ah. Bon.

— Il venait de commencer.

— OK, d'accord.

Compton tente en vain de couvrir les deux micros d'une main, puis il recule et porte un doigt à sa tempe, comme si la fille était cinglée.

— C'est gentil de nous aider.

— Je vous en prie, dit-elle. Oh !

— Allô, vous êtes là ?

— Il recommence. Il repart dans l'autre sens.

— Pourquoi dites-vous qu'il recommence ?

— Parce que c'est bien la sixième ou la septième fois. Mais il va vite, très vite, maintenant. Vraiment impressionnant

— Il ne court pas, quand même ?

Des salves d'applaudissements en arrière-fond. Compton recule et pivote d'un quart de tour sur mon fauteuil.

— Des sucettes, tes micros, dit-il.

Et il approche sa bouche, la langue tendue.

— C'est renversant, ce qui se passe chez vous Il y a du monde, madame ?

— Au carrefour, là, six ou sept cents personnes.

— Vous croyez qu'il va rester longtemps, là-haut ?

— Zut !

— Qu'est-ce qu'il y a ?

— Je suis en retard.

— Vous avez encore une minute, s'il vous plaît ?

— Oui, mais enfin, je ne vais pas rester là à déblatérer quinze ans...

— Et les flics ?

— Il y en a quelques-uns qui se penchent au bord de la tour. Ils essaient sans doute de le récupérer. Mmm..

— Allô ? Quoi ?

Pas de réponse.

— Qu'est-ce qu'il y a ? demande Compton.

— Excusez-moi.

— Que se passe-t-il ?

— Je vois deux hélicoptères qui se rapprochent. Même assez près.

— Comment ça, près ?

— J'espère qu'ils ne vont pas le faire tomber.

— Ils sont à quelle distance ?

— Quatre-vingts ou cent mètres. Cent mètres au maximum. Ah, ils reculent maintenant. Oh, là, là.

— Oui ?

— Bon, il est parti, celui de la police.

— Bien.

— Aïe aïe.

— Quoi ?

— Il vient de tendre un bras. Une figure de danse, avec le balancier sur le genou. Enfin non, la cuisse. La cuisse droite.

— Sans blague ?

— Et il dessine une arabesque avec le bras.

— Vous êtes sûre ?

- Ben oui, c'est ce qu'on appelle saluer.

240

— Saluer ?

— Quel frimeur ! Il s'agenouille sur le fil, lentement, il pose le balancier sur le genou gauche, libère son autre bras et oui, c'est ça, il salue.

— Il salue ? !!

— Et hop là !

— Eh ? Ça va ? Madame ?

— Oui, oui, très bien.

— Allô ? Vous êtes toujours là ?

— Pardon ?

— Comment vous faites pour le voir aussi bien ?

— J'ai des jumelles.

— Hein ?

— Je regarde avec mes jumelles. Pas facile de téléphoner en même temps. Je m'en sors moins bien que lui avec son balancier. Attendez une seconde.

— Des jumelles ? D'où elle les sort ? dit Dennis.

— Allô, fait Compton, allô ? Vous en avez toujours sur vous ?

— Non, c'est mes jumelles de théâtre.

— Et mon cul ! fait Gareth.

— Je suis allée voir Markova, hier soir. Au City Ballet. Je les avais oubliées. Les jumelles, je veux dire. Elle est superbe, d'ailleurs. Avec Baryshnikov.

— Allô ? Allô ?

— Je les avais laissées dans mon sac, cette nuit. C'est tout à fait fortuit.

— Fortuit ? répète Gareth. Elle est éclatante, cette nana !

— La ferme, lui dit Compton, une main sur le micro. Est-ce que vous voyez son visage, madame ?

— Une seconde, s'il vous plaît.

— Où est l'hélico ?

— Oh, il est loin maintenant.

— Il salue encore ?

— Une petite seconde, s'il vous plaît.

Tandis que sa bouche s'éloigne du combiné, nous percevons des exclamations, des cris de ravissement, et soudain

241

je n'ai envie que d'une chose, qu'elle revienne parmi nous, au diable leur funambule, cette fille me manque déjà, avec ses jumelles, sa voix chaude et pleine, et ce drôle de mot qu'elle emploie – « fortuit ». Elle est sans doute un peu âgée, mais je m'en fiche, c'est pas qu'elle me branche, qu'elle m'excite, pas ça qui me plaît chez elle. Je n'ai jamais eu de petite amie, mais pas grave, je vois les choses autrement, et j'aime cette voix. D'ailleurs, c'est moi qui l'ai pêchée.

Dans les trente-cinq ans, je dirais, elle doit avoir un long cou, une jupe droite, ou va savoir si elle en a pas quarante, quarante-cinq, même plus, les cheveux couverts de laque et un dentier en bois dans le sac à main. Mais elle est peut-être très jolie aussi.

Dans un coin de la salle, Dennis hoche la tête en souriant. Compton a toujours un doigt qui s'agite sur la tempe, et Gareth est mort de rire. La seule chose qui m'importe, c'est de les virer de mon poste, mon fauteuil, mon matos. Y a que moi qui ai le droit de m'en servir, merde. Je demande tout bas

— Demande-lui ce qu'elle fait là.

— Eh, le môme ouvre la bouche !

— Ça va, gamin ?

— Demande.

— Chochotte, glisse Compton, en couvrant le micro des deux mains.

Il rit en renversant la tête, se balance sur mon fauteuil en agitant nerveusement les jambes. Les cartons à pizza gigotent autour de ses pieds.

— Pardon ? dit la fille. Il y a des interférences.

— Demande-lui son âge. Allez.

— La ferme, gamin.

— La ferme toi-même, Compton de mes deux.

Il me frappe le front avec la paume.

— Non, mais écoutez-le, celui-là !

— Allez, demande-lui.

— Notre petit Américain fait sa déclaration libidineuse d'indépendance.

Gareth éclate de rire et Compton se rapproche du micro :

— Vous êtes encore là, m'dame ?

— Oui, oui, dit-elle.

— Il salue toujours ?

— Non, il s'est redressé. Les policiers lui tendent la main. Juste au bord.

— Et l'hélico ?

— On ne le voit plus.

— Fini, les entrechats ?

— Comment ?

— Il ne saute plus à cloche-pieds, je veux dire ?

— Pardon ?

— Il ne fait plus les ciseaux ?

— Non, je n'ai pas vu. Quels entrechats ? Qui marche à cloche-pied ?

— Eh bien, lui là-haut, quoi.

— Ah, quel comédien !

Gareth ricane.

— Vous m'enregistrez ?

— Non, non, parole.

— J'entends des voix derrière vous.

— On appelle de Californie. N'ayez crainte, on est des gens bien. Dans l'informatique.

— Tant que vous ne m'enregistrez pas…

— Non, non. Z'êtes super.

— C'est interdit par la loi.

— Bien sûr.

— Bon, enfin, il faut vraiment que…

Je me penche par-dessus l'épaule de Compton :

— Attendez une seconde !

Il me repousse et demande à la fille si le type a l'air dans son état normal. Elle met longtemps à lui répondre, comme si elle ruminait l'idée un moment avant peut-être de l'avaler tout entière.

— Il paraît assez calme. Du moins son corps. Calme, oui.

— Vous ne voyez pas son visage ?

— Pas précisément.

Elle semble se dérober, s'évanouir tout là-bas, peut-être fatiguée de nous parler, et moi je voudrais qu'elle reste, je ne sais pas pourquoi, elle pourrait être un parent, quelqu'un que je connais depuis longtemps, bien sûr c'est impossible, mais qu'importe maintenant, je m'empare du micro, je l'éloigne de Compton et j'y vais :

— Vous travaillez dans le coin, m'dame ?

Il renverse à nouveau la tête pour se marrer. Gareth fait semblant de me chatouiller les burnes et je le traite de connard juste en remuant les lèvres.

— Oui, je suis documentaliste.

— Ah bon ?

– Chez Hawke, Brown and Wood. Au bureau d'études et de recherches.

— Comment vous appelez-vous ?

— Au cinquante-neuvième étage.

— Et votre nom ?

— Dois-je vraiment vous…

— Je ne voudrais pas être impoli.

— Non, ce n'est pas ça.

— Je m'appelle Sam. C'est aussi un centre de recherches ici, un labo. On travaille sur des ordinateurs. Je suis analyste-programmeur.

— Très bien.

— Et j'ai dix-huit ans.

Elle s'esclaffe :

— Félicitations !

J'ai l'impression qu'elle me voit rougir à l'autre bout du fil. Gareth est plié de rire.

— Sable Senatore, dit-elle finalement d'une voix qui coule comme l'eau.

— Sable ?

— C'est ça.

— Je peux vous demander. .

— Oui ?

— .. quel âge vous avez ?

Silence.

Ils sont tous écroulés, mais je ne vais pas me priver d'une voix aussi douce. J'essaie de l'imaginer là-bas, sous les deux grandes tours, la tête levée, ses jumelles de théâtre autour du cou, prête à rejoindre son cabinet d'avocats avec lambris au mur et cafetière électrique.

— Il est huit heures et demie du matin, répond-elle.

— Pardon ?

— Est-ce bien le moment de draguer ?

— Excusez-moi.

— Bon, j'ai vingt-neuf ans, Sam. Un peu trop vieille pour vous.

— Oh.

Évidemment, Gareth se met à faire des bonds de kangourou. Compton ahane comme un homme des cavernes. Et Dennis me chuchote à l'oreille .

— Play-boy, va.

Puis Compton me vire carrément de la table, il veut en finir avec son affaire de pari.

— Où il est ? Sable ? Le type, il est toujours là ?

— C'est Colin à nouveau ?

— Compton.

— Euh, il atteint le toit de la tour sud.

— Il y a quoi, comme distance entre les deux tours ?

— Difficile à dire. Peut-être soixante… Oh, il y va !

Autour d'elle un bruit de foule, l'agitation, les exclamations, comme si, le dénouement atteint, les langues se déliaient, et je pense aux milliers de gens qui, sortant des bus et des trains, aperçoivent le funambule à leur tour. J'aimerais tant être là-bas avec elle, j'en ai les genoux qui tremblent.

— Il s'est allongé ? demande Compton.

— Non, bien sûr que non. Il a fini.

— Il s'est arrêté ?

— Il vient de rejoindre l'autre bord. Il a fait un dernier salut et il est passé sur le toit. Très vite. En courant, presque.

— Fini, donc ?

– Merde.

— J'ai gagné ! dit Gareth.

— Ah ! Terminé ? Vous êtes sûre que c'est tout ?

— Il est entouré de policiers. Ils lui ont pris le balancier. Oh, écoutez !

Des vivats, des hourras, un tonnerre d'applaudissements retentissent autour du téléphone. Compton est contrarié et Gareth claque des doigts, l'air de dire « par ici la monnaie ». Je m'insinue entre eux.

— Il a terminé ? Allô ? Vous m'entendez ? insiste Gareth.

— Sable ?

— Bien, dit-elle, il faut vraiment que…

— Avant que vous partiez.

— C'est Samuel ?

— Je peux vous poser une question perso ?

— Ça ne serait pas la première.

— Vous me donnez votre numéro ?

Elle rit sans répondre.

— Vous êtes mariée ?

Elle s'esclaffe, comme avec une pointe de regret.

— Excusez-moi, lui dis-je.

— Mais non.

— Comment ?

Et je ne sais pas si elle refuse de me donner son téléphone ou si, non, elle n'est pas mariée, ou peut-être est-ce les deux, et voilà qu'elle rit encore, et son rire s'envole comme un papillon.

Compton cherche l'argent dans sa poche, glisse un billet de cinq à Gareth.

— Je me demandais si…

— Sam, il faut vraiment que j'y aille, là.

— Je ne suis pas un détraqué.

— Bonne nuit les petits !

Et elle raccroche. Levant les yeux, je trouve ceux de Gareth et de Compton rivés sur moi.

— Bonne nuit les petits ! gueule le premier. Encore, encore ! Bonne nuit les petits, et il est *très posé* !

— Ta gueule.

— Oh, c'est fortuit !

— La ferme, tronche à cul.

— Mais c'est qu'il serait susceptible, le môme.

— Quelqu'un est tombé, dit Compton, ironique.

— Je faisais le con avec elle, c'est tout. Je déconnais.

— Bonne nuit les petits !

— Vous me donnez votre numéro ?

— Ta gueule.

— Mais c'est qu'il se fâcherait, le gamin.

Je presse *enter* sur le clavier, mais ça ne fait que sonner à l'autre bout. Compton m'étudie bizarrement, comme s'il ne m'avait jamais vu, que j'étais nouveau dans le groupe, mais je m'en fous. Je refais le numéro : ça sonne encore dans le vide. J'imagine Sable qui s'éloigne dans la rue, entre dans le World Trade, monte au cinquante-neuvième étage, les lambris, les meubles à classeurs, elle salue ses employeurs, s'installe à son bureau, cale un crayon derrière son oreille.

— Ça s'appelait comment, son cabinet d'avocats ?

— Bonne nuit les petits ! fait Gareth.

— N'y pense plus, dit Dennis.

Il est là devant moi, les cheveux n'importe comment, avec son T-shirt à la con.

— Elle ne reviendra pas, dit Compton.

— Tu es bien sûr de toi.

Il ricane :

— Intuition féminine.

— On a des corrections à faire, jette Dennis. Allez, au boulot.

— Sans moi, refuse Compton. Je rentre. Je n'ai pas dormi depuis dix ans.

— Et toi, Sam ?

Il veut parler de l'appli pour le Pentagone. On a signé une clause de confidentialité. Ce n'est pourtant pas difficile à faire. Un jeu d'enfant. Enfin, de mon point de vue. On se base sur le système radar, on entre les paramètres gravitationnels, peut-être des différentiels de rotation et à la fin on sait où le missile va tomber.

— Gamin ?

Quand pas mal d'ordis tournent en même temps, ça ronronne là-dedans. C'est différent du bruit blanc. Le genre de vibration qui vous donne l'impression d'être la terre sous le ciel, un petit ronflement bleu qui vous englobe complètement, et mieux vaut ne pas trop y penser parce qu'autrement, ça devient énorme et entêtant, et là, vous n'êtes plus qu'une poussière. On est enfermé là, avec tous les câbles, les tuyaux, les faisceaux d'électrons, mais en fait rien ne bouge, rien du tout.

Je vais à la fenêtre. Il y a des fenêtres au sous-sol, mais jamais de lumière. Voilà un truc que je comprends pas, pourquoi ils ont mis des fenêtres ici, comme si on mettait des fenêtres dans les caves. J'ai essayé d'en ouvrir une, un jour, mais rien à faire.

Je parie que, dehors, le soleil se lève.

— Bonne nuit les petits ! dit Gareth.

J'ai envie d'aller à l'autre bout de la pièce lui en coller une, un bon crochet qui lui fasse vraiment mal, mais je ne fais rien.

Je m'installe à la console, presse *escape*, puis la touche N et la touche Y pour quitter la blue-box. Assez joué au pirate, aujourd'hui. Je fais monter l'appli graphique, j'entre le mot de passe, SAMUS17. Ça fait six mois qu'on bosse dessus, mais le Pentagone a lancé le truc il y a des années. S'il y a une autre guerre après le Vietnam, ils pourront peut-être s'en servir, ce jour-là.

Je me retourne vers Dennis, voûté devant son écran.

Le programme démarre, la bécane cliquette.

Au bout d'un moment, les lignes de code, ça défonce. C'est cool. Et facile à faire. Tu oublies ton père, ta mère, tout le reste. Tu as le pays sous les doigts. L'Amérique. Un nouveau territoire et tu vas où tu veux. Faut être branché, tu files sur les passerelles, les accès, c'est un peu comme le jeu du téléphone quand on est gosse. Quand on se plante en chemin, il faut toujours revenir au début.

LA MAISON DE BLANCHE NEIGE

ILS M'ONT PAS LAISSÉE ALLER À LA MESSE POUR CORRIGAN. J'aurais bouffé des vaches enragées pour y aller. Mais ils m'ont refoutue au trou. J'ai pas pleuré, je me suis allongée sur le banc, la main sur les yeux.

J'ai vu mon casier, la feuille jaune, cinquante-quatre condamnations. Pas les rois de la dactylo. Ma vie sur papier carbone, tout dans un dossier. Hunts Point, Lexington Avenue et la 49e, le West Side Highway et comme ça jusqu'au point de départ, Cleveland, Ohio. « Racollage. Prostitucion. Atentat au meurt. Récidive. Vol avec efraction. Détention de stupéphiants, tablo B. Attenta à la pudeur. Raicidive. »
Les bourres, c'est nul en orthographe.
Ceux du Bronx encore plus. Tout ce qu'ils savent faire, c'est ramasser les putes au pedigree.

Tillie Henderson alias Miss Bliss alias Puzzle alias Rosa P. alias Sweetcakes.

Race, sexe, taille, poids, couleur et apparence des cheveux, couleur de peau, des yeux, cicatrices, marques, tatouages (aucun).

J'adore les gâteaux des supermarchés. C'est pas écrit dans mon casier.

Quand ils ont fait leur descente, la dernière fois, y avait Bob Marley à la radio qui chantait *Get up, stand up, stand up for your rights.* Le flic s'est cru malin. Il a monté le volume et s'est retourné en se fendant la gueule. Jazzlyn a crié :
— Qui va s'occuper des gosses ?

J'ai laissé la cuillère dans le biberon. Trente-huit ans. Pas touché le gros lot.

Je suis née gagneuse. J'exagère pas. Le zinzin, très peu pour moi. Déjà môme, je voyais les filles au tapin depuis la fenêtre de ma chambre, au coin de Prospect Avenue et de la 31ᵉ Ouest. J'avais huit ans. Elles avaient des talons rouges, le chignon.

Les marles leur passaient devant sur la route du Turkish Hotel. Ils leur ramenaient des miches. Ils avaient des chapeaux tellement grands qu'on aurait pu danser dedans.

Dans tous les films avec des macs, ils arrivent en Cadillac. Et c'est vrai. Le julot dans sa Caddie. Les pneus à flancs blancs, c'est leur dada. Plus que les dés en peluche sous le rétro.

J'ai mis mon premier rouge à lèvres à neuf ans. Ça brillait dans le miroir. À onze, les bottes bleues de maman étaient trop hautes pour moi. J'aurais pu me cacher dedans et juste sortir la tête.

À treize, j'avais déjà les mains sur la taille d'un loulou en costard framboise. Il avait les hanches d'une femme, mais il tapait dur. S'appelait Fine. Il m'aimait tellement qu'il m'a pas mise au tapin, il me bichonnait, voulait que j'aie l'air toute neuve.

Ma mère lisait des trucs bondieusards. On allait à l'Église spirituelle d'Israël. Il fallait renverser la tête et répéter du charabia incompréhensible. Elle avait fait le trottoir, elle

aussi, des années plus tôt. Arrêté quand ses dents commençaient à tomber.

— Suis pas le même chemin que moi, Tillie, elle disait.

Alors, c'est ce que j'ai fait, exactement. J'ai encore mes
dents, mais bon.

Me suis pas allongée avant l'âge de quinze ans. À la
réception du Turkish, quelqu'un a sifflé doucement. Tout
le monde s'est retourné, surtout moi. Et j'ai compris que
c'était moi qu'on sifflait. Je me suis mise aussi sec à tor-
tiller du cul. Ça y est, j'étais bonne. Mon premier jules
m'a dit :

— Dès que tu as dérouillé, poulette, tu reviens me voir.

Collants, short et talons. J'ai attaqué bille en tête.

Un des premiers trucs qu'on apprend, c'est qu'on passe
pas la tête par la portière. Tu fais ça, y a toujours un cinglé
qui te tire par les cheveux et là, tu morfles.

On oublie pas son premier marle. Tu l'aimes jusqu'à ce
qu'il te tape dessus avec un démonte-pneu. Deux jours
après, tu l'aides à changer de roue. Et il te paie un caraco
qui rajoute du monde au balcon.

J'ai laissé Jazzlyn chez ma mère. Elle me regardait en
pédalant avec ses petites jambes. Quand elle est née, elle
avait la peau presque blanche. J'ai pas cru que c'était ma
fille, au début, j'ai jamais su qui était son père. Ça pouvait
être n'importe lequel dans une liste longue comme un
dimanche. Y en a qu'ont dit que c'était peut-être un Mexicain, mais je me souvenais pas d'un Pedro entre mes cuisses.
Quand je l'ai eue dans mes bras, j'ai pensé :

— Je vais prendre soin de toi toute ma vie, mon bébé.

Le premier truc qu'on se dit quand on a une petite fille,
c'est qu'elle fera jamais le trottoir. Juré, craché. Pas mon
bout de chou, non. Que jamais elle batte le pavé. Donc on
va au turbin pour qu'elle y aille pas.

J'ai bossé comme ça pratiquement trois ans, je rentrais la voir dès que j'avais fini, je la prenais dans mes bras. Et puis j'ai su ce qu'il fallait faire.

— Occupe-toi d'elle, maman, je reviens tout de suite.

Jamais vu un clébard aussi rachto que celui du Greyhound[21]

En arrivant à New York, je me suis allongée par terre devant Port Authority juste pour voir le ciel en entier. Un type m'a enjambée sans me regarder.

Le soir même, je suis allée aux asperges. Dormi dans les hôtels miteux de la 9e. On peut toujours voir le ciel au plafond, pas de problème. Y avait pas mal de marins à New York. Je dansais avec leurs pompons sur la tête.

À la grosse pomme, on travaille pour son marle, même un marle amateur. Facile d'en trouver un. J'ai eu de la chance de tomber sur TuKwik assez vite. Il m'a prise avec lui et m'a emmenée au coin de Lexington et de la 49e. Le meilleur turf. C'est là que le vent soulève la jupe de Marilyn. Enfin, la grille du métro, quoi. Y avait un bon turbin beaucoup plus loin, dans le West Side, mais TuKwik aimait pas, alors j'y allais pas souvent. Ça gagnait moins bien, là-bas, de toute façon, et les flics sont toujours prêts à te renvoyer à l'étiquetage. Facile : ils regardent la date sur le dernier PV. Si tu étais pas retournée depuis un moment au trou, tu y avais droit.

— Viens ici, ma poule, qu'y disaient avec leurs doigts crochus.

J'aimais bien l'East Side, même si les flics craignaient aussi.

Y avait pas beaucoup de Noires sur Lexington et la 49e. Plutôt des Blanches aux belles dents. Bien sapées. Pomponnées. Jamais de bagues parce que ça pose toujours des problèmes, mais ces nanas étaient manucurées jusqu'aux orteils. En me voyant arriver, elles lançaient ·

— Eh, qu'est-ce que tu fous là, toi ?

— Je fais le boulot, les filles, c'est tout.

Au bout d'un moment, on a arrêté les coups de griffes et les doigts cassés.

J'étais la première Black régulière sur ce turf. Elles m'appelaient Rosa Parks. Ou la tache de chewing-gum : parce que noire et sur le trottoir.

C'est ça la vie, tiens. Qu'est-ce qu'on se marre.

Je m'étais dit que je ferais assez de fric pour rentrer à Cleveland et acheter à Jazzlyn une grande maison avec une cheminée, plein de beaux meubles et une terrasse derrière. Ce que je voulais.

Mais je suis nulle. Y a pas plus nulle que moi. Ce qu'on a pas besoin de savoir. C'est mon secret. Quand j'ai les pieds dehors, le monde m'appartient. Regarde ces hanches. Comme elle roule, ta roulure.

La fille dans ma cellule, elle a une souris dans une boîte à chaussures. C'est sa meilleure pote. Elle lui cause, elle la caresse. Elle l'embrasse, même. Elle s'est fait mordre la lèvre, une fois. J'étais morte de rire.

Elle a pris huit mois pour des coups de couteau. À moi, elle me dit rien. Ils vont la transférer dans le nord, bientôt. Moi j'y vais pas, t'es fou ? j'ai fait mon pacte avec le diable, un petit mec chauve avec une grande cape noire.

À dix-sept ans, j'avais un corps qu'Adam il aurait largué Ève. Une bombe, que j'étais. De la première bourre, sans déc. Tout à la bonne place. Des jambes d'un kilomètre de long, un cul à prier Dieu. Adam, il aurait dit :

— Ève, je me barre, ma chérie.

Et Jésus, quelque part au ciel, il aurait ajouté :

— Adam, t'as une veine de cocu.

Il y avait une pizzeria à Lexington. Sur une photo au mur, des tas de beaux gars en short avec une belle peau et

255

un ballon aux pieds. Ils étaient chouettes, eux. Mais pas les mecs à l'intérieur, gros et velus, qui se charriaient sur la longueur de leur queue. Il fallait éponger la pizza avec une serviette en papier pour enlever le gras. Les syndicats aussi venaient là. On déconnait pas avec eux. Ils avaient des pantalons repassés et ils sentaient la brillantine. Si y t'emmenaient bouffer chez le rital, tu pouvais aussi bien mordre la poussière, et longtemps.

TuKwik aimait la frime, les bagouses. Il me trimballait partout comme un bijou. Il avait cinq nanas, et j'étais number one, l'étoile sur l'arbre de Noël, la viande la plus fraîche du rayon. On fait tout ce qu'on peut pour son marle, des feux d'artifice, on le cajole toute la journée, et après on retrouve le turbin. C'est moi qui gagnais le plus des cinq, et il me le rendait bien. Les autres me regardaient, vertes de rage, quand il ouvrait la porte pour que je monte à l'avant. Elles restaient sur le trottoir.

Le problème, c'est que plus il t'aime, plus tu morfles. C'est comme ça et pas autrement.

Un toubib aux urgences avait le béguin pour moi. Il m'a recousu un œil une fois que TuKwik m'avait tapé dessus avec la cafetière italienne. À la fin, le toubib m'avait baisé la paupière. Ça chatouillait sur le bout de fil.

Quand on faisait la bougie, qu'il pleuvait, c'était la bagarre avec ses autres nanas. Un jour que j'ai arraché la perruque de Susan, y a la peau du crâne qui est venue avec. Mais la plupart du temps, parole, on était une grande famille. Personne veut me croire, mais c'est vrai.

À Lexington, y a des tapisseries sur les murs des hôtels, des garçons qui portent les plateaux aux étages, et le tour des assiettes qu'est plaqué or. Y a même des piaules, ils mettent des chocolats sur les oreillers. Les hommes d'affaires descendent pour la journée. Des petits Blancs avec leurs petits slips. Quand ils se déboutonnent, on renifle un mari qui flippe, comme si la bourgeoise allait sortir de la télé à côté du pieu.

C'est les femmes de chambre qui laissent des bonbons sur les lits. Ou autre chose. J'en avais plein mon sac quand je partais, tous enveloppés, et les mecs regrettaient leur contrat de mariage.

Moi, je m'allongeais c'est tout. On baise et puis voilà, j'acceptais rien d'autre, mais ils prenaient leur pied comme nulle part.

— Oh, chéri, je la sens.

— Ce que tu me chauffes.

— Tu la gardes pour moi, celle-là, hein ?

J'en avais cent, des conneries de ce genre. Une petite chanson à leur chanter. Ils gobaient ça tout cru.

— C'est bon pour toi, Sweetcakes ?

— Bon sang, mais tu me fais de l'effet, toi !

(Une minute trente, super, un record.)

— Roule-moi une pelle, ma belle.

— T'es trop baisable pour t'embrasser, mon gars.

(J'aime encore mieux lécher le tuyau sous l'évier.)

— Eh, poulette, je me débrouille bien, hein ?

— Oui, c'est bon, c'est bon, c'est bon, ah oui que c'est bon.

(C'est ça, avec ta petite queue en tire-bouchon, tiens.)

En ressortant du Waldorf, je filais des pourliches aux gardiens, au chasseur, même au liftier. Ils connaissaient toutes les pouffes. Le liftier m'avait à la bonne. Un soir, je l'ai sucé dans la chambre froide. Il a chouré un steak avant de partir, qu'il a planqué sous sa chemise. Il aimait pas la viande trop cuite, il a dit en sortant.

Il était mimi, lui. Me faisait des clins d'œil même dans l'ascenseur plein.

J'étais maniaque de la propreté. Fallait toujours que je me douche avant. J'amenais le miche dans la douche, je le savonnais partout et je regardais la pâte se lever. Alors je lui dis :

— Chéri, elle me plaît bien, ta baguette.

Le temps d'arriver au four, elle était quasi cuite.

On essaie d'en finir en un quart d'heure maxi. Faut qu'ils durent au moins deux minutes, les mecs aiment pas envoyer la purée trop vite. Ils se sentent minables, diminués, autrement. J'en ai jamais eu un seul qui a pas joui. Ouais, bon, enfin, si, oui, mais si il arrivait pas, je lui grattais le dos en lui parlant gentiment, jamais de saletés, et des fois il lâchait en pleurant :

— J'avais juste envie de parler, quoi, juste envie de parler.

Mais y en avait d'autres, ils devenaient furieux, des salauds qui se mettaient à gueuler :

— Salope ! Je savais que j'y arriverais pas avec une négresse !

Alors je prenais un air contrarié, un peu triste comme si y me brisait le cœur, et je me penchais tout près pour lui dire à l'oreille que mon jules était avec les Panthers, qu'il avait des gardes du corps, des gros nègres bien balèzes, ça lui plairait pas trop qu'on cause comme ça, alors les mecs ils enfilaient leur futal vite fait et ils foutaient le camp fissa.

TuKwik aimait bien la baston. Il se trimballait avec un poing américain dans sa chaussette. Il fallait le foutre par terre pour qu'il le sorte. Mais il était malin. Il rinçait les flics, il rinçait le syndicat, et il gardait tout le reste pour lui.

Un mac futé repère les filles toutes seules. J'avais bossé toute seule pendant deux semaines. Ohio. Oh-aïe-oh.

Je suis devenue une femme moderne. J'ai pris la pilule. Je voulais pas d'autres Jazzlyn. Je lui envoyais des cartes depuis la poste de la 43e. Au début, le mec au comptoir m'a pas reconnue. Je me suis fait siffler parce que j'ai pas attendu mon tour, j'ai foncé vers lui en tortillant. Il a rougi et m'a filé des timbres gratis. Moi, je les reconnais toujours.

J'ai trouvé un nouveau marle qui était un fameux coup. S'appelait Jigsaw. Il avait des super-costards. Sa nippe, il appelait ça. Avec le mouchoir dans la pochette. Ce qu'on voyait pas, c'est que dans le mouchoir y avait des lames de rasoir, collées avec du scotch. Il te l'envoyait à la gueule, et le puzzle[22], c'était toi. Il boitait un peu. Même les trucs parfaits ont des petits défauts. Les bourres le haïssaient. Quand ils ont su que j'étais sa poule, ils m'ont ramassée deux fois plus souvent.

Ça les emmerdait qu'une négresse se fasse de la thune, surtout avec les Blancs, et y avait surtout des p'tits Blancs sur la 49e. Farineland, c'était.

Jigsaw avait plus de fric que Dieu le père. Il m'a acheté un collier tressé et un autre en perles de jade. J'allais au trou, et il me sortait rubis sur l'ongle. Lui, les Caddies, ça le faisait marrer. Une Rolls, il avait. Silver. Parole. Elle était vieille, mais elle roulait. Le volant en bois. De temps en temps, on faisait l'aller et retour sur Park Avenue. Y a des moments, le trottoir c'est pas si mal. On baissait les vitres devant le Colony Club et on leur balançait :

— Eh, les filles, y en a qui veulent tirer ?

Ils étaient morts de trouille. On foutait le camp en hurlant :

— Allez, on va se payer des sandwichs au foie gras !

On rigolait encore en arrivant à Times Square :

— Ouais, des hamburgers au foie gras !

Les plus beaux trucs, je les ai eus avec Jigsaw. Il avait un appart au coin de First Avenue et de la 58e. Tout était volé, même la moquette. Des vases partout. Des miroirs avec des cadres en or. Les miches, ils aimaient bien venir là. Quand ils entraient, c'était « Waouh ! » Me regardaient comme si j'étais Finances & Co.

Et tous, ils cherchaient le plumard. Le problème, c'est qu'il était encastré dans le mur, on le sortait avec une télécommande.

C'était la folie, cet endroit.

Les mecs qui lâchaient des cent dollars, on les appelait les champagnes. C'est ce que disait Susie quand une chouette tire se garait dans la rue :

— V'là le champ' !

Un soir, j'avais un footballeur des New York Giants, un arrière à la nuque tellement épaisse qu'ils l'appelaient le Séquoia. Et son larfeuille, jamais vu des pareils, plein de billets de cent. Une caisse entière qui arrivait, le coffre, la tirelire !

Quand j'ai vu qu'il voulait baiser à l'œil, celui-là, j'ai baissé la tête pour le regarder entre mes jambes et j'ai crié :

— COUP FRANC !

Je lui ai balancé la carte du room-service.

Y a des fois, je me fais hurler de rire.

Mon blaze, c'était Miss Bliss[23] à l'époque, because j'étais toujours hyper-jouasse. Les mecs, c'était juste des tas de viande qui se baladaient sur moi. Avec un peu de couleur. M'en foutais. J'étais le saphir dans le juke-box. Je tombais sur le disque et je tournais. Jusqu'à la prochaine pièce, et ça recommence.

J'ai remarqué que les flics de la criminelle étaient toujours hyper-sapés, avec des pompes bien cirées. Y en avait un, il avait son nécessaire sous le bureau, avec les chiffons, les boîtes à cirage et tout. Il était mignon. Cherchait pas à me passer dessus. Voulait seulement savoir qui avait refroidi Jigsaw. Je savais, mais que dalle. Quand un mec se fait descendre, tu t'allonges pas. C'est la loi des rues, tu la fermes, t'écrases, rien vu, connais personne.

Jigsaw s'est pris trois bastos bien propres. Je l'ai trouvé affalé sur le trottoir mouillé. Il en avait une au milieu du front. La cervelle en bouillie. Quand les brancardiers lui ont ouvert la chemise, il avait deux petits yeux rouges sur la poitrine.

Le sang avait giclé par terre, sur le réverbère, même sur la boîte à lettres. Le pizzaïolo est sorti nettoyer le rétro extérieur de sa camionnette. Il frottait avec son tablier, furieux, il marmonnait comme si il avait cramé ses pizzas. Ben tiens, il avait fait exprès, Jigsaw, de s'exploser la tronche sur son rétro.

Il est reparti dans sa boutique et quand on est revenues manger un bout, il nous a sorti :

— Eh, pas de gagneuses ici, foutez-moi le camp, allez faire le trottoir ailleurs, A-I-L-L-E-U-R-S, et surtout les nègres.

— Ah, monsieur connaît l'orthographe, on lui a dit, mais putain, j'avais envie de lui tordre les couilles, de les lui faire bouffer, à cet enculé de rital, qu'à la fin y en aurait plus eu qu'une, lui aurait fait une belle pomme d'Adam.

Susie blairait pas les racistes, et les ritals c'était les pires, pour elle. On s'est fendu la poire et on a filé chez Ray, sur Second Avenue. Au moins, les pizzas étaient bonnes, ça baignait pas dans l'huile. On a jamais refoutu les pieds à Lexington.

On va pas filer du taf aux connards, non plus ?

Jigsaw avait eu plein d'oseille, et il se retrouvait dans un cimetière de merde. Je dois être un peu comme tout le monde, les enterrements, j'en ai vu assez. Je sais pas qui a récupéré son fric, mais c'est sans doute le syndicat.

Y a qu'un truc qui voyage plus vite que la lumière, c'est le cash.

Deux mois après, je croise Andy Warhol dans la rue, avec ses grands yeux bleus de schizo, on aurait dit ces mecs qui sucent les jetons dans les tourniquets du métro.

— Andy chéri, on fait un câlin ? je lui dis.

Et il me répond :

— Je suis pas Andy Warhol, je suis le voisin avec un masque d'Andy Warhol, ha-ha.

Je lui ai pincé le cul. Il a bondi en faisant :

— Ouhhh !

Il était un peu coincé, mais on a causé une dizaine de minutes.

J'ai cru qu'il allait me faire tourner dans un film. Je sautais sur mes talons. Je l'aurais embrassé s'il avait fait ça. Mais tout ce qu'il voulait, c'est se trouver un mignon. Un petit jeune pour l'emmener chez lui faire ses trucs. J'y ai dit que je pouvais me mettre un beau gode rose à la ceinture et il me sort :

— Arrête, tu me fais bander.

Toute la nuit, j'ai répété à tout le monde :

— Je fais bander Andy Warhol !

Un autre client, j'avais bien l'impression de le reconnaître. Un mec jeune, un peu chauve sur le dessus du crâne. Ça lui faisait une tache blanche, comme une patinoire au milieu des cheveux. On a pris une chambre au Waldorf et, à peine entré, il a filé à la fenêtre fermer les rideaux. Puis il s'est affalé et :

— On baise.

— Mais je te connais pas, toi ? je lui ai demandé.

Il m'a reluquée d'un air mauvais :

— Non, non.

— T'es sûr ? Tu me rappelles quelqu'un.

J'y ai dit gentiment, pourtant, cool et tout.

— Non !

Il se mettait en colère.

— Eh, relax, Max. Je demande, c'est tout.

J'y ai ouvert sa ceinture, sa braguette, et il était là, comme tous les autres, les yeux fermés à ronronner, ouais-ouais-ouais-ouais, et puis je sais pas pourquoi, c'est là que ça m'est revenu. C'était le mec de la météo sur CBS ! Sauf qu'il avait enlevé sa perruque ! Le déguisement à l'envers.

Quand je l'ai terminé, je me suis rhabillée, je lui ai fait au revoir et je me suis retournée à la porte :

— Eh chéri, c'est fini, l'anticyclone, le ciel est couvert à l'est, et il pourrait bien neiger, demain.

Que je me marrais toute seule, une fois de plus.

J'adore cette vanne quand l'accusé dit à la fin :

— Monsieur le juge, la seule arme que j'avais, c'est du poulet frit New Orleans.

Les hippies étaient mauvais pour nos affaires, avec leurs conneries d'amour libre. Ils puaient, je les évitais.

Les meilleurs clients, c'était les soldats. Ils avaient tous envie de s'éclater en revenant – pensaient qu'à ça, tringler. Faut dire que là-bas ils se faisaient mitrailler le cul par une bande de bridés à la con, alors ils avaient un peu envie d'oublier. Et pour oublier ça, rien de mieux que les petits bras de Miss Bliss.

Je m'étais fait un badge qui disait : « La solution Miss Bliss : faites la guerre, pas l'amour. » Personne trouvait ça drôle, sûrement pas les GI en perm', alors je l'ai foutu dans une poubelle au coin de Second Avenue.

Ils traînaient une odeur de cimetière, ces petits gars. Ils avaient besoin d'affection. Du coup, je faisais mon assistance sociale. Au service de la grande Amérique, parole. Des fois, je leur chantais des trucs pour les mômes, pendant qu'ils me fourraient la main au cul. « Marlboro s'en va-t-en guerre, avec sa pine en fer, mal barré Marlboro », ça les faisait marrer.

Bob était un flic des mœurs qui avait les boules après les Noires. Il me ramassait même quand je bossais pas. J'ai vu son insigne plus de fois que j'avais un café chaud le matin. Un jour que j'en avais un, justement, il s'est pointé dans le bar, son badge à la main :

— Tu viens avec moi, Bamboula.

Il se croyait drôle.

— Lèche-lui le cul à Bamboula, d'abord, je lui ai dit.

M'a foutu au trou, il avait son quota. Faisait des heures sup. J'avais envie de lui planter ma lime dans le ventre, à ce con.

Une fois, un miche m'a gardée toute une semaine au Sherry Netherland. Un lustre au plafond, et des moulures avec des vignes et des violons. Il était petit, gras, chauve, noiraud. Il a mis un disque sur le pick-up. De la musique à charmeurs de serpents. Et il m'a dit :

— N'est-ce pas la divine comédie ?

— Un peu bizarre, ce que vous racontez.

Alors il a souri. Il avait un accent sympa.

De la coke à fumer, du caviar, du champagne dans un seau. C'était juste un plan came, et il m'a rien demandé que de lui faire la lecture. Des poèmes persans. Je me croyais déjà au ciel, sur un petit nuage. Ça racontait plein de trucs sur la Syrie, la Perse, l'antiquité. Je me suis allongée sur le lit, complètement à poil, et je lisais sous le lustre. Il voulait pas me toucher. Assis dans le fauteuil, il écoutait en me regardant. Je suis partie avec huit cents dollars et un recueil de Rumi. J'avais jamais lu un truc pareil. Ça donnait envie d'un figuier. D'avoir un figuier, quoi.

C'était bien longtemps avant Hunts Point. Bien longtemps avant que je finisse sous la Deegan. Bien longtemps avant que Jazz et Corrigan s'en aillent dans leur Ford de la mort.

Mais si on me donnait une semaine à revivre dans ma vie, rien qu'une, que je pourrais choisir, c'est cette semaine-là au Sherry Netherland que je veux. J'étais juste étendue sur le lit, toute nue, à bouquiner son truc, et il était gentil, me faisait des compliments, que je serais mieux à ma place en Syrie ou en Perse. J'ai jamais vu la Syrie, la Perse ou l'Iran ou quoi ou qu'est-ce, mais un jour j'irai là-bas, j'emmènerai les mômes de Jazzlyn et j'épouserai le roi du pétrole.

Sauf que c'est à la corde que je pense.

Tous les prétextes sont bons. Quand ils vous foutent en cabane, ils font les analyses pour la vérole. Je l'ai jamais eue. Je me disais que, cette fois, je serais peut-être bonne. Et ça serait pas mal comme excuse.

Je déteste les balais, les balais-brosses, les serpillières. On peut pas vendre son cul pour sortir de prison. Faut laver les vitres, les douches, lessiver par terre. Je suis la seule pute du C40. Toutes les autres sont au pénitencier, là-bas près du Canada. Ce qui est sûr, c'est qu'ici y a pas de chouettes couchers de soleil derrière les barreaux.

Toutes les hommasses sont dans le C50. Et les minettes dans le mien, le 40. Les truies, ils les appellent ici, je sais pas pourquoi, les mots sont bizarres des fois. Au réfectoire, elles veulent jouer au coiffeur. Pas mon truc. Jamais été. Je mets pas des chaussures d'homme, et des petits nœuds dans les cheveux non plus. Bon d'accord, j'arrange un peu l'uniforme. Quitte à crever, autant crever jolie.

Je mange pas. Au moins je garde la ligne. Je suis encore fière de ma silhouette.

J'ai tout raté, mais je suis fière de mon corps.

De toute façon, on servirait pas ça aux chiens. Y seraient morts rien qu'en lisant le menu. Y se mettraient à hurler, y se battraient à coups de fourchette. Jusqu'au sang.

J'ai le porte-clés avec les photos des petites. Je mets un doigt dans l'anneau et je le fais tourner. J'ai un bout de papier alu, aussi. Pas vraiment un miroir, mais on peut se regarder et faire semblant de croire qu'on est pas trop moche. C'est déjà mieux que parler à une souris. La fille de ma cellule s'est démerdée pour râper le bord du lit et faire un pieu à sa bestiole avec les raclures. J'ai lu un jour l'histoire d'un type avec une souris. S'appelait Steinbeck. Le type, pas la souris. Je suis pas conne. C'est pas parce que je suis pute que je porte un bonnet d'âne. Ils m'ont fait le test d'intelligence, j'ai eu 124. Si vous me croyez pas, demandez au psy de la zonzon.

La matonne se pointe une fois par semaine avec son chariot qui grince plein de bouquins. Y en a aucun qui me plaît. Je lui ai demandé Rumi et elle a répondu :
— C'est quoi, ce truc ?
Je joue au ping-pong à la salle de gym. Les chipettes en extase.
— Waouh, ce smash ! elles font.

D'habitude, moi et Jazz, on volait jamais personne. Ça vaut pas le coup. Mais ce connard, il nous a traînées depuis le Bronx jusqu'à Hell's Kitchen[24] en nous promettant la lune. On est pas montées si haut, et on a rien fait de plus que de le soulager un peu, c'est bien le mot. On lui a fait les poches, quoi. J'ai été condamnée à la place de Jazz. Elle voulait pas se séparer des mômes. Et trop besoin d'un fix. Moi, j'avais décroché, mais elle pouvait pas s'arrêter du jour au lendemain. C'était plus facile pour moi. Ça faisait six mois. Je shootais un peu de neige de temps en temps, je revendais aussi un peu de blanche quand Angie en avait, mais je poussais pas trop.

Au poste, Jazz pleurait toutes les larmes de ses yeux. L'inspecteur s'est penché au-dessus de son bureau et m'a demandé :
— Écoute, Tillie, tu veux arranger le coup pour ta fille ?
— Ouais, chéri, ça marche.
— OK, il me dit, tu me fais des aveux complets et je la libère. Tu prendras six mois, pas un de plus, garanti.

Alors j'ai raconté tout comme ils ont voulu. L'inculpation traînait depuis un moment. Jazz avait piqué deux cents dollars à ce connard et se les était injectés aussi sec.

Voilà comment ça se passe.

Tout fout le camp dans le pare-brise.

Ils m'ont dit que Corrigan s'est fracassé les côtes sur le volant. J'ai pensé, eh ben au moins au paradis la petite Latino lui ira droit au cœur et peut-être qu'elle le gardera.

Je suis une merde. Voilà. J'ai été condamnée, mais c'est Jazz qui a payé. Je suis la mère et j'ai plus de fille. Ce que j'espère au moins, c'est qu'elle avait le sourire avant de partir.

J'ai tout raté comme t'as jamais vu.

Même les cafards aiment pas Rikers. Ça les écœure. Les cafards, c'est pareil que les juges, les procs, toute la bande. Ça rampe le long des murs avec un manteau noir et ça te balance :

— Par conséquent, madame Henserdon, je vous condamne à huit mois de prison.

Les cafards, ça se carapate, tout le monde vous le dira. Carapate, c'est le mot. Car à pattes sur les lattes.

Le meilleur endroit, c'est les douches. Un éléphant pourrait se pendre aux tuyaux.

Des fois, je me cogne la tête sur le mur jusqu'à ce que je sente plus rien. Je tape tellement fort qu'à la fin je m'assomme. Je me réveille avec mal au crâne et je recommence. Après ça pique sous la douche, avec toutes les gougous qui matent.

Une Blanche s'est fait larder hier. Avec un plateau en métal aiguisé à la lime. Ça lui pendait au nez, plus blanc que le blanc. Dehors, c'est un truc que j'ai jamais fait gaffe : les Blancs, les Noirs, les café au lait, les jaunes et les roses, pourquoi pas. Mais la taule, ça doit être l'envers du dehors. Y a trop de nègres ici, tellement peu de Blancs, ils trouvent toujours le moyen de s'en sortir, eux.

J'ai jamais eu de peine aussi longue. Ça fait gamberger. Constater qu'on a raté le coche, et dans les grandes largeurs, encore. Et surtout je vais la mettre où, la corde ?

Quand ils m'ont dit pour Jazzlyn, je suis restée devant les barreaux à me frapper le front dessus. Comme un oiseau en cage. Ils m'ont laissée sortir pour l'enterrement, et ils m'ont réintégrée aussi sec. Les petites étaient pas au cimetière. J'ai demandé cent fois aux filles qui m'ont répété :

— T'inquiète pas, on s'occupe bien d'elles.

Dans mes rêves, je re-vais au Sherry Netherland. Je sais pas vraiment pourquoi il me plaisait tellement, celui-là. C'était pas un régulier, je l'ai vu qu'une fois, il était même pas mal avec son crâne chauve.

Chez les Arabes, c'est comme ça, les hommes aiment bien les prostituées. Ils les chouchoutent, ils leur font des cadeaux, ils les promènent avec un grand drap sur le dos. Il m'a demandé de me mettre devant la fenêtre. Il avait orienté les lumières comme il fallait. Il m'admirait. J'avais rien d'autre à faire que poser et je me suis jamais sentie aussi bien que de le savoir en train de me regarder. D'apprécier. C'est ça qu'ils font les mecs bien, ils apprécient. Il se tripotait pas, ni rien, il était juste assis à m'apprécier. À peine si il respirait. Il disait que je le rendais fou, qu'il donnerait n'importe quoi pour rester tout le temps comme ça. Je lui ai sorti une craque, mais en fait je pensais comme lui. Et je m'en suis voulu d'avoir dit une connerie, de lui manquer de respect. J'avais envie de me cacher sous le tapis.

Après, il s'est détendu, il a poussé un soupir. Il parlait du désert de Syrie, des citronniers qui faisaient comme des explosions de couleur.

Tout d'un coup – je voyais Central Park en bas – ma fille m'a manqué comme ça m'était jamais arrivé. Jazzlyn devait avoir huit ou neuf ans, à cette époque. J'avais envie de la prendre dans mes bras, juste la prendre dans mes bras. Faut pas croire qu'on aime moins quand on vit de l'amour, y en a tout autant.

Le parc devenait sombre. Ils ont allumé les réverbères. Y en avait plusieurs qui marchaient pas, mais on voyait bien les arbres.

— Lis-moi le poème du marché, il m'a dit.

C'était une poésie où un bonhomme achète un tapis sur la place du marché, un tapis impeccab', sans aucun défaut, alors ça lui apporte des tas de malheurs et tout. J'ai dû mettre la lumière parce qu'il faisait noir, et c'est sûr, ça cassait l'ambiance. Alors il a dit :

— Raconte-moi plutôt une histoire.

J'ai éteint, mais j'ai pas bougé. Ni ouvert la bouche, pour pas en rajouter dans la connerie.

J'avais rien dans la tête qu'une histoire d'un client, une ou deux semaines plus tôt. Le rideau à la main, j'ai commencé :

— Voilà, c'est un vieux couple qui arrive devant le Plaza Hotel. C'est la fin de la journée et ils se tiennent par la main. Ils traversent pour rentrer dans le parc et, à ce moment-là, y a un flic qui les siffle, il les arrête. « Eh, y allez pas, il fait bientôt nuit, c'est trop dangereux de se balader là-dedans à cette heure, vous allez vous faire agresser. » Alors ils répondent : « Mais on a prévu d'y aller, c'est notre anniversaire de mariage, on était là y a quarante ans, exactement le même jour. » « Vous êtes fous. On se promène plus dans Central Park, c'est fini. » Et ils y vont quand même. Ils voulaient suivre le même chemin que cette fois-là, faire le tour du petit lac, pour se rappeler. La main dans la main, ils sont partis dans le noir. Et vous savez quoi ? Le flic les a suivis à dix mètres de distance, il a fait le tour avec eux pour être sûr qu'on les abîme pas. C'est pas génial ?

Voilà, c'était mon histoire. J'ai pas bougé, le rideau était mouillé dans ma main. Et c'était comme si je l'entendais sourire, mon Arabe.

— Encore une fois, il a dit.

Je me suis rapprochée de la fenêtre où la lumière était jolie. J'ai recommencé tout au début, en rajoutant des détails, le bruit de leurs pas derrière eux, tout ça.

Cette histoire, je l'ai jamais racontée à Jazzlyn. J'avais envie, mais je l'ai jamais fait. J'attendais le bon moment. Quand je suis partie, il m'a donné le livre de Rumi, je l'ai fourré dans mon sac et puis j'y ai pas trop repensé, mais c'est revenu peu à peu, comme un réverbère qui s'allume progressivement.

Je l'aimais bien, mon petit gros, mon petit Arabe chauve. Je suis revenue au Sherry Netherland voir si il était là, mais le patron m'a foutue à la porte en m'agitant son registre sous le nez. Comme un bâton pour piquer les bœufs. Dehors, dehors, dehors.

Je me suis mise à lire Rumi tout le temps. J'aimais bien parce qu'y a plein de détails. Des phrases qui sonnaient bien. Je les sortais aux miches, des fois. Je disais aux gens que c'était à cause de mon père, qu'il avait étudié la poésie persane. Ou à cause de mon mari. J'ai jamais eu de mari, j'ai jamais eu de père. Pas à ma connaissance, je veux dire. Je me plains pas, c'est comme ça, c'est tout.

J'ai tout raté et ma fille est plus là.

Un jour qu'on causait au téléphone, Jazz m'a posé des questions sur son père. Son vrai père, pas les marles et les loulous. Elle avait huit ans, elle était à Cleveland, moi à New York. L'interurbain coûtait rien, on savait toutes comment récupérer la pièce. Un truc que les GI nous avaient montré en revenant du Vietnam. Ils étaient à moitié timbrés, mais ça, ça marchait.

J'aimais bien la rangée de téléphones de la 44ᵉ. Quand je me faisais chier, j'allais décrocher celui qu'y avait derrière moi et je me parlais toute seule. Je prenais mon pied. Salut, Tillie, ça va, ma poule ? Pas mal, Tillie, et toi ? Tout baigne, il fait quel temps chez toi ? Il flotte, ma biche. Sans déc, ici aussi ça pisse, Tillie, quelle plaie !

C'est à celui du drugstore de la 50e et Lex que Jazz m'a posé la question.

— Qui c'est, mon père ?

Je lui ai dit que c'était un bon gars, mais qu'il était parti chercher des cigarettes. Ce qu'on dit aux mômes. Ce qu'elles disent toutes, les autres, va comprendre – faut croire que tous les cons qui abandonnent leurs gosses fument comme des pompiers.

Elle a plus jamais demandé. Pas une seule fois. Je sais pas qui c'était, celui-là, mais je trouvais qu'il en mettait du temps à les acheter, ses clopes. Peut-être qu'il est toujours devant le comptoir, le petit Pedro, à attendre sa monnaie.

Je suis revenue prendre Jazzlyn à Cleveland en 64 ou 65, par là. Elle devait avoir huit ou neuf ans. Elle m'attendait tristounette sur le pas de la porte, avec son petit manteau à capuche, et quand elle a levé les yeux, c'était le feu d'artifice. Elle a crié :

— Tillie !

M'a jamais trop appelée maman. Elle a bondi pour m'embrasser – personne m'a jamais embrassée comme ça, j'ai failli étouffer. Je me suis assise à côté d'elle en pleurant comme une vache.

— Attends un peu de voir New York, Jazz, je lui ai dit. T'en reviendras pas !

Ma mère à moi était dans la cuisine à me lorgner d'un sale œil. Je lui ai tendu une enveloppe avec deux mille dollars.

— Ah, chérie, je savais que tu étais une bonne fille, ma fille.

On voulait faire la route du retour en bagnole, mais on a pris le petit lévrier rachto jusqu'à New York. Elle a dormi tout le trajet sur mon épaule en suçant son pouce. Neuf ans, et elle suçait encore son pouce. Plus tard, dans le

Bronx, j'ai appris que c'était un de ses trucs. Elle suçait son pouce pendant qu'ils la baisaient. Ça me fout la gerbe. J'ai tout raté et puis voilà. Ce qui compte à la fin.

Tillie Henderson de mes deux. Pas besoin de vous l'emballer.

Je me tuerai pas tant que j'aurai pas vu les enfants de ma petite. Aujourd'hui, j'ai dit à la matonne que j'étais grand-mère, elle a rien répondu. J'y ai dit :

— Je veux les voir, les petites, pourquoi on les emmène pas me voir ?

Elle a même pas bronché. Peut-être que je vieillis. J'aurai mes trente-neuf ans au trou. Y en aura pour quinze jours à souffler les bougies.

Je l'ai suppliée, suppliée, suppliée. Elle a dit que les petites allaient bien, qu'on s'occupait d'elles aux services sociaux.

C'est un marle qui m'a collée dans le Bronx. Se faisait appeler L.A. Rex. Il aimait pas les nègres, et c'était un nègre. Disait que Lex, c'était pour les Blanches. Que j'étais plus très fraîche, que j'étais nulle, que je m'occupais trop de Jazzlyn, que j'étais trouée comme un fromage. Il m'a dit :

— Tu retournes pas à Lexington ou je te casse les bras, Tillie, t'as pigé ?

Et c'est ce qu'il a fait. Les doigts aussi. Il m'a chopée au coin de Third Avenue et de la 48e, il m'a cassé les bras comme des os de poulet. M'a conseillé de prendre ma retraite dans le Bronx, et il s'est marré :

— C'est comme la Floride, sans les plages.

Quand j'ai retrouvé Jazzlyn, j'avais les bras dans le plâtre. Je suis restée en convalescence je sais plus combien de temps.

Il avait une étoile en diamant dans une dent. Sans déconner. Il ressemblait un peu au Cosby de la télé, sauf que Cosby était bonnard avec ses pattes sur les joues. L.A. a même payé les factures de l'hosto. Sans me refoutre sur le trottoir. « Qu'est-ce que c'est que ce gag ? » je me demandais. Des fois, le monde, on a beau chercher, on y comprend rien.

Alors j'ai décroché. J'ai raccroché les gants. Je m'occupais de la maison. Le bon temps, ça a duré quelques années. Il suffisait que je tombe sur une pièce de cinq cents au fond de mon sac pour avoir le sourire. Tout allait si bien, il m'en fallait pas plus. J'avais l'impression d'être dans une vitrine. J'ai mis Jazz à l'école. J'ai trouvé un job au supermarché à mettre des étiquettes sur les boîtes. Oublié, le turbin. J'allais pas m'y recoller de sitôt. Sauf qu'un jour, sans prévenir, je sais même plus pourquoi, je suis descendue à la Deegan et j'ai tendu le pouce à la première bagnole. Un type m'a filé une taloche sur le crâne. Birdhouse, un marle avec un galure prétenchiard qu'il enlève jamais pour qu'on s'aperçoive pas qu'il a un œil en verre.

— Eh poulette, qu'est-c'tu fous là ?

Jazzlyn avait besoin de bouquins pour l'école, je crois. Ouais, je suis presque sûre, c'était ça.

J'avais pas d'ombrelle à Lexington. C'est un truc que j'ai inventé dans le Bronx. Pour cacher le haut, en fait. Un secret que je dis à personne. J'ai toujours eu un beau corps. Même pendant toutes les années où j'ai shooté tout ce que je pouvais, j'avais de belles formes, une plastique de première. Jamais chopé un truc que j'aie pas réussi à soigner. C'est dans le Bronx que je me suis mise sous l'ombrelle. Comme ça, ils voyaient pas ma tête mais ils voyaient mon cul. Et vas-y que je tortille. J'avais assez d'énergie dans les fesses pour rallumer New York quand y avait plus de courant.

Dans le Bronx, je montais aussi sec pour qu'ils puissent pas dire non. Essaie de faire sortir une fille sans payer : compte les gouttes dans une flaque, plutôt.

Depuis toujours, le Bronx, c'est pour les vieilles. Sauf Jazzlyn, que je gardais avec moi pour pas être toute seule.

Elle descendait en ville seulement de temps en temps. C'est après elle qu'ils couraient tous. Les filles prenaient vingt dollars, elle, elle montait jusqu'à quarante, même cinquante. Elle avait les jeunes. Et les vieux pleins de blé qui jouent les jeunes premiers. Ils déboulaient avec des yeux d'amoureux. Elle avait de belles lèvres, les cheveux pas crépus, et des jambes jusqu'au cou. Y en avait qui l'appelaient Raf, parce qu'elle en avait l'air. Y aurait eu des arbres sous la Deegan, elle aurait bouffé les branches, comme une girafe.

C'était un de ses pseudos sur son casier. Raf[25]. Une fois, elle est tombée sur un Rosbif, qui se prenait pour un bombardier. Et il gueulait pendant qu'il la limait :

— Opération de sauvetage, Flandres un-zéro-un, Flandres un-zéro-un ! Amorçons la descente !

À la fin, il lui a dit :

— Tu vois, je t'ai sauvée.

Et Jazz lui fait :

— Tu m'as sauvée, c'est vrai ?

Parce que les types, ça leur fait plaisir d'y croire. Comme si t'étais malade, qu'ils t'apportent le médicament qu'il faut. « Viens là, ma petite, t'as besoin de quelqu'un qui te comprend, non ? Moi, je te comprends. Et je suis bien le seul à reconnaître une nana comme toi. J'ai la queue plus longue que Fifth Avenue, mais mon cœur est grand comme le Bronx. » Ils te baisent comme si y te rendaient service. Tous les glandus demandent qu'une chose : courir au secours des putes, parole. Je vais vous dire mon avis, c'est une maladie à soi tout seul. Ensuite, quand ils ont fait leur petite affaire, ils remontent leur braguette, et au revoir ma cocotte. Ils sont baisés de la tête, ceux-là.

Y en a même qui pensent qu'on a un cœur d'or. Personne a un cœur d'or. Moi, mon cœur il est pas en or, que dalle. Celui de Corrie l'était pas non plus. Corrie qui s'est foutu à la colle avec sa Latino de merde et son tatouage à la con sur la cheville.

Jazz avait quatorze ans quand elle est rentrée un jour avec un petit trou rouge dans le creux du coude. Je lui ai foutu une branlée aussi sec, seulement après, elle s'est piquée entre les doigts de pied. Elle avait jamais allumé une clope et elle s'accrochait à la blanche. Elle traînait avec les Immortals à cette époque. Les ennemis des Ghetto Brothers.

Je pensais la protéger en la gardant sur le trottoir. Ouais, c'est ça que je pensais.

Y a un morceau de Big Bill Broonzy que j'aime bien, même si ça me fait mal de l'entendre, où il chante : « J'ai le moral tellement à zéro, ma fille, que je lève la tête pour le regarder. »

Et moi, je regardais ma fille se fixer à quinze ans. Je posais le cul sur le trottoir et je me disais : « C'est ma fille. » Après, je pensais : « Attends, bordel de merde, ma fille ? C'est vraiment ça, *ma* fille ? »

Ouais, c'était elle, mon corps et mon sang, pas de doute c'était elle.

C'est moi qu'ai fait ça.

Même des fois je lui ai serré l'élastique sur le bras pour qu'elle se charcute pas les veines. Je voulais juste éviter le pire.

La maison de blanche neige. C'est la maison de blanche neige.

Un vendredi elle est rentrée et elle a dit :
— Eh, Till, ça te plairait d'être grand-mère ?
— Ouais, mamie Tillie. Tiens, pourquoi pas ?
Elle s'est mise à chialer. Et à chialer encore sur mon épaule, ça aurait été cool si c'était pas vrai.

Je suis allée au Foodland, où j'ai trouvé qu'un paquet ringard de cake à la con.

Mais elle l'a mangé, et je la regardais, mon bébé qu'allait en avoir un. J'y ai pas touché jusqu'à ce qu'elle aille se coucher et après j'ai engouffré tout le reste.

La deuxième fois que j'étais mamie, Angie m'a fait une super-fête. Elle a bassiné Corrie pour qu'il lui prête un fauteuil roulant, et elle m'a poussée dedans sous la Deegan. Raides def à la coke, on se fendait la gueule.

Ce que j'aurais dû faire, vraiment... Ouais, j'aurais dû avaler une paire de menottes quand je portais Jazzlyn dans mon ventre. Ça, j'aurais dû faire ça. Qu'elle sache tout de suite à quoi s'attendre dehors. Voilà, t'es en état d'arrestation, tu es déjà ta mère et ta grand-mère et toutes celles qui sont arrivées avant, françaises, noires, hollandaises et ce que je sais, jusqu'à Ève.
Putain, ouais, j'aurais dû avaler des menottes. Une bonne paire tout entière.

Je viens de passer sept ans à baiser dans les camions réfrigérants. Sept ans à baiser dans les camions réfrigérants. Ouais. Sept ans à baiser dans les camions réfrigérants.

Tillie Henderson de bordel de merde.

On m'a annoncé une visite. Alors je me suis pomponnée, tiens. Je me coiffe, je mets du rouge, j'essaie de pas trop puer la taule. Un coup de fil dentaire, je m'épile les sourcils, j'arrange même mon uniforme bien comme il faut. Y a que deux personnes dans ce monde qui viendront me voir ici. Je saute sur les marches. C'était comme descendre par l'escalier de secours. Je sens l'odeur du ciel. Gaffe, les petites, v'là la maman de maman.
Je vais au corps de garde. Comme ça qu'ils appellent le parloir. Je les cherche partout. Y a des tas de chaises, des guichets en plastique et un gros nuage de fumée de clopes. C'est comme un brouillard merveilleux. Sur la pointe des

pieds, je regarde dans tous les coins, mais ils sont tous avec leur mec ou leur nana. Et ça fait oh ! ah ! ça rigole, ça crie, on entend que ça, les mômes qui braillent, et je suis toujours sur la pointe des pieds, j'essaie de voir les petites. Au bout d'un moment, y a plus qu'un seul espace de libre. Une espèce de pétasse blonde assise derrière le plexiglas. J'ai un peu l'impression de la reconnaître, je sais pas d'où, peut-être c'est quelqu'un de l'administration, une assistante, bon, enfin. Elle a des yeux verts, une peau de perle. Et elle me sort :

— Eh, salut, Tillie.

Je me dis, qu'est-ce qu'elle a à m'appeler par mon nom, celle-là, je sais pas qui c'est. Les Blancs, ils se la ramènent copains comme si c'était tes meilleurs potes, et tu les connais même pas.

Je dis salut et je m'assois en face. Je suis soufflée. Elle me dit son nom et je hausse les épaules parce que je vois pas. Je demande :

— Vous avez une cigarette ?

Elle dit non, elle a arrêté. Je pense qu'elle est encore plus inutile qu'il y a cinq minutes, quand elle servait déjà à rien.

Je lui dis :

— C'est vous qui vous occupez des petites ?

— Non, c'est quelqu'un d'autre.

Et alors, mine de rien, l'air de tout, elle se met à me poser des questions sur la prison, et comment ça se passe, est-ce que je mange correctement, quand est-ce que je vais sortir ? Je la regarde comme un gros tas de merde qui déborde d'une poubelle. Pas à l'aise, la gonzesse. Finalement, je prends une voix hyper-cool et je lui balance :

— Mais zob, vous êtes qui ?

Elle lève les sourcils, étonnée, et elle me fait :

— Le porte-clés, je suis une amie à lui.

Et moi :

— Et le porte-clés, c'est quoi ?

— C-i-a-r-a-n.

Là, ça fait tilt et j'y suis, elle était là à l'enterrement avec le frangin de Corrie. C'est drôle, d'ailleurs, c'est lui qui m'a filé le porte-clés. Je lui demande :

— Z'êtes un de ces culs-bénits ?

— Un quoi ?

— Un enfant de Jésus, ou c'que j'sais ?

Elle fait signe que non.

— Qu'est-ce que vous foutez là, alors ?

— Je voulais juste voir comment vous alliez.

— Sans blague ?

— Sans blague, Tillie.

Je passe l'éponge.

— OK, si ça vous chante.

Elle se penche vers moi, me raconte qu'elle est contente de me voir, la dernière fois elle était tellement triste, les bourres qui m'avaient passé les bracelets, et tout ça, devant la tombe. Elle dit « les bourres », mais ça se voit que c'est pas un mot à elle, du flan, c'est tout. Mais je me dis, bon, OK, ça mange pas de pain, on laisse pisser, un quart d'heure-vingt minutes, la belle affaire.

Elle est jolie. Blonde. Cool. Je lui parle de la fille dans ma cellule avec sa souris, des gouines, celles qui jouent le mec, celles qui jouent la gonzesse, et moi là-dedans, je dis que la bouffe est dégueulasse, j'aimerais tellement voir les petites, les filles se sont battues hier soir devant *Chico*[26] à la télé, parce que y en a qui traitent Scatman[27] de nègre qui a retourné sa veste. Elle hoche la tête, elle fait, a-ha, hm, ah bon, ah Crothers, oui, c'est intéressant, il est pas mal, lui. Comme si elle allait se l'envoyer un de ces quatre. Mais elle est mignonne. Pas conne, non plus, ça se voit. Une bourge, mais futée. Elle me dit qu'elle est peintre, qu'elle sort avec le frère de Corrie, même si elle est mariée, il est parti en Irlande avec les cendres de Corrigan et il est revenu aussitôt, sont tombés amoureux, elle met de l'ordre dans sa vie, elle se camait, elle aime encore picoler. Elle versera de l'argent sur mon compte ici, peut-être que je pourrai acheter des clopes.

— Je peux faire autre chose pour vous ?

— Les petites.

— Je vais essayer. Faut que je trouve où elles sont. Je verrai si elles peuvent venir. Et sinon ?

— Jazz.

— Jazz ?

— Ramenez Jazzlyn aussi.

Là, elle est devenue blanche comme une paire de draps.

— Elle est morte, elle me dit, comme si j'étais la reine des pommes.

Ça lui fait l'effet d'un coup de latte. Elle me fixe, elle a les lèvres qui tremblent. Et merde, c'est la sonnerie. Fin des visites, on se dit au revoir derrière le verre, je me retourne et je lui demande :

— Pourquoi vous êtes venue ?

Elle regarde par terre et elle me sourit, sa bouche tremble encore, elle hoche la tête, je vois des larmes au coin de ses yeux.

Elle glisse des bouquins vers moi sur la table et, waouh, Rumi, putain, comment elle savait ?

Elle dit qu'elle reviendra, je la supplie encore de m'amener les petites. Elle demandera aux services sociaux ou quelque chose. Et ensuite un au revoir avec la main, elle se frotte les yeux en partant. Moi, je me dis : « Eh bé, putain ? »

En remontant l'escalier, je cherchais toujours comment elle pouvait savoir, et puis je me suis rappelée. Je me suis marrée et j'étais contente d'avoir rien dit sur Ciaran et sa petite queue en tire-bouchon. Pour quoi faire ? C'était pas le mauvais gars, Porte-Clés. N'importe qui serait le frangin de Corrigan, ça serait un frangin à moi.

Faut pas chercher la morale. Corrigan avait tout compris. Il m'a jamais fait chier. Et Ciaran était un peu con. Faut dire les choses. Mais les cons, ça manque pas, et il m'a grassement payée la seule fois où je l'ai pris. Je lui en ai mis plein la vue avec Rumi. Il avait du fric plein les fouilles, je crois qu'il était barman quelque part. Je me souviens d'avoir regardé mes seins, mon sein noir dans sa main blanche.

Corrie, je l'ai jamais vu à poil, mais je suis sûre qu'il avait de quoi, pas un moineau comme son frère.

La première fois qu'il s'est pointé, Corrigan, on était sûres que c'était un civil. Y a plein d'indics irlandais. La plupart des flics sont irlandais – tous un peu gras, avec des dents pourries, qui se démerdent toujours à rigoler.

Un jour que son Ford était couvert de crasse, Angie a écrit dessus avec le doigt : « Ta femme, elle est cochonne comme ça ? » On était pliées de rire, à pleurer. Corrie a rien vu. Alors après, elle a dessiné de l'autre côté un bonhomme qui se marre, et elle a ajouté : « Vas-y, balance-moi ! » Corrie se baladait dans le Bronx avec ces conneries et il y a jamais fait gaffe. Il vivait dans son monde. À la fin de la semaine, Angie lui a montré. Il a rougi comme un bon catho irlandais et il s'est mis à bafouiller.

— Mais pourquoi ? Je suis pas marié, moi, il lui dit.

On s'était pas marrées autant depuis que le Messie a quitté l'Ohio.

Tous les soirs, on se collait à ses basques, on insistait, allez, fous-nous au bloc. Et il répondait toujours :

— Allez, arrêtez, les filles, arrêtez.

On continuait de le charrier, et il repartait :

— Eh, arrêtez, les filles, arrêtez.

Un jour, Silo, le mac d'Angie, nous a virées, il l'a pris par la peau du cou et lui a dit d'aller se faire mettre. Il lui a foutu une lame sous le nez. Corrie le regardait sans rien dire. Il ouvrait des grands yeux mais il avait pas peur. On lui a dit :

— Allez, barre-toi, mec.

La lame a volé et Corrie est reparti avec sa chemise noire en sang.

Deux jours après, il redescendait avec sa thermos, il avait un pansement dans le cou. On lui a dit :

— Yo, Corrie, fous le camp, tu vas encore t'en prendre une.

Il a haussé les épaules, il s'en foutait.

Alors Silo est revenu, avec les mecs de Jazzlyn et de Suchie, tous les trois – comme les rois mages. Corrie est devenu tout blanc. Je l'avais jamais vu blême comme ça. De la farine sur de la craie.

Il a levé les bras :

— Eh mec, je leur donne du café, c'est tout.

Silo s'est dressé devant lui :

— Ouais, c'est ça, et moi je mets la crème.

Corrie s'est fait tabasser dans tous les sens, je sais même plus combien de fois, et ça servait à rien. Mais ça fait mal. Méchamment. Même Angie, une fois, a sauté sur le dos de Silo, à essayer de lui griffer les yeux, mais impossible de l'arrêter. Corrie revenait jour après jour. Au point que les marles ont fini par le respecter. Jamais il a appelé les flics, les gardes comme il disait, c'est les flics en Irlande. « Non, je les appellerai pas », il disait. Et les loulous continuaient à lui foutre des branlées, pour qu'il reste à sa place.

On a découvert plus tard qu'il était curé. Pas vraiment curé, un de ces gars qui atterrissent quelque part où ils croient qu'on a besoin d'eux, une mission, quoi, ce genre de conneries, voilà, un moine, avec des « vœux », ils décident de jamais baiser.

On dit que les mecs veulent toujours être le premier avec la fille, et que les filles veulent être la dernière. Avec Corrie, on voulait toutes être la première. Et Jazzlyn la ramenait :

— Je me le suis fait hier soir, c'est moi qui ai eu l'honneur, il était trognon.

— Mon cul, a fait Angie, je me le suis fourré comme un beignet, le petit enculé, j'en ai fait qu'une bouchée.

— Tu parles, a dit Suchie, c'est moi qui y ai sucé la moelle, je m'en suis fait des tartines au petit-déjeuner.

On nous entendait glousser à trois kilomètres.

Un jour que c'était son anniversaire, trente et un ans, je crois, un gamin, vraiment, j'avais acheté un gâteau et on l'a mangé ensemble sous la Deegan. Il était couvert de cerises, devait y en avoir un million dessus, et Corrie a pas fait le rapport[28], on lui mettait les cerises dans la bouche les unes après les autres, et il disait :

— Arrêtez, arrêtez ou j'appelle les gardes !

À pisser de rire.

Il a coupé le gâteau, il a donné une tranche à tout le monde, il a gardé la dernière pour lui. Je lui tenais une cerise devant la bouche, allez, essaie de l'attraper. Mais j'arrêtais pas de bouger et il y arrivait pas. Je me suis mise à courir et il m'a poursuivie. Ah, on devait avoir l'air chouettes tous les deux, moi et mon bikini, lui tout peinturluré en rouge.

Laissez personne vous dire que la rue, c'est rien que la crasse, la racaille, la vérole, blanche ou pas. OK, c'est sûr, y a ça, mais des fois on se marre. Des fois, la cerise, tu la balances devant la bouche d'un mec. T'as besoin de ça, aussi, pour pas trop faire la gueule.

Quand il rigolait, Corrie, tout d'un coup il était plein de rides.

— Dis *medjeud'gan*, Corrie.
— *Maydjordigan.*
— Non, répète : *medjeud'gan.*
— *Maydjeurdigan.*
— Mais non, répète : *medjeud'gan.*
— OK, Tillie, c'est toi, le Major Deegan.

Sérieux, le seul Blanc que j'aurais couché avec, c'est lui. Sans déconner. Il me disait que j'étais trop bien, trop jolie.

Qu'il s'escrimerait pour rien, qu'il m'en faudrait toujours plus. Mais putain, qu'il était beau mec. Et il s'en foutait. Je l'aurais épousé. Il m'aurait parlé tout le temps avec son accent marrant. Je l'aurais emmené à la campagne, je lui aurais fait des bons repas avec du chou et du corned-beef, avec moi il se serait senti comme si il était le seul petit Blanc de la terre. Si j'aurais pu, j'y aurais dit des mots doux. Je lui aurais ouvert mon cœur et je l'aurais pris dedans pour toujours. Lui et mon Arabe du Netherland. Ces deux-là.

On lui remplissait sa poubelle dix fois par jour. Ce que c'était vache. Même Angie, qu'était salope, la plus salope de toutes, trouvait ça dégueulasse, elle y foutait ses tampons. Vraiment pourri. J'arrive pas à croire qu'il acceptait ça sans gueuler, qu'il la vidait et qu'il y pensait plus. Un curé ! Un moine ! La pause-pipi !

Et ses sandales ! Oh mec ! On les entendait claquer avant lui.

Il m'a dit une fois que les gens parlaient d'amour pour dire qu'ils avaient faim. Un truc du genre : « pour glorifier leurs appétits ».

Il m'avait sorti ça comme ça, avec son petit accent. J'aurais bouffé tous ses mots, tiens, tout avalé la bouche ouverte. Quand il disait : « Eh, Tillie, un café ? », j'avais rien entendu d'aussi chouette. J'étais baba. C'était comme un petit Blanc qui chantait chez Motown.

Jazzlyn disait qu'elle l'aimait comme le chocolat.

Ça fait un moment qu'elle est venue, maintenant, la Lara machin, peut-être dix ou douze jours. Elle a dit qu'elle m'amènerait les petites. Elle a promis. On sait bien que les gens et leur baratin, mais bon. Toujours des promesses. Même Corrie il en faisait. Avec son pont-levis et ses conneries de château.

Il s'est passé un truc vachement bizarre, un jour. J'oublierai pas ça. La seule fois où il nous a rabattu quelqu'un. Il arrive vraiment tard un soir, il ouvre la portière du Ford, derrière, et il sort un vieux gaga dans un fauteuil. Il fait super gaffe et tout, il regarde à gauche à droite, il tousse dans ses mains, pas rassuré. Peut-être sa conscience. Je lui fais :

— Eh, julot !

Mais il devient tout blanc, alors je la ferme un bon coup. Le truc, c'est que c'est l'anniversaire du vieux, et qu'il a bassiné Corrie pendant des heures pour une petite gâterie. Comme quoi il a pas vu une femme depuis la dépression, ça doit faire huit mille ans. Et le vieux est super grossier, il arrête pas de l'insulter. Corrie il entend pas, il s'en fout. Il hausse les épaules, il cale le frein sur le fauteuil, et il nous laisse Mathusalem sur le trottoir.

— Je suis pas trop d'accord, mais Albee a besoin d'une petite révision.

— Je t'ai dit de pas leur dire mon nom ! qu'il gueule, l'autre.

— La ferme, fait Corrie et il dégage.

Il se retourne et il lâche pour Angie :

— Lui faites pas les poches, si vous plaît !

— Moi, faire les poches ? dit Angie, l'air tout étonnée de mon cul.

Corrie, il lève les yeux au ciel et il hoche la tête.

— Promis ?

Il remonte dans le Ford marron, il fout la radio à fond et il attend qu'on ait fini.

On s'y est mises. Il se trouve que son Mathusalem a de quoi tenir un moment avec nous. Il a dû en mettre à gauche pendant des années. On décide de lui faire sa fête. On le charge dans un camion de fruits et légumes, on fait gaffe à bloquer son frein, on se désape et on danse la rumba. On lui fout tout sous le nez. On lui secoue un peu la nouille.

Jazz bondit sur les cagettes. On est toutes à poil, on se fait des passes avec les tomates et les laitues. À se tordre.

Mais c'est trop drôle, le vieux, qui a au moins deux cents piges, il ferme les yeux et il se cale dans son fauteuil avec un petit sourire, comme si il nous respirait. On lui propose tous les trucs, mais il garde les yeux fermés, comme si il se rappelait quelque chose, il a l'air de se fendre la gueule, au septième ciel, quoi. Les narines ouvertes. Un de ces mecs que, ce qui les branche, c'est de renifler des trucs. Il marmonne qu'il sait ce que c'est, avoir faim, et qu'il a rencontré sa femme quand il avait très faim et qu'ils ont traversé la frontière. Quelque part pour aller en Autriche, et qu'ensuite elle est morte.

Il parlait comme Uri Geller. En général, quand les miches racontent leur vie, on fait ouais-ouais, comme si on pigeait tout. Le vieux il pleurait, des larmes de joie on aurait dit, mais des larmes d'autre chose aussi, je sais pas quoi. Angie lui a collé ses nichons sous le nez et lui a dit :

— Allez, plie-la, ta petite cuiller, gogo.

Y a des filles, elles aiment bien les vieux parce qu'ils demandent pas grand-chose. Angie, elle s'en fout, elle. Moi, je peux pas les blairer, surtout quand ils se dépoitraillent. Ils ont les seins qui dégoulinent comme la confiture sur les gâteaux. Mais bon, il était plein aux as, et on lui a dit qu'il était mignon. Il était rouge comme une pivoine.

Et Angie qui gueule :

— Eh, faudrait pas qu'il nous claque dans les mains, les filles, je vais pas à l'hosto avec lui, moi !

Il a débloqué le frein sur son fauteuil et à la fin il nous a redonné du fric. Il cherchait Corrie quand on l'a sorti du camion :

— Où il est, l'autre gonzesse ?

— C'est qui que t'appelles une gonzesse ? elle lui fait, Angie. 'spèce de gonzesse toi-même ! Pédé ! Avec ta queue ratatinée !

Corrie a éteint sa radio dans le Ford, il est redescendu, il nous a dit merci, et il a remonté Mathusalem avec son

fauteuil. C'est marrant, y avait une feuille de laitue qui restait accrochée à la roue et qui tournait sous le bras du vieux.

Et il me sort, Corrie :

— Rappelle-moi que j'aime pas remuer la salade, toi.

Mortes de rire, on était. On avait jamais fait un truc
pareil sous la Deegan. Je suppose que Corrie voulait nous
dépanner. Le vieux était riche à crever. Il puait un peu,
mais ça valait le coup.

Chaque fois que je vois un bout de laitue au réfectoire,
maintenant, je me marre.

La surveillante-chef m'a à la bonne. Elle m'a fait venir
dans son bureau et elle m'a dit :

— Ouvrez-moi votre combi, Henderson.

J'ai fait ça, j'ai sorti mes seins. Elle a pas bougé dans sa
chaise, elle soufflait comme un cheval. Au bout d'une
minute, elle a fait :

— Rompez.

Les minettes se douchent pas aux mêmes heures que les
dondons. Pas que ça change grand-chose. C'est la foire
dans les douches. Je croyais avoir tout vu, mais là, c'est plutôt genre salon de massage. Y en a une qui a ramené du
beurre des cuisines, à moitié fondu. Les surveillantes se
touchent pendant ce temps avec leur matraque. Y zont pas
le droit mais des fois y font venir les matons des quartiers
hommes. J'en branlerais un juste pour un paquet de clopes.
On les entend quand ils sont là. Mais ils nous approchent
pas, y a pas de viols, ils osent pas. Ils matent et ils se tri-
potent, comme la chef.

J'ai eu un angliche, une fois, il appelait ça s'envoyer en
l'air.

— *Hey, love*, on s'envoie en l'air, tous les deux ?

J'aimais bien. Je vais me pendre aux tuyaux dans la douche,
je vais m'envoyer en l'air.

Regardez comme je swingue sous mon tuyau.

Un jour j'ai écrit un mot à Corrie que j'ai laissé dans sa salle de bains. Je lui disais : « Tu me bottes vraiment, John Andrew. » La seule fois que je l'ai appelé par son vrai nom. Il me l'avait dit, c'était un secret entre lui et moi. Il détestait le nom de son père, un connard d'Irlandais. Je lui ai dit de lire. Il a ouvert l'enveloppe et il a rougi. Ce que c'était mimi de le voir tout rouge, on avait envie de lui pincer les joues.

Il a marmonné « Merci », comme quoi il était en bisbille avec dieu, il m'aimait bien, sincère, et tout, mais y avait cette affaire avec dieu, quoi. Que c'était un peu comme un match de boxe. J'y ai dit mets-moi au premier rang. Il m'a touché le poignet, il a dit :

— Tillie, t'es impayable.

Où sont les petites ? Un truc qu'est sûr, c'est que je les gavais de sucreries. À dix-huit mois, elles avaient tout le temps la sucette au bec. Une bonne grand-mère, ça devrait pas, je vous dis. Elles vont avoir les dents pourries. Je regarderai quand je serai au ciel, sûr qu'elles auront un appareil.

Après mon premier client, j'étais allée m'acheter un gâteau au supermarché. Un grand gâteau blanc plein de sucre glace. J'ai enfoncé le doigt dedans et je l'ai léché. Il sentait encore le micheton, mon doigt.

Quand j'ai mis Jazz sur le trottoir, je lui ai acheté un gâteau aussi. En réclame chez Foodland. C'était pour elle, pour la consoler, quoi. Il en restait plus que la moitié quand elle est revenue. Elle pleurait au milieu de la cuisine :

— Tillie, t'as tout bouffé mon gâteau !

J'avais du sucre plein la figure et j'y ai répondu :

— Mais non, Jazz, non, je ferais jamais ça.

Corrie dégoisait toujours son histoire de château. Si j'avais un château, j'abaisserais le pont-levis et tout le monde serait libre. J'ai craqué à l'enterrement. J'aurais dû me tenir à carreau, mais j'ai pas pu. Les petites étaient pas là. Pourquoi elles étaient pas là ? J'aurais tué père et mère pour les voir. Y a qu'elles que je voulais voir. Y en a une qu'a dit qu'elles étaient aux services sociaux, et puis une qui a dit, mais si, elles vont très bien, y a une bonne baby-sitter pour elles. Ça, c'était vachement dur. Trouver une baby-sitter pendant qu'on faisait le tapin. Des fois, c'était Jeanie, des fois Mandy, et aussi Latisha, mais le mieux ça aurait été personne du tout, c'est sûr.

J'aurais dû jamais sortir de chez moi, j'aurais dû bouffer tous les gâteaux de Foodland jusqu'à ce que je puisse même plus me lever.

Je sais pas qui c'est, dieu, mais si je le croise un de ces quatre, je me le colle dans un coin jusqu'à ce qu'il avoue.

D'abord, il va se prendre deux baffes et des coups de latte, histoire qu'il bouge plus. Alors là, il va me regarder et il va m'expliquer pourquoi il m'a fait ce qu'il m'a fait, et ce qu'il a fait à Corrie, et pourquoi c'est toujours les meilleurs qui partent, et où elle est, Jazzlyn, maintenant, pourquoi elle a fini comme ça, pourquoi il m'a laissé lui faire ce que je lui ai fait.

Il va se pointer sur son nuage blanc avec ses anges de merde et ses ailes à la con, et je vais lui envoyer direct dans les gencives :

— Eh, dieu, pourquoi tu m'as laissée faire ?

Alors il va baisser les yeux et il va me répondre. Et si il me dit qu'elle est pas au ciel, Jazz, qu'elle s'est fait black-bouler, il va se prendre une raclée du tonnerre, une torgnole qu'il a jamais vu ça.

Je vais pas pleurnicher devant lui. Ni avant, ni après. Ouais, après, j'aurais du mal, d'façon. La terre, si y avait pas les gens, ça serait le truc le plus parfait du monde. Y a tout ce qui faut là où il faut. Mais après, ils arrivent, les gens, et c'est eux qui foutent la merde. Comme si t'avais Aretha

Franklin dans ta piaule, qu'elle t'envoie tout ce qu'elle a, elle se défonce juste pour toi, que c'est Tillie H. qu'a demandé et qu'ils étaient d'accord, et tout d'un coup t'as Barry Manilow qui sort du rideau.

À la fin de tout, y aura plus que les cafards et les 33-tours de Barry Manilow, qu'elle disait, ma Jazzlyn. Des fois, elle m'écroulait de rire.

C'est pas de ma faute. Peaches m'est tombée dessus avec un bout de tuyau en plomb. Une gou de la C49. Elle s'est retrouvée à l'infirmerie avec quinze points de couture. Dans le dos. Ils croient que je suis cool parce que je suis mimine.

Si tu veux pas que ça te pète à la gueule, tu me donnes pas la bombe. J'ai tapé qu'une fois. J'y suis pour rien. Je voulais pas fricoter, c'est tout. Pas mon truc. Elle avait besoin d'une branlée, elle l'a eue.

La surveillante-chef m'est tombée sur le cul. Ils allaient me transférer. Elle me sort :

— Tu changes de taule, fini New York, tu purgeras le reste à la campagne.

— Putain, merde ! je lui dis.

— Henderson, je t'ai déjà dit qu'on jure pas dans ce bureau.

— OK, j'enlève tout, chef, je lui dis, restera pas une couture.

Elle a gueulé :

— Ce culot ! Taisez-vous ! Vous m'écœurez !

— M'envoyez pas là-bas. Je veux voir mes petites, moi.

Elle a pas répondu, alors comme j'étais sur les nerfs, je lui ai encore balancé une vanne. Résultat :

— Foutez-moi le camp !

J'ai fait le tour de son bureau, j'ai commencé à me déboutonner, alors elle a appuyé sur le bouton et les matons ont déboulé. Je voulais pas le faire, je voulais pas la toucher là, mais mon pied a atterri sur sa gueule. Une dent cassée. Ça change pas grand-chose. Mais ce coup-ci, je dégage. Pony Express pour Tillie.

Elle m'a même pas touchée. Elle est restée un moment par terre, elle avait presque l'air de se marrer, et elle m'a fait :

— Je te garde un chien de ma chienne, Henderson.

M'ont foutu les bracelets, m'ont fait un acte d'accusation, le blabla, m'ont sortie du registre, m'ont collée dans le camion et direction le gerbe du Queens.

J'ai plaidé coupable de coups et blessures, et j'ai pris dix-huit mois en plus. Ça fera deux ans tout rond quand je sortirai. L'avocat m'a dit que je m'en tirais bien, j'aurais pu prendre trois, quatre, même sept ans.

— Ça se refuse pas, ma chérie.

Je déteste les bavards. Il avait tellement son balai dans le cul que la serpillière lui sortait par le nez. Il a jacté devant le juge et tout.

— C'est une tragédie après l'autre, votre honneur.

J'y ai dit que la seule tragédie, c'est que je vois plus les petites. Pourquoi elles étaient pas au gerbe ? Voilà ce que je veux savoir.

— Pourquoi elles sont pas là ? j'ai gueulé.

J'espérais qu'il y aurait quelqu'un, la Lara truc, là, n'importe qui, mais non, personne.

Le juge, c'était un Noir celui-là, le genre qu'a fait Harvard ou c'que je sais. Je croyais qu'il comprendrait, mais les nègres y sont encore pires avec les nègres, des fois. J'y ai dit :

— M'sieur, vous pouvez me laisser voir mes petites ? Rien qu'une fois ?

Il a haussé les épaules, m'a dit qu'elles étaient à l'abri. M'a jamais regardée en face.

— Dites-moi exactement ce qui s'est passé, il me fait.

— Il s'est passé que j'avais une fille, et qu'elle aussi a fait des filles.

— Non, non, je vous parle des coups et blessures.

Alors j'y ai dit :

— Putain, ce que j'en en ai à chier de tes coups et blessures, fous-les-toi dans le cul et va bourrer ta bourge.

Le baveux m'a fait taire. Le juge m'a regardée par-dessus ses lorgnons, il poussait des soupirs, il causait de Booker T. Washington, je sais plus quoi, j'écoutais pas trop. Il a dit à la fin qu'une surveillante voulait qu'on m'envoie au pénitencier, quelque part dans le nord. Il disait ça, « pénitencier », comme si il était de la haute, ce con. J'y ai dit :

— Et va bourrer ta perruche aussi, connard.

Il a donné un coup de marteau et ça y était.

Je voulais leur arracher les yeux. Ils m'ont mis les sangles et m'ont emmenée à l'hôpital. Dans le bus, ensuite, ils ont été obligés de me les remettre. Le pire, c'est qu'ils m'ont même pas dit qu'ils m'envoyaient dans un autre État. Ce que je vais branler dans le Connecticut, moi ? Je suis pas de la cambrousse. Ils m'ont mis la veste jaune et ils m'ont envoyé chez la psy. Ah, sûr, t'as besoin d'un psy si t'aimes porter un truc pareil.

M'ont conduite dans un bureau et j'ai dit à leur pétasse que j'étais jouasse, la banlieue du Connecticut, j'adore. Vachement jouasse, même. J'y ai dit qu'elle me donne une lame, je lui montrerai comment je ferai des petits dessins sur mes veines.

— Bouclez-la, elle leur a dit.

Ils me donnent des cachets. Des pilules orange, ils me regardent bien les avaler. Des fois, je fais semblant, j'ai un trou dans une dent. Un de ces quatre, je les boufferai toutes d'un coup comme une belle orange bien juteuse, je m'enverrai en l'air sous le tuyau, et *sayonara*.

Je sais même pas comment s'appelle l'autre fille de la cellule. C'est une grosse avec des chaussettes vertes. Je lui dis que je vais me pendre, m'envoyer en l'air, et elle me fait :

— Ah ?

Et deux minutes plus tard :
— Quand ?

Faut croire que la petite Blanche, là, Lara-machin, m'aura arrangé le coup, ou quelqu'un d'autre, quelque part. Je suis descendue au parloir. Les petites ! Les petites ! Les petites !

Elles étaient sur les genoux d'une grosse Noire, avec des longs gants blancs, un sac à main chicos, tout rouge, sortie de la cuisse du bon dieu, celle-là.

J'ai couru vers la vitre, j'ai passé les mains dans le trou en bas.

— Jazzlyn ! Janice !

Elles m'ont pas reconnue. Elles ont regardé derrière la grosse en suçant leur pouce, comme pour me briser le cœur. Avec le sourire, collées sur ses gros nichons. Moi, je leur disais :

— Dites bonjour à mamie, dites bonjour à mamie, donnez-moi la main.

C'est tout ce qu'on peut faire à cause de la vitre, y a cinq centimètres en bas, on peut juste passer les doigts. C'est vache. J'avais tellement envie de les prendre dans mes bras. Mais elles gigotaient, pas à l'aise à cause de mes frusques, peut-être, je sais pas. La grosse avait l'accent du sud, mais elle était à la cité, dans le Bronx, je suis sûre. Je l'avais toujours trouvée ringue, elle faisait semblant de pas me voir quand je prenais l'ascenseur. Elle m'a dit qu'elle s'était posé des questions avant de venir, mais on lui avait répété que je tenais à voir les petites, et comme elles habitaient pas loin, une jolie petite maison à Pough-keepsie avec une clôture blanche, c'était pas compliqué. Ça faisait un moment qu'elle avait la garde, « la protection de l'enfance » les lui avait données, elles avaient dû passer un moment à l'hospice ou un truc comme ça, mais maintenant elle s'occupait bien d'elles, fallait pas que je m'inquiète.

— Dites bonjour à mamie, j'ai répété.

Jazzlyn s'est retournée vers la dame. Janice suçait son pouce. Elles étaient toutes propres, toutes les deux. Avec des petits ongles trop ronds, trop parfaits.

— Navrée, elle a dit, ça doit être la timidité.

— Elles ont l'air en bonne santé.

— Elles mangent bien.

— Leur filez pas trop de saloperies.

Elle a baissé la tête en levant les yeux, mais en fait elle était cool. Elle a rien dit que j'étais grossière, ça, ça m'a plu. Au moins, c'était pas la mère la morale.

Ensuite on a rien dit, et puis elle m'a raconté qu'elles avaient une jolie chambre, que la maison était dans une gentille rue tranquille, bien plus tranquille que la cité, elle avait peint les plinthes, elle avait mis une tapisserie avec des parapluies.

— Quelle couleur ils sont ?

— Rouges.

— Bien, j'y ai dit, parce que je voulais pas qu'ils soient roses, comme mon ombrelle. Donnez la main à Tillie, une minute, je leur ai demandé encore, mais elles ont pas bronché.

Plus je leur demandais, plus elles reculaient sur ses genoux, peut-être qu'elles avaient peur à cause de la zonzon, les gardiens, les grands murs, tout ça.

La fille a fait un sourire un peu pincé, elle a dit qu'il était temps de s'en aller. Je savais pas si je l'aimais ou si je la détestais. Des fois, j'hésite dans ma tête. J'avais envie de casser la vitre, de lui tirer les cheveux, ses cheveux crépus, mais d'un autre côté, elle s'occupait de mes petites, elles mouraient pas de faim dans un horrible orphelinat, et je l'aurais embrassée, au moins elle les gavait pas de sucettes et de cochonneries, elles auraient pas les dents pourries.

Quand ça a sonné, elle me les a tendues derrière la vitre pour un bisou. Je crois que j'oublierai jamais l'odeur qui passait par la fente, leur petite odeur mimi. J'ai passé le petit doigt et Janice l'a touché. C'était magique. Je me suis collée au verre. Elles sentaient le bébé, le talc, le lait, tous ces trucs.

Quand je suis revenue dans la cour, c'était comme si quelqu'un m'avait arraché le cœur, et qu'il se promenait devant moi. J'ai pensé ça, y a mon cœur qui se balade devant moi, tout seul, plein de sang.

J'ai pleuré toute la nuit. J'ai même pas honte. Je veux pas qu'elles fassent le trottoir. Pourquoi j'ai fait ce que j'ai fait à Jazzlyn ? Voilà ce que j'aimerais savoir. Pourquoi j'ai fait ça ?

Ce que je détestais le plus : rester sous la Deegan dans la merde des pigeons. Baisser les yeux et c'était le tapis sous mes pieds. De la merde en flaque. Je supportais pas ça. Que jamais les petites aient besoin de supporter ça.

Corrie disait qu'on a mille raisons de vivre, toutes aussi bonnes les unes que les autres, mais j'ai pas l'impression que ça lui ait réussi, hein ?

La fille aux chaussettes m'a balancée. Comme quoi elle s'inquiétait. Mais c'est pas utile que le psy de la taule vienne m'expliquer que je serai vraiment morte quand j'aurai les pieds sous le tuyau. On la paie pour dire ces conneries ? J'ai raté ma vocation. Je serais millionnaire. Je me présente, Tillie Henderson, docteur psy. T'étais une mauvaise mère, Tillie, et une grand-mère de merde. Et ta mère à toi, elle craignait aussi. Maintenant c'est cent dollars, merci, très bien, au suivant si vous plaît, non je prends pas les chèques, du cash seulement.

T'es maniacodépressif, et toi aussi t'es maniacodépressif, et toi t'es complètement maniacodépressive, ma fille. Et toi là-bas dans le coin, t'es seulement dépressif, pauvre con.

J'aimerais bien avoir mon ombrelle le jour où je me barre. Je serai mimine avec mon ombrelle, accrochée au tuyau.

Je vais faire ça pour les petites. Elles ont pas besoin de quelqu'un comme moi. Pas besoin de battre la semelle. Elles se porteront mieux comme ça.

J'ai un bon tuyau rien que pour moi.

Je vais m'envoler comme Mary Poppins.

L'aumônerie fait des réunions au corps de garde. J'y suis allée ce matin. J'ai parlé de Rumi à l'aumônier et tout, mais il dit :

— C'est pas la religion, ça, c'est de la poésie.

Qu'il aille se faire foutre lui et son dieu de merde. Devant, derrière, dans le cul, dans les oreilles, partout où ils veulent. Y aura pas de dieu pour moi. Les buissons ardents, les colonnes de feu, ça existe pas. Me parlez pas de feux. Les feux, c'est au coin du carrefour.

Excuse, Corrie, mais il va prendre sa branlée, ton dieu.

Un des derniers trucs de Jazzlyn, je me souviens, c'est qu'elle a crié et jeté le porte-clés dehors, quand on est montées dans le panier. Il a fait clic par terre, et on a vu Corrigan arriver au pas de course. Il était rouge jusqu'aux oreilles et il gueulait contre les bourres. C'était encore la bonne vie, presque. Ouais, j'admets, c'est comme un bon souvenir, c'est pas bizarre, ça ? Je m'en rappelle comme si c'était hier qu'ils m'ont coffrée.

Le bercail, qu'est-ce qu'ils racontent, y a pas de bercail. Y a que les lois de la vie, c'est tout ce qu'y a. Je parie qu'y a pas de Sherry Netherland au ciel. Ni Sherry, ni cerises, ni que dalle.

Un jour que Jazzlyn avait trois ou quatre semaines, je lui ai donné un bain. Sa peau brillait, je l'ai regardée, j'ai pensé que la beauté était née avec elle. Je l'ai emmaillotée dans la serviette et j'ai promis qu'elle verrait jamais un trottoir.

Des fois, j'ai envie de me trouer le cœur à coups de talon aiguille. Je matais les types qui la faisaient monter, après, quand elle était grande. Et je me disais : « Eh, c'est ma fille que tu baises. » Ma fille à qui t'ouvres la portière. Ma fille et mon sang.

Ouais, mais j'étais junkie. Je crois que je l'ai toujours été.

Ça enlève rien.

Je sais pas si le monde me pardonnera de l'avoir traînée dans la merde. J'y traînerai pas les petites, pas moi.

La maison de blanche neige.

Je dirais bien au revoir, mais je sais pas à qui. Je suis pas en train de pleurnicher, c'est la vérité et merde. C'est l'heure de ta branlée, m'sieur dieu.

J'arrive, Jazzlyn, c'est moi.

J'ai le poing américain dans la chaussette.

© Fernando Yunquez Marcano

LIVRE TROIS

« ... vers d'infinis changements... »

AVANT LA MARCHE, IL ALLAIT SE PRODUIRE À WASHINGTON SQUARE, dans le parc, à la limite des quartiers dangereux. Il avait besoin d'accumuler la pression dans son corps, d'être en contact direct avec le bruit, la saleté, les clameurs. Il attachait la corde sur la colonne striée des réverbères. Jouait pour les touristes, haut-de-forme et pointes aux pieds. Du pur théâtre. Se balancer et faire semblant de tomber. Défier la pesanteur. S'incliner jusqu'à la dernière extrémité et se rétablir quand même. Tenir un parapluie en équilibre sur le nez. Lancer une pièce avec l'orteil pour qu'elle atterrisse en haut du crâne. Saut périlleux avant, saut périlleux arrière. Le poirier. Jongler avec les quilles, les balles, les torches enflammées. Il avait inventé un tour avec le Slinky – les boucles de métal se déroulaient sur l'escalier de son corps. Les touristes en redemandaient, jetaient de l'argent dans le chapeau. De petites pièces en général, mais parfois aussi un dollar, ou cinq. S'ils lui en donnaient dix, il sautait du fil, se décoiffait, faisait la révérence et s'effaçait d'une pirouette.

Le premier jour, les dealers et les junkies sont venus l'observer. Ils ont vu qu'il se faisait pas mal de blé. Il fourrait tout dans les poches de son fute, et il savait qu'ils essaieraient de les lui vider. Il ramassait l'argent après son dernier tour, remettait son chapeau, rejoignait le sol sur l'unicycle par le câble incliné, puis il traversait le square vers Washington Place. Il saluait sans se retourner, d'un geste de la main, et il revenait le lendemain récupérer sa corde. Finalement les dealers l'aimaient bien, le laissaient faire, et les touristes qu'il attirait étaient des proies faciles.

Il avait loué un appartement sans eau chaude à Saint Marks Place. Un soir, il a tendu une corde toute simple depuis sa chambre jusqu'à l'échelle d'incendie de la voisine en face, une Japonaise. Elle avait placé des bougies pour lui sur la ferronnerie. Il est resté huit heures chez elle. Au retour, il a découvert que des mômes avaient jeté des chaussures sur la corde, attachées l'une à l'autre par les lacets. Une coutume locale. Il est revenu sur un fil détendu. Bien que dangereux, c'était toujours à sa portée et il est rentré chez lui par la fenêtre. Pour s'apercevoir aussitôt que l'endroit était sens dessus dessous. On lui avait tout pris, même ses vêtements, et l'argent dans les poches de son pantalon. Quant à la Japonaise, il ne devait plus la revoir. Disparue elle aussi, avec les bougies. C'était une première : personne ne l'avait encore jamais volé.

Voilà la ville où il avait pris pied – où il était sur la brèche et, à sa grande surprise, il n'était pas le seul.

On l'embauchait parfois pour les fêtes, les réceptions. Il avait besoin de cet argent : il aurait tant de frais, et on venait de le piller. Le câble en lui-même coûtait mille dollars. Puis il y avait le tendeur, les faux papiers, le balancier, et mille astuces à inventer pour monter le matériel en haut. Prêt à tout pour se renflouer, cependant ces fêtes, c'était assez pénible. On l'engageait pour des tours de magie, mais il les prévenait : il ne promettait rien. On paie d'abord, et peut-être restera-t-il tout simplement assis jusqu'à la fin de la soirée. L'idée a porté ses fruits. Elle ajoutait au suspense et on l'invitait encore plus. Il a acheté smoking, nœud papillon, ceinture en soie.

Il racontait qu'il était belge et marchand d'armes, ou expert chez Sotheby's, ou jockey au retour du Kentucky Derby. Des rôles faciles à jouer. Le seul endroit où il était véritablement lui-même, de toute façon, c'était la corde. Il sortait toute une botte d'asperges de la serviette du voisin, déroulait un foulard sans fin de la pochette d'un autre, trouvait des bouchons de bouteille derrière les oreilles de ses hôtes. Au milieu du dessert, il jetait une fourchette en l'air qu'il recueillait sur son nez. Il basculait sur sa chaise jusqu'à ce qu'elle tienne sur un seul des quatre pieds, et lui avec, alors il disait que c'était l'ivresse suprême, le nirvana de l'équilibre. Les convives étaient épatés. On chuchotait autour des tables. Les femmes lui présentaient leur décolleté, les hommes lui effleuraient nonchalamment les genoux. Et il s'évanouissait par la fenêtre, ou par l'escalier de service, déguisé en serveur, un plateau de hors-d'œuvre encore plein sur la tête.

Lors d'une réception au 1040 Fifth Avenue, il a annoncé au début du dîner que, à un moment donné de la soirée, il révélerait la date de naissance précise de chacun des messieurs. Réactions enthousiastes. Une femme parée d'un diadème étincelant s'est penchée pour demander :

— Et pourquoi pas les dames ?

Il s'est détaché d'elle.

— Parce qu'il est indécent de révéler l'âge d'une femme.

Il avait déjà séduit la moitié de la pièce.

Et il n'a plus dit un mot de la soirée : pas un seul.

— Allez, l'ont prié les messieurs. Dites-nous.

Il les a étudiés, longuement, attentivement, changeant plusieurs fois de siège, leur passant même un doigt à la naissance des cheveux. Puis il a opiné du chef, vaguement perplexe, les sourcils froncés. Lorsqu'on a débarrassé les sorbets, il est monté d'un air las sur la table et il a débité les dates de naissance de chacun des convives en les montrant l'un après l'autre. Tous sauf le dernier. 29 janvier 1947. 16 novembre 1898. 7 juillet 1903. 15 mars 1937. 5 septembre 1940. 2 juillet 1935.

Les femmes ont applaudi et les messieurs, sonnés, ne bougeaient pas.

Le seul qu'il avait omis s'est calé sur son dossier avec une moue suffisante.

— Et moi ? a-t-il dit.

L'illusionniste a levé une main désinvolte.

— Vous ? Mais on s'en fout, de la vôtre !

Tout le monde a éclaté de rire, puis, passant d'une invitée à la suivante, il a récolté les permis de conduire dans les sacs à main, les assiettes, sous les serviettes de table, même dans un décolleté. Les dates étaient les bonnes. Celui qui avait échappé à l'inventaire a déclaré que, par principe, il n'avait jamais son portefeuille sur lui : on ne saurait donc pas. Un silence. Sautant à terre, le magicien a noué son écharpe, s'est avancé jusqu'à la porte, depuis laquelle il a lancé : 28 février 1935.

Le type a rougi, la table a applaudi pendant que l'épouse faisait un clin d'œil discret au funambule qui se glissait dehors.

*

* *

Il y avait là une certaine arrogance mais, sur le fil, l'arrogance était affaire de survie. C'était le seul moment où il pouvait totalement se perdre. Il se faisait parfois l'impression d'un homme qui voulait se détester. Se débarrasser de ce pied. De cet orteil. De ce mollet. Trouver le lieu de l'immobilité. Cela tenait au vieux principe de la guérison par l'oubli. Devenir anonyme pour soi-même, se laisser absorber par son corps. Cependant les réalités se chevauchent : il voulait que l'esprit accompagne la chair jusqu'au cœur du bien-être.

Cela ressemblait à faire l'amour avec le vent. Le vent qui complique tout, qui s'emporte, qui lentement se dédouble, nous contourne et revient. Et le fil était frère de la souffrance : il serait toujours là à lui étriller les pieds, à peser sur le balancier, lui élancer les bras, lui dessécher la gorge, cependant la joie dominait la douleur, alors qu'importe. Même chose avec le souffle. Que le câble respire, pour qu'il puisse s'effacer. La sensation de se perdre jusqu'au dernier nerf, jusqu'à la cuticule. C'était là dans les tours. La raison flottait. Le temps disparaissait. Le vent soufflait et peut-être son corps le sentait-il dès avant sa naissance.

Il avait commencé depuis longtemps quand les hélicos de la police sont arrivés. Deux moucherons de plus dans les hauteurs : pas de quoi s'affoler. Leurs battements conjugués semblables à une rupture de cartilage. Ils n'essaieraient pas de l'approcher, bien sûr. Ils n'étaient pas stupides à ce point, supposait-il. Il n'en revenait pas que les sirènes puissent couvrir tous les sons : c'était comme si elles s'écoulaient vers le ciel. Il y avait maintenant des dizaines de flics sur le toit, criant après lui, courant dans tous les sens. Tête nue, retenu par un harnais bleu, l'un d'eux se penchait dans le vide entre deux colonnes de la tour sud, le traitait d'enculé, putain sors de ce putain de câble, connard, magne-toi le cul avant que je t'envoie l'hélico, on va t'arracher de là, tu m'entends, tête de nœud, dégage ! Et le fil-de-fériste pensait : « Mais en voilà un drôle de langage. » Et d'ailleurs, comment attrape-t-on un funambule ? Souriant, il a fait demi-tour et remarqué d'autres agents, du côté opposé, plus calmes, courbés sur leurs talkies-walkies. Il entendait presque les parasites. Non, il ne voulait pas se payer leur tête, il voulait simplement rester : sans doute ne pourrait-il jamais recommencer.

Les cris, les sirènes, et les mornes sonorités du dessous. À laisser ronronner, fondre dans le bruit blanc. Le silence ultime qu'il cherchait était exactement au milieu, à trente mètres de chaque tour, et il fermait les yeux, immobile, sur un câble disparu, l'air de la ville dans les poumons.

Des cris au mégaphone :

— On envoie l'hélico ! On envoie l'hélico ! Dégage !

Il a souri : jamais ils ne le feraient.

— Tout de suite ! C'est un ordre !

Il s'est demandé si la mort se présentait ainsi, le monde et ses rumeurs dont on se détache si facilement.

Il s'est rendu compte qu'il avait conçu le premier pas sans jamais imaginer le dernier. Donc finir en beauté. Se tournant vers le mégaphone, il a attendu un peu. Baissé la tête comme pour signifier son accord. Oui, il venait. Il a levé un genou. Sa silhouette noire est visible d'en bas. La cuisse bien haute pour souligner l'effet. Une arabesque avec la jambe. La marche du canard. Puis un pied après l'autre, ainsi de suite, machinalement, et enfin au pas de course, la plante bien au milieu du câble, les orteils de biais, le balancier le plus loin possible, jusqu'au rebord de béton. Jamais il n'avait couru si vite sur un fil.

Le flic a dû reculer pour l'attraper. Il lui tombait dans les bras.

— P'tit con, a-t-il dit, avec un sourire cette fois.

Pendant des années, il sera toujours là, agile, avec ses chaussons noirs. Cela se produira aux moments les plus inattendus. Sur l'autoroute. Alors qu'avant l'orage il visse les volets sur la fenêtre du cabanon. Qu'il se promène dans les hautes herbes du Montana, autour du pré dont la surface se rétrécit. Brusquement dans les airs, le câble tendu entre les orteils. Pris dans les mailles du vent. Une soudaine élévation. La ville en dessous. Quels que soient l'humeur, l'endroit, la sensation revenait sans crier gare. Il choisissait un clou dans une poche de sa salopette pour fixer un bout de bois ; ou il se penchait avant d'ouvrir la boîte à gants ; ou il rinçait un verre sous le jet ; ou il faisait un tour de cartes un soir chez des amis – et de nouveau son corps paraissait se vider pour laisser place au sang qui affluait avant le prochain pas. Comme si son corps avait pris une photo qu'on lui glissait sous le nez pour aussitôt la lui retirer. Parfois il revoyait l'étendue de la presqu'île, ses allées de lumière, le clavecin du Brooklyn Bridge, le bol de fumée grise du New Jersey, un pigeon s'éloignant à tire-d'aile (« regarde comme c'est facile »), les taxis tout en bas. Jamais il ne s'était cru en danger, face à une quelconque extrémité, et donc il ne se rappelait pas s'être allongé sur le fil, ni avoir bondi, ni être reparti en courant vers la tour nord. Seuls les pas les plus simples remontaient à la surface, ceux qu'il avait exécutés sans frime. Ceux-là, entièrement vrais, ne se dérobaient pas au souvenir.

Il avait eu soif aussitôt après, il ne voulait que de l'eau et qu'on détache le câble : c'était dangereux de le laisser là.

— Il faut absolument l'enlever.

Ils ont cru à une blague. Ils n'avaient pas idée. Il pouvait ployer sous le vent, se briser, décapiter quelqu'un.

— S'il vous plaît, insistait-il pendant qu'ils le poussaient vers le milieu du toit.

Voyant un homme se diriger vers le cabestan et commencer à desserrer, il a senti un soulagement énorme, puis la fatigue s'emparer de lui. Il se fondait de nouveau dans sa vie.

Les badauds ont poussé des cris de joie, les flashes ont crépité quand il a émergé en bas, les menottes aux poignets, encadré par les flics, les journalistes, les caméras et les costumes sombres.

Il avait piqué un trombone au poste de commandement du World Trade. Ces menottes ne posaient pas de difficulté particulière : un petit coup en biais et elles se sont ouvertes. Se libérant tout en marchant, il a levé un bras en réponse aux acclamations. Les flics n'ont pas eu le temps de comprendre qu'il refermait déjà le bracelet dans son dos.

— Gros malin, a commenté un sergent avant d'empocher le trombone.

Mais il y avait de l'admiration dans sa voix : il n'avait pas fini d'en parler, de ce ridicule bout de métal.

Le funambule a traversé la foule du parvis. Une voiture de police l'attendait au bas des marches. C'était curieux de revenir dans le monde : le battement des semelles, les cris d'un vendeur de hot-dogs, un téléphone à pièces qui sonnait dans le vide.

Il a marqué un temps pour se retourner vers les tours. Il distinguait encore le câble qu'on était en train de tirer, lentement, soigneusement, fixé au bout d'une chaîne, d'une corde, d'un fil de pêche. C'était comme le dessin d'un enfant qui s'efface sur le Télécran – secoué par le ciel lui-même. Le fil disparaissait grain après grain. Bientôt, il ne resterait là-haut que la brise.

L'entourant, l'étouffant, ils demandaient son nom, ses raisons, son autographe. Immobile, il continuait de regarder, s'interrogeait, qu'avaient-ils vu, quelle perspective leur avait-on coupée ? Un reporter avec une casquette blanche a crié :

— Pourquoi ?

Le mot était déplacé. Il n'aimait pas l'idée du pourquoi. Les tours étaient là, ça suffisait. Il avait envie de demander pourquoi on lui demandait pourquoi. Une comptine enfantine lui est passée par la tête, pourquoi, pourquoi, pourquoi, au revoir et adieu.

Une légère secousse dans son dos pendant qu'on lui tirait le bras. Il s'est retourné et ils l'ont escorté à la voiture.

— Rentre là-dedans, mon gars, a dit le flic en lui posant une main sur le crâne.

On l'a installé, toujours menotté, sur la banquette de cuir rigide.

Les photographes pressaient leurs objectifs sur la vitre. Une éruption de flashes, suivie d'un bref aveuglement. C'était pareil de l'autre côté. Alors il a regardé droit devant lui.

Ils ont enclenché les sirènes.

Il n'y avait plus que du bleu, du rouge, ce hurlement.

Un maillon de la chaîne

LE CIRQUE AVAIT COMMENCÉ PEU APRÈS LE DÉJEUNER. Les confrères, les huissiers, les greffiers, les journalistes, même les sténos en parlaient déjà. Un de ces trucs qui ne peuvent arriver qu'ici, une de ces journées qui, sortant de l'ordinaire, faisaient oublier la foule des autres. New York dévoilait son âme de temps en temps, elle avait le chic pour ça. C'est une image qui vous agressait, un crime, une horreur, une splendeur, quelque chose de si inattendu que vous hochiez bêtement la tête, bouche bée, incrédule.

Il avait son idée sur la question. Si de tels événements avaient lieu, c'est que cette ville ne s'intéressait pas à l'histoire. L'imprévisible se produisait pour cette raison justement qu'elle se moquait du passé, qu'elle s'immergeait chaque jour dans le présent. New York n'avait pas besoin de croire en elle, comme Londres ou Athènes ; elle ne symbolisait pas le Nouveau Monde, comme Sydney ou Los Angeles. Elle se foutait bien de son rang. Il avait vu un T-shirt avec l'inscription : *New York Fuckin' City* [29]. C'était dans un sens comme s'il n'avait jamais existé qu'elle, et il en serait toujours ainsi.

Elle allait constamment de l'avant, qu'importe la veille ou l'avant-veille. Pour ne pas être la femme de Loth changée en statue de sel quand elle s'était retournée vers Sodome. Statufiés, Long Island et le New Jersey.

309

Il avait souvent dit à Claire que la chronologie s'évanouissait dans les murs. Voilà pourquoi il y avait si peu de monuments. Contrairement à Londres, où l'on trouvait à chaque coin de rue une figure historique, un mémorial, gravés ou sculptés dans la pierre. Il pouvait tout au plus situer une dizaine de statues proprement dites à Manhattan – plantées pour la plupart dans la Literary Walk de Central Park. Mais qui se promenait encore aujourd'hui à Central Park ? À moins d'y aller avec une division blindée, on était mort avant Sir Walter Scott. Personne ne voyait l'utilité de poser sa marque aux grands carrefours, que cela soit Broadway, Wall Street ou autour de Gracie Square. Pour quoi faire ? On ne mange pas les statues. On ne fornique pas avec les monuments. Impossible d'extorquer un million de dollars à un bronze.

Même ici, à Centre Street, ils n'avaient pas grand-chose pour s'autogratuler publiquement. Pas d'effigie de la justice avec un bandeau sur les yeux. Pas de grands esprits emmaillotés d'une toge. « Ne rien voir de mal, ne rien entendre de mal, ne rien dire de mal » n'était pas gravé sur le frontispice à l'entrée des Assises.

C'était une des raisons pour lesquelles Soderberg pensait que cette marche dans le ciel était un coup de génie. Un monument en soi. Cet homme s'était transformé en statue, en vraie statue new-yorkaise, instantanée, dans les airs au-dessus de la ville. Une statue qui se foutait du passé. Le type était monté au World Trade, avait tendu sa corde entre les Twins, les deux plus hauts gratte-ciel du monde. Rien que ça. Le culot. Le sang-froid. La vision. Sûr, pour faire de la place, les Rockefeller avaient abattu des immeubles néoclassiques et quelques *browstones*[30] – ce qui avait contrarié Claire. Avec eux avaient disparu les magasins d'électronique, les salles des ventes où de beaux parleurs vendaient leurs machins inutiles, épluche-carottes, lampes torches à radio intégrée, boules à neige-boîtes à musique. On avait maintenant deux immenses buildings qui trouaient les nuages.

Le verre reflétait le ciel, la nuit, les couleurs, le progrès, la beauté, le capitalisme.

Mais Soderberg n'était pas de ceux qui dénigraient le passé. La ville était plus grande que ses immeubles et que ses habitants. Elle avait tout de même le sens de la nuance. Elle prenait ce qui arrivait, les crimes et la violence et les petits bienfaits qui émergeaient bon an mal an du quotidien.

Il a pensé que le funambule avait sérieusement préparé son affaire. Un coup de génie, d'accord, pas un coup de tête. Il portait un message avec son corps et, s'il tombait, eh bien il tombait. Dans le cas contraire, il devenait un monument, pas un de ces trucs pompeux, enchâssés dans la pierre ou le bronze, non, un vrai symbole new-yorkais devant lequel on s'exclame : « Non, mais tu le crois, toi ? » De préférence en jurant. À New York, on ponctue ses phrases d'interjections grossières. Même les juges. Soderberg n'était pas amateur de jurons mais, à certains moments, il leur reconnaissait quelque intérêt. Un mec sur un fil, naviguant dans les airs au-dessus du cent dixième étage, non, mais putain, tu le crois ?

*

*   *

Il avait raté le spectacle et s'en mordait les doigts. Loupé de quelques minutes, voire de quelques secondes. Il avait pris le taxi jusqu'au Palais. Le chauffeur était noir, maussade, il faisait gueuler son autoradio, la voiture sentait la marijuana. Ça devenait écœurant à force, impossible de se véhiculer proprement dans cette ville. Une musique de rastafari sur le lecteur de cartouches. Le type l'avait déposé à l'arrière du bâtiment. Passant devant les bureaux du procureur, Soderberg s'était arrêté à la porte latérale, à cornières, réservée aux juges – seule concession qu'on leur ait faite, pour qu'ils ne se retrouvent pas mêlés aux gens ordinaires.

Ce n'était pas un privilège, ni une façon de se cacher. Ils avaient simplement besoin d'une entrée à eux, au cas où un imbécile déciderait de se faire justice lui-même. Mais il s'en félicitait : un passage secret dans le Palais.

Se retournant une seconde, il avait aperçu aux étages supérieurs, en face, quelques personnes penchées aux fenêtres, bras et cous tendus vers l'ouest. Supposant qu'elles contemplaient un accident, ou une de ces rixes matinales, il avait poussé le battant métallique sans s'attarder. Si seulement il avait prêté attention, il aurait pu monter sur le toit et suivre la scène de loin. Mais il avait composé le code, pressé le bouton de l'ascenseur, attendu l'ouverture de la porte en accordéon, et il s'était arrêté au troisième.

Il avait longé le couloir avec ses souliers noirs de tous les jours. Ses semelles couinaient dans le silence. Les murs sombres dégageaient une forte odeur de moisissure et l'endroit était encore plus déprimant l'été. Son bureau était au bout, une grande pièce haute de plafond. Lorsqu'on l'avait nommé, il avait dû partager une minuscule permanence crasseuse qu'un cireur de chaussures aurait refusée. Il n'en revenait pas de voir comment on les traitait. Des crottes de souris dans les tiroirs. La couche de peinture fraîche qui se faisait désespérément attendre. Les cafards s'agitaient sur le rebord de la fenêtre, comme si eux aussi ne pensaient qu'à s'échapper. Puis cinq années s'était écoulées, et on l'avait promené de bureau en bureau. Il en occupait un plus digne aujourd'hui, on lui avait accordé quelques égards. Table de travail en acajou. Encrier en verre taillé. Des photos de Claire et de Joshua au bord de la mer en Floride. Un rectangle de métal magnétisé pour retenir les trombones. Planté derrière lui près de la fenêtre, le *Stars and Stripes* flottait parfois au vent. Pas le bureau d'un roi, mais convenable. Soderberg n'était pas homme à se plaindre pour rien : il conservait ses munitions pour les jours où il en aurait vraiment besoin.

Claire lui avait acheté un fauteuil dernier cri en cuir rembourré. Au début de sa journée, il adorait s'asseoir dedans et pivoter. Il avait sur ses étagères des rangées et des rangées de livres. Les décisions de la Chambre d'appel, de la Cour d'appel, les juridictions de l'État de New York. Sur un rayon à part, tous les recueils de Wallace Stevens, dédicacés par l'auteur. L'annuaire de Yale. Les copies de ses diplômes au mur. Un dessin du *New York Times* joliment encadré près de la porte : Moïse sur la montagne avec les dix commandements, et deux avocats qui jetaient un coup d'œil au-dessus de la foule : « On a du bol, Sam, rien de rétroactif, pour l'instant. »

Il a branché la cafetière, étalé son journal sur son bureau, vidé quelques sachets de lait en poudre. Les sirènes dehors, les sirènes toujours : le négatif de ses journées.

Il avait parcouru la moitié des pages affaires quand la porte s'est entrouverte sur un autre crâne chauve. Ce n'était pas mérité, mais la Justice souffrait d'alopécie. Ne pas y voir une tendance, mais un fait. Messieurs les déplumés. Ce qui avait été au départ une crainte larvée se confirmait de jour en jour, ils perdaient tous leurs cheveux. La calvitie de la bureaucratie.

— Salut, collègue.

Pollack était tout rouge. Il avait des yeux en boutons de bottine et une grosse bouille de requin marteau. Il a débité une tirade à propos d'un type pendu, ou suspendu, entre deux tours. Imaginant un suicide, une corde, un grand saut quelque part, Soderberg continuait de feuilleter son journal en dodelinant de la tête. On ne parlait que du Watergate, ça sortait par tous les tuyaux. Et Gordon Liddy[31] était un fameux plombier, hein ? Pollack n'a pas relevé la plaisanterie. Il avait des miettes de fromage blanc sur sa toge noire, probablement le reste dans la bouche prêt à partir en postillons. Agression microbienne. Soderberg s'est enfoncé dans son fauteuil. Il allait lui reprocher de petit-déjeuner au lance-pierres, quand le confrère, en sus de la corde *raide*, a mentionné le balancier. Alors ça a fait tilt.

— Répète ?

L'homme dont parlait Pollack avait en réalité *marché* entre les deux immeubles. Il ne s'était pas arrêté là, il s'était allongé sur son fil, il avait sauté à cloche-pied, il avait dansé et pratiquement couru d'un toit à l'autre.

Faisant un quart de tour décisif sur son fauteuil, Soderberg s'est levé. Ouvrant les stores d'un geste brusque, il a tenté de distinguer quelque chose dans le lointain. On apercevait l'arête de la tour nord, mais tout le reste était bouché.

— Trop tard, a dit Pollack. C'est terminé.

— C'est légal, tout ça ?

— Comment ?

— Il avait une autorisation ?

— Bien sûr que non. Le gus a trouvé le moyen de s'introduire en pleine nuit. Il a tendu sa corde et il est monté dessus. On l'a regardé depuis le dernier étage. C'est les gardes qui nous ont avertis.

— Il est rentré comme ça dans le World Trade Centre ?

— Un dingue, si tu veux mon avis. Tu ne crois pas ? Faudrait peut-être l'emmener à Bellevue, celui-là.

— Comment il a fait pour tendre sa corde ?

— Aucune idée.

— Arrêté ? On l'a arrêté ?

— Mais oui, s'est esclaffé Pollack.

— Quel arrondissement ?

— Le premier, mon vieux. Tu te demandes chez qui il va tomber ?

— Je fais les requêtes aujourd'hui.

— Veinard. Et d'une : effraction.

— De deux : mise en danger de la vie d'autrui.

— Autoglorification, a renchéri Pollack avec un clin d'œil.

— La journée sera moins longue. Moins que la file des photographes, en tout cas.

— Il a un sacré toupet, quand même.

314

Soderberg avait un doute : le toupet, ça tenait plutôt du culot ou de la bêtise ? Un autre clin d'œil, une révérence appuyée, et Pollack a claqué la porte. Elle a fait un petit bruit sec.

— Du culot, a décidé Soderberg une fois celle-ci fermée.

Sans aucun doute, ça changerait de l'ordinaire. Que cet été était pénible. La canicule, un cortège solennel de cadavres, de trahisons, de coups de couteau. Il avait besoin d'un peu de distraction.

Il n'y avait que deux chambres de première instance, ce jour-là, il avait donc une chance de récolter l'affaire. Encore faudrait-il qu'ils ne traînent pas, qu'ils lancent la procédure assez vite – s'ils voulaient attirer l'attention de la presse, rien ne les en empêchait. Régler la paperasse ne prenait qu'une heure ou deux. Les empreintes digitales, une déposition, on envoie un double à Albany[32], et ouste. Un délit de droit commun – pour l'instant. Mais il avait peut-être des complices. Comment diable avait-il fait passer la corde d'un toit à l'autre ? Sans doute pas une corde, non, plutôt un câble en acier. Mais par quel procédé ? Bien sûr, une corde, c'était impossible. Pas assez solide, sur cette distance. Comment s'était-il arrangé ? Un hélicoptère ? Un treuil ? Par les fenêtres ? Il avait déroulé son câble jusqu'en bas, et quelqu'un d'autre l'avait hissé en haut de la deuxième tour ? Ouh, un frisson de plaisir. Une fois de temps de temps, une affaire sortait du lot, bouleversait le train-train. Donnait un peu de saveur aux choses. De quoi alimenter les conversations dans les officines. Mais si le dossier arrivait en face, chez le collègue ? Peut-être Soderberg pouvait-il en toucher un mot, dans ce cas, au procureur, aux greffiers ? Sous le sceau du secret, évidemment. On se rendait parfois des services, d'une chambre à l'autre. On renvoyait l'ascenseur. « Donnez-moi le funambule, je vous revaudrai ça. »

Les pieds sur son bureau, il buvait son café en méditant cette journée qui s'annonçait différente – enfin un acte d'accusation qui ne serait pas une corvée.

Car il fallait bien l'avouer, ça devenait sinistre. Tous les jours une marée nouvelle rapportait les mêmes détritus. *La racaille* : un mot qu'il avait longtemps refusé d'employer. Plus maintenant. Car c'est bien ce que c'était, même s'il lui était pénible de l'admettre. De la racaille. La mer laissait sur la rive un chargement de seringues, de sachets en plastiques, de chemises ensanglantées, de capotes, de morveux en tout genre. Il se tapait la lie de la lie. Les gens supposaient qu'il occupait des fonctions prestigieuses, un paradis de cuir et d'acajou dans les hautes sphères du pouvoir, mais grattez un peu, et derrière c'est le vide. Oui, on obtenait les bonnes tables dans les grands restaurants, et la famille de Claire était absolument ravie. Les gens dressaient l'oreille dans les réceptions, se serraient autour de lui, changeaient soudain de niveau de langue. Pas un avantage à proprement parler, mais c'était mieux que rien. C'était censé être un tremplin aussi, vers la Cour suprême ou une autre promotion mais, pour l'instant, cette porte-là ne s'était pas ouverte. En définitive, c'était tout simplement casse-pieds, prosaïque. Le baby-sitting élevé au rang de bureaucratie. À Yale, quand il était encore jeune, bouillonnant, il était sûr de devenir le centre de la terre, d'exercer toute sa vie une vive influence. À vingt ans, tous les gamins croient ça. L'égocentrisme est un attribut de la jeunesse. Oui, l'empreinte qu'on laissera, c'est ça. Les adultes apprennent tôt ou tard. On creuse un petit trou et on se coule dedans. On surmonte de son mieux le temps qui passe. On rentre chez sa douce épouse, qui a les nerfs fragiles, et on s'efforce de la rassurer. Assieds-toi, ne ménage pas tes compliments sur l'argenterie. Remercie ta bonne étoile pour l'héritage. Fume un bon cigare, et peut-être fera-t-on encore quelques galipettes dans la soie. Achète-lui un beau bijou chez DeNatale, embrasse-la dans l'ascenseur car elle est toujours belle, bien conservée, malgré les années écoulées. Si, vraiment. Tu l'embrasses, tu repars au travail chaque jour, tu te rends bientôt compte que tu n'es pas plus malheureux que les autres. Bien au contraire. Tu regrettes ton fils disparu, tu te réveilles au milieu de la nuit, tu trouves ta femme en pleurs, tu vas à la cuisine te faire un sandwich au fromage et tu te dis, au moins c'est un sandwich au fromage à Park Avenue, ça pourrait être pire, on aurait pu tomber plus bas, voilà ma prime : un soupir de soulagement.

Les avocats ne se font pas d'illusions. Les greffiers, les autres juges non plus. Centre Street est une chiotte. C'est ce qu'ils disent : « la chiotte ». Quand ils se rencontrent, même en haut lieu.

« Salut, Earl, c'était comment, la chiotte, aujourd'hui ? »

« J'ai laissé mon cartable à la chiotte. »

Ils en ont même fait un verbe.

« Tu chiottes, demain, Thomas ? »

Soderberg n'aimait pas le reconnaître en son for intérieur, mais c'était la vérité. Il se donnait l'impression d'être sur une échelle – un type bien habillé, instruit, d'un certain rang, qui ne manquait pas d'allure, mais qui en était réduit à enlever à mains nues les feuilles et les brindilles qui bouchaient la gouttière de la chiotte.

Ça le rebutait un peu moins maintenant. Il faisait partie du système, c'était ainsi, il avait compris. Il était un petit carré de peau dans le dos d'une grande créature complexe. Un rouage de la machine. C'était peut-être ça, vieillir. On laisse le changement aux générations suivantes. Seulement, elles finissent sous les grenades dans un café au Vietnam, les générations suivantes, et alors on poursuit, il faut continuer parce qu'il reste toujours le souvenir.

S'il n'était pas le Juif non-conformiste qu'il avait prévu d'être, il ne baissait pas les bras pour autant. Question d'honneur, de survie, de respect de la vérité.

Quand on lui avait fait cette proposition, à l'été 67, il avait accepté en pensant devenir un modèle de vertu. Il croyait s'épanouir dans les difficultés. Il avait renoncé à son job de l'époque, à un salaire deux fois supérieur. Mais il n'avait pas besoin d'argent – Claire et lui en avaient assez mis de côté, leurs comptes étaient bien remplis, l'héritage fructifiait, Joshua était casé au PARC. Ce poste de juge était une surprise totale, et l'idée lui plaisait. Certes, au début de sa carrière, il avait travaillé quelques années au ministère de la Justice, où il n'avait pas ménagé sa peine. Il avait siégé à la commission du budget, fait ses preuves en même temps, su frapper aux bonnes portes. En charge de plusieurs affaires délicates, il avait trouvé les bons arguments et prêché la modération. Pour un éditorial du *New York Times*, il avait étudié le contexte juridique de l'insoumission et les effets psychologiques de la conscription. Pesant divers aspects moraux et constitutionnels, il avait finalement soutenu l'effort de guerre. S'il avait plusieurs fois croisé John Lindsay, le maire, dans les réceptions de Park Avenue, il n'avait pas tenté d'en profiter, c'est pourquoi il avait pensé qu'on lui jouait un sale tour en lui proposant cette nomination. Il s'était esclaffé en raccrochant. Mais le téléphone avait de nouveau sonné.

— Vous voulez de moi à ce poste ? !

On avait mentionné quelque promotion à terme, comme juge assesseur à la Cour suprême de l'État, d'abord, et ensuite... tout était possible. New York étant menacée de faillite depuis quelque temps, les promotions étaient gelées, pour nombre d'entre elles, mais cela ne faisait rien, il tiendrait le coup. Soderberg croyait au caractère absolu de la loi. Il saurait peser, disséquer, réfléchir, apporter des changements, rendre quelque chose à la ville qui l'avait vu naître. Il avait souvent eu l'impression d'éluder les vrais problèmes, mais maintenant, baisse de salaire ou pas, il serait dans le cœur de l'action. La claire application des lois était un point fondamental, autant que leur propension à contenir l'humaine folie. Soberberg était convaincu qu'elles n'étaient pas gravées dans le marbre, qu'on pouvait les passer au crible, les modifier et les améliorer. Tout cela, c'était du travail. Ce n'était pas tant la recherche qui l'intéressait, mais le bon sens. Il serait au front de taille. Un mineur au service de la moralité. L'honorable Solomon Soderberg.

Rien que le titre sonnait bien. Peut-être bouchait-il simplement un trou dans les registres de la justice, et à moindre coût, mais cela ne le dérangeait pas, il y avait plus d'avantages que d'inconvénients. Tel le rabbin, il s'appliquerait, écouterait, comprendrait. Et d'ailleurs dans chaque avocat sommeille un juge.

Le tout premier jour, il était arrivé le cœur en fête. Par la grande entrée. Un moment à savourer. Il s'était acheté un costume chez un tailleur chic de Madison Avenue. Une cravate Gucci. Des mocassins à pampilles. Il était plein d'expectative. Au-dessus des portes dorées était gravé à l'extérieur : « *The People are the Foundation of Power*[33]. » Il s'était arrêté pour bien s'en imprégner. À l'intérieur, le hall n'était que mouvement et confusion. Des maquereaux, des journalistes, des avocats marrons. Des types aux semelles compensées. Mauves. Des femmes qui tiraient leurs enfants derrière elles. Des clochards endormis dans les alcôves des fenêtres. Son cœur s'était serré à chaque nouveau pas. L'espace d'un instant, le bâtiment avait semblé garder quelque chose de sa gloire – les hauts plafonds, les vieilles balustrades en bois, le sol en marbre, mais plus il avançait, plus il défaillait. Les salles d'audience étaient encore pires qu'à son souvenir. Hébété, abattu, il avait erré un moment sans but. Les couloirs étaient pleins de graffitis. On fumait devant les salles d'audience. On marchandait dans les toilettes. Les procureurs avaient des toges trouées. Des flics véreux écumaient les lieux, à la recherche d'un pot-de-vin. Des adolescents se serraient la main selon un curieux rite. Des pères attendaient avec leurs filles défoncées. Des mères pleuraient sur l'épaule de garçons chevelus. Le cuir rouge des portes capitonnées était déchiré, fendu. Les magistrats avaient des cartables déglingués. Comme un spectre, il avait continué tout droit, pris l'ascenseur, tiré une chaise pour s'asseoir à son nouveau bureau. Trouvé un chewing-gum desséché sous le tiroir.

Mais bon, s'était-il dit, je mettrai vite de l'ordre dans tout ça. C'était à sa portée. Il pouvait renverser la situation.

Il avait fait part de ses intentions un après-midi, lors d'un pot pour Kemmerer qui partait à la retraite. On avait ricané çà et là.

— Ainsi parlait Salomon, avait ânonné un crétin.

— Coupez le bébé en deux !

Des rires gras pendant qu'on trinquait. Les autres juges avaient dit qu'il s'habituerait, il verrait la lumière et resterait dans le tunnel. La loi était sage, car tolérante. Il fallait accepter la bêtise. Ça faisait partie des attributions. Fermer les yeux, mettre des œillères. Apprendre à perdre : le prix de la réussite.

— Vas-y, conseillaient-ils. Rue dans les brancards, et tu iras bouffer des pizzas dans le Bronx. Sois prudent. Joue le jeu. C'est peut-être mieux de se serrer les coudes, non ?

Et si Manhattan ne lui plaisait pas, il pouvait aller droit aux incendies, au petit Hanoï de l'Amérique, tout au bout de la ligne 4, là où New York dévoilait chaque jour ce qu'elle avait de pire.

Pendant plusieurs mois, il avait refusé de les croire, mais peu à peu il avait compris. Ils avaient raison, il était pris au piège, il n'était qu'un maillon de la chaîne, l'expression consacrée.

Tant de chefs d'accusation étaient abandonnés. Les gosses plaidaient coupables, ou on les libérait après la provisoire, pour faire de la place sur les registres. Il avait un quota à respecter. Il rendait des comptes à l'administration. Les crimes étaient commués en délits. Une forme comme une autre de démolition. Il fallait manœuvrer la pelleteuse. On le jugeait sur la façon dont *il* jugeait : moins il donnait de travail aux collègues à l'étage, plus ils étaient contents de lui. Quatre-vingt-dix pour cent des affaires – même des infractions graves – devaient être classées sans suite. Il la voulait, sa promotion, oui, mais l'idée demeurait qu'il avait revêtu cette toge par-dessus ses belles idées, et que le tissu bon marché les avait absorbées.

Cinq fois par semaine, il chaussait ses souliers cirés, remontait ses chaussettes, se présentait au 100 Centre

Street, enfilait l'habit noir et tentait de se faire entendre. La question était de bien choisir ses batailles. Il aurait pu chaque jour en mener une dizaine, âprement, même plus s'il voulait. S'attaquer au système tout entier. Infliger aux auteurs de graffitis l'amende de mille dollars qu'ils étaient incapables de payer. Condamner à six mois les mômes de Little Italy qui vendent des pétards le 4-Juillet. Mettre les drogués au trou pendant un an. Fixer des cautions d'un montant impossible. Mais ça lui retomberait sur la tête, il le savait. Ils refuseraient de plaider. Les chambres seraient obstruées, et on lui jetterait le code à la figure. Les voleurs des grands magasins, des hôtels, les cireurs de chaussures, les bonneteurs, tous avaient le droit de dire : « Non coupable, monsieur le juge. » Et la ville étoufferait. Les gouttières, les caniveaux déborderaient, il y en aurait partout sur les trottoirs. Ce serait sa faute et on le lui reprocherait.

Aux pires moments, il se disait : « Me voilà chargé de la maintenance, je suis le portier, le garde-barrière, un moins que rien. » Lui le maillon de la chaîne, il observait ce défilé constant à l'audience et se demandait comment New York parvenait à être aussi répugnante. Une ville qui soulevait ses enfants par les cheveux, violait ses septuagénaires, incendiait le divan des amants, chapardait des confiseries, enfonçait des côtes, laissait des militants pacifistes cracher sur les représentants de l'ordre, des syndicalistes débraillés prendre le pas sur leurs employeurs, et la mafia s'emparait des plages et des promenades, les pères se servaient de leurs filles comme d'un cendrier, les bagarres dans les bars se transformaient en émeutes, des hommes d'affaires respectables urinaient sur les vitrines de Woolworth, on sortait des revolvers dans les pizzerias, des familles entières se faisaient descendre, les ambulanciers avaient le crâne fracassé, les junkies se shootaient sous la langue, les avocats se transformaient en escrocs, les vieilles dames perdaient leurs économies, les commerçants se trompaient dans la monnaie, le maire bidouillait, embobinait, mentait pendant que la ville lentement se réduisait en cendres, prête à s'enterrer de son plein gré dans le crime, le crime, le crime.

Du haut de son échelle, rien ne lui échappait. C'était comme surveiller la croissance des mousses, moisissures et champignons. On a beau faire, fournir des efforts, un jour ou l'autre les gouttières débordent.

Tous ces crétins qui arrivaient des cinémas pornos, des cabarets louches, des stands de foire, des sex-shops, des peep-shows, des hôtels miteux, et la tête qu'ils faisaient après un séjour au Tombeau. Un jour, à l'audience, il avait vu, de ses yeux vu, un cafard sortir de la poche d'un prévenu, grimper sur son épaule et atteindre son cou avant que le gars s'en aperçoive. D'une chiquenaude, celui-ci l'avait envoyé voler tout en poursuivant sa défense. Coupable, coupable, coupable. Presque tous plaidaient coupable, en échange de quoi ils obtenaient une peine supportable ; ou ils repartaient libres ; ou on leur faisait cracher une amende ridicule, et ils filaient gaiement dehors, d'un pas léger, pour recommencer les mêmes âneries et revenir au tribunal deux semaines plus tard. Ce qui plongeait Soderberg dans une agitation constante. Il s'était acheté un petit exerciseur qui tenait dans sa poche. Il passait la main dans la fente de sa toge et il le cueillait dans son pantalon. C'était un appareil léger, composé de deux bouts de bois séparés par d'épais ressorts, qu'il serrait sous sa robe en espérant qu'on ne le remarque pas. Évidemment, un juge qui se tripote en douce, ça ferait mauvaise impression. Mais ça le détendait un peu pendant que les prévenus défilaient, qu'il atteignait bientôt son quota. Un juge capable de conclure le maximum d'affaires dans le minimum de temps était un héros au Palais. Ouvrez grand les écluses, laissez couler le flot.

Quiconque frayait dans le système et jouait un rôle à un quelconque échelon en prenait pour son grade. Les procureurs étaient choqués par les crimes – vols, viols, coups et blessures, homicides. Les jeunes substituts horrifiés par la longueur des listes qu'on leur soumettait. Les huissiers tordaient le nez sur les sentences : on aurait dit des policiers déçus, irrités par la clémence des juges. Les bafouillages énervaient les greffes. Les gens de l'aide juridictionnelle supportaient mal les dysfonctionnements, les embarras, les contretemps. Les délais contrariaient les contrôleurs judiciaires. Les simplifications à outrance crispaient les psychologues. La paperasse faisait râler les flics. Les condamnés contestaient les peines, aussi légères fussent-elles. Et les gars de l'encaissement s'insurgeaient contre le montant ridicule des cautions. Tout le monde était pieds et poings liés, et Soderberg, au beau milieu, devait rendre la justice, faire peser la balance du bon côté.

Le bien, le mal. La gauche, la droite. En haut, en bas. Il se représentait au bord d'un précipice, malade, pris de vertige, les yeux curieusement rivés vers le ciel.

Il a avalé son café d'un trait – un goût de brûlé, de lavasse étendue de crème.

Il aurait le funambule dans la journée, n'en doutait plus.

Il a décroché, composé le numéro du procureur, mais personne n'a répondu. La petite horloge sur son bureau indiquait l'heure de l'audience. Il s'est levé lentement, avec un sourire coincé. En route.

*
*   *

Il aimait bien le tulle noir de sa toge en été. Un peu usée aux coudes, mais qu'importe, elle était légère, laissait passer l'air. Ses registres sous le bras, il a regardé une seconde le gros type dans le miroir, son visage couperosé, ses cernes profonds. Plaquant quelques cheveux sur sa tonsure, il est sorti lentement, l'air grave, dans le couloir qu'il a longé jusqu'à l'ascenseur. Descendant l'escalier d'un pas alerte, il est passé devant les surveillants et les contrôleurs, direction le vestibule privé de la chambre 1A. La partie du trajet la plus épouvantable. Les prisonniers étaient bouclés dans les cellules à l'arrière du Palais. On appelait ça l'abattoir. La rangée du haut couvrait la moitié de l'édifice, les grilles étaient peintes en jaune clair et ça puait le fauve, là-dedans. Les gardiens vidaient quatre bombes de désodorisant chaque jour.

Il y avait une masse d'huissiers et de policiers devant la porte, et les prévenus eurent le bon sens de se taire sur son chemin. Les yeux baissés, Soderberg a foncé au milieu du groupe.

— Bonjour, monsieur le juge.

— Belles chaussures.

— Ravi de vous revoir, monsieur.

Un rapide hochement de tête en guise de réponse. Il fallait maintenir la bonne distance démocratique. D'autres juges bavardaient, plaisantaient, cancanaient – pas lui. Quelques marches, franchir la porte en bois, à la rencontre du monde civil ou de ce qu'il en restait, puis le pupitre noir, le microphone, les néons, d'autres marches à monter, le siège surélevé.

In God We Trust.

La matinée a filé rapidement. Le rôle était plein. Encore une belle brochette. Permis de conduire périmé. Menaces et outrage à agent de police. Voies de fait. Attentat aux mœurs. Une femme avait tailladé le bras de sa tante pour lui prendre ses bons d'alimentation. Le blondinet qui se voyait voleur de voitures s'en est bien sorti. Travaux d'intérêt général pour le crétin qui avait creusé un petit trou dans son plancher pour épier la voisine du dessous – mais il ignorait que la voisine était elle aussi voyeuse, et elle l'avait pris sur le fait. Puis une rixe entre un barman et un client. Et un meurtre à Chinatown qu'on a transféré à l'étage au-dessus – le temps de fixer le montant de la caution.

Toute la matinée à louvoyer, batailler, troquer, grincer des dents.

« Il y avait un mandat ou pas ? »

« Vous opposez un fin de non-recevoir ? »

« L'accusation est retirée. Essayez de vous entendre, maintenant. »

« Libéré ! »

« Mais quelle requête, au nom du Ciel ? »

« Monsieur l'agent, voulez-vous bien m'expliquer ce qui s'est passé ? Il faisait quoi ? Cuire un poulet sur le trottoir ? Vous vous moquez de moi ? »

« Deux mille dollars de caution. Mille deux cent cinquante en liquide. »

« Encore vous, monsieur Ferrario ! Et c'est les poches de qui, cette fois ? »

« Remise en liberté sous engagement à comparaître. »

« C'est une salle d'audience, ici, monsieur l'avocat, pas un lieu de plaisance. »

« Il y a plainte, mais ni délit ni infraction. Rejeté ! »

« Les poursuites en diffamation n'existent pas contre les magistrats. »

« Je ne suis pas contre les peines alternatives. »

« Commuons ça en délit simple, puisqu'on a des aveux. »

« Libéré ! »

« Monsieur l'avocat, je crois que votre client a eu sa dose au rayon narcissisme, ce matin. »

« C'est de la musique d'ascenseur, tout ça. Vous n'avez rien d'autre ? »

« Euh, vous aurez fini à la fin de la semaine ? »

« Libéré ! »

« Libéré ! »

« Libéré ! »

Il y avait tant d'astuces à apprendre. Ne jamais regarder le prévenu dans les yeux. Sourire rarement. Faire comme si on avait une petite crise d'hémorroïdes : trouver cet air d'impassibilité soucieuse. Donner l'impression d'être mal assis, voire l'être réellement. Toujours griffonner. Rester penché sur son bloc-notes comme un rabbin sur la Torah. Toucher ses cheveux gris aux tempes. Se masser le haut du crâne quand la situation semble vous échapper. Tout casier judiciaire est un portrait psychologique. Vérifier qu'il n'y a pas de journalistes dans la salle. S'il y en a, souligner chaque consigne deux fois. Écouter attentivement. L'innocence et la culpabilité s'entendent dans la voix. Pas de favoritisme avec les avocats. Juif ou pas juif, ça n'est pas la question. Je ne comprends pas le yiddish. Ni les flatteries. Attention avec l'exerciseur. Une plaisanterie de mauvais goût est vite arrivée. Éviter de contempler le derrière de la sténo. Ne pas manger n'importe quoi au déjeuner. Avoir des pastilles à la menthe. Considérer ses griffonnages comme des chefs-d'œuvre. S'assurer qu'on a remplacé la carafe d'eau. S'indigner si le verre est mal lavé. Acheter des chemises à grand col pour pouvoir respirer.

Une affaire après l'autre.

À la fin de la matinée, il en avait traité vingt-neuf. Il a demandé à l'huissier audiencier à la belle chemise blanche si elle avait des nouvelles du funambule. Elle lui a répondu qu'on ne parlait que de lui, il était dans le circuit, semblait-il, il devrait arriver en fin d'après-midi. Elle ne connaissait pas précisément les chefs d'accusation, mais probablement effraction, mise en danger de la vie d'autrui. Le procureur l'avait convoqué pour un entretien prolongé. Le gars plaiderait sans doute ce qu'on voudrait, à condition de lui soumettre une offre acceptable. Le proc voulait apparemment profiter de l'occasion pour se faire un peu de pub. Et que l'on traite ça délicatement. Seul problème : le prévenu pouvait être retenu jusqu'à l'audience du soir.

— On a une chance, alors ?
— Assez bonne, je dirais. S'ils ne traînent pas.
— Parfait. Déjeuner ?
— Oui, monsieur le juge.
— L'audience reprendra à quatorze heures quinze.

*
* *

Il y avait bien sûr Forlini, Sal, Carmines, ou encore Sweets, Sloppy Louie, Oscar Delmenico, mais il avait toujours préféré chez Harry. C'était le plus éloigné de Centre Street, mais tant mieux, il prenait un taxi, profitait de la course pour se détendre. Il s'est fait déposer dans Water Street, a marché jusqu'à Hanover Square, s'est planté devant l'enseigne en pensant : « Mon refuge. » Bien sûr, cela n'avait rien à voir avec les banquiers, les courtiers qui fréquentaient l'endroit. Non, il venait là pour Harry, qui était grec jusqu'au bout des ongles, bien élevé, accueillant. Il avait grimpé les échelons du rêve américain et conclu qu'il se composait d'un bon déjeuner, arrosé de quelque chose qui vous élève l'âme. Il savait aussi faire chanter une viande, orchestrer un plat de pâtes comme une symphonie. Souvent à la cuisine, il jonglait entre l'huile et le feu. Puis il quittait son tablier, enfilait un veston, se recoiffait, et on le retrouvait en salle, calme, digne et stylé. Il avait beaucoup de sympathie pour Soderberg, sans qu'aucun des deux sache pourquoi. Harry s'attardait avec lui, attrapait une bouteille sous le comptoir et ils allaient s'asseoir près des peintures murales – des scènes de la vie monacale. Peut-être était-ce parce que, dans cette salle, eux seuls n'étaient pas des employés de Wall Street. Étrangers aux cadences de la finance. Ils mesuraient l'agitation à la corbeille par le niveau des voix dans le restaurant.

Sur un mur était accrochée une batterie de téléphones : les lignes directes de plusieurs sociétés de courtage. Les gars de Kidder Peabody étaient dans un coin, ceux de Dillon Read dans un autre, la First Boston par ici, Bear Stearns au bout du comptoir, et la L. F. Rothschild sous les moines. Ça brassait gros, tout le temps. Des gens élégants. Raffinés. Un club de privilégiés. Harry pratiquait cependant des prix assez modestes. On ressortait entier de chez lui.

Se glissant jusqu'au bar, Soderberg lui a fait signe d'approcher et lui a parlé du funambule – il l'avait raté de peu ce matin, mais on l'avait arrêté et la justice allait vite s'occuper de lui.

— Il s'est débrouillé pour entrer dans les tours.

— Donc… il est intelligent.

— Mais s'il était tombé ?

— La terre est dure, mon gars, surtout le béton.

Soderberg a siroté une gorgée : l'arôme puissant du vin lui flattait les narines.

— Ce que je veux dire, Har, c'est qu'il aurait pu tuer quelqu'un aussi, pas seulement lui. Et il en aurait fait du steak haché.

— J'aurais besoin d'un bon commis à la cuisine. Je pourrais peut-être l'embaucher.

— On doit avoir douze ou treize chefs d'accusation.

— Raison de plus. J'en ferai mon sous-chef. Il nettoiera les clams. S'il est bon avec sa ficelle, il bridera les volailles. Il nous fera des plats équilibrés.

Tirant une longue bouffée de son cigare, Harry a recraché la fumée au plafond.

— Je ne sais même pas si c'est moi qui l'aurai. Ils vont peut-être le garder au trou jusqu'aux audiences du soir.

— Ouais, eh bien, si tu l'as, donne-lui ma carte. Dis-lui qu'on lui offre un bon steak. Et une bouteille de Château Clos de Sarpe, grand cru 1964.

— Il ne mettra plus un pied devant l'autre, après.

Le visage plissé du Grec suggérait ce qu'il serait des années plus tard : plein, alerte, généreux.

— Qu'est-ce qu'il y a dans le vin, Harry ?

— Comment ça, qu'est-ce qu'il y a ?

— Pourquoi nous guérit-il de tout ?

— Le vin est là pour glorifier les dieux et faire taire les idiots. Tiens, je te ressers une goutte.

Ils ont trinqué dans la lumière, presque verticale, qui frappait la vitrine. Il aurait suffi de lever les yeux pour revoir le type sur son fil, assister au spectacle entier, là-haut dans le ciel. On était après tout en Amérique, et en Amérique on devrait avoir le droit de se promener aussi haut qu'on veut. Mais si on était celui qui marchait dessous ? Si le funambule était finalement tombé ? Alors il risquait bel et bien d'emporter avec lui une dizaine de personnes. La liberté plus l'inconscience, ça faisait quel genre de cocktail ? C'était le dilemme de Soderberg. La loi servait à protéger les humbles, à brider les puissants. Et pourquoi les humbles n'auraient-ils pas le droit de passer en dessous ? Voilà qui parfois lui rappelait Joshua. Il n'aimait pas y penser, à cette absence du moins, cette horrible absence. Le chagrin, dévastateur, le clouait. Il lui fallait toujours réapprendre que son fils n'était plus là. C'était tout le problème. En définitive, Joshua avait été un gardien, un protecteur de la vérité. Il était parti représenter son pays, il était revenu accabler Claire, accabler Solomon. Qui ne le montrait pas. Impossible. Il ne pleurait que dans la baignoire, quand l'eau coulait. Solomon le sage, homme de silence. Et il laissait le robinet ouvert, sans prendre de bain.

Il était le fils de son fils – celui qu'on avait laissé ici.

De petites choses le hérissaient. La mitzvah du *maakeh*. « Pour que personne ne tombe, tu construiras une barrière tout autour de ton toit. » Il se demandait pourquoi, tant d'années auparavant, il lui avait acheté des petits soldats. Il regrettait de lui avoir fait jouer *The Star-Spangled Banner*. Était-ce une erreur de lui avoir appris les échecs ? Lui aurait-il instillé le goût du conflit, de la confrontation ? Attaque sur les diagonales, fils. Roque pour ne pas exposer ton roi. N'aurait-il pas déterminé les choses, à un moment ou un autre ? Pourtant cette guerre avait été juste, pertinente, adaptée. Solomon en avait reconnu toute l'utilité. Il fallait maintenir les fondements de la liberté. On s'était battu pour ces mêmes idéaux qu'il voyait chaque jour menacés au tribunal. L'Amérique, simplement, avait voulu se protéger. Un temps pour tuer, et un temps pour guérir. Quelquefois, cependant, il aimerait se ranger à l'avis de Claire : cette guerre n'était qu'une interminable procession de cadavres, au profit d'hommes riches, et on avait envoyé Joshua à l'avant-garde, lui-même un gosse de riches. Mais cela, il ne pouvait se permettre d'y penser. Il devait être un pilier, dur, solide. Il parlait rarement de son fils, même avec elle. S'il y avait eu quelqu'un à qui se confier, ç'aurait été Harry, qui savait deux ou trois choses sur l'appartenance et sur l'absence, mais pas pour l'instant, pas maintenant. Soderberg était toujours prudent, mesuré. Peut-être trop, se disait-il. Certains jours, il regrettait de ne pouvoir s'ouvrir entièrement : « Je suis le fils de mon fils, Harry, et mon fils est mort. »

Il a levé son verre, humé le bouquet de ce vin rouge, ses longues senteurs de terre. Un seconde de légèreté – voilà ce qu'il voulait. De bien-être, de tranquillité. De la douceur, loin du bruit. Profiter de l'instant avec un ami. Peut-être se faire porter pâle jusqu'au lendemain, rentrer à la maison, passer l'après-midi avec Claire, un de ces après-midi sans rien faire d'autre qu'être ensemble, avec un livre, un de ces moments essentiels qui les rassemblaient de plus en plus souvent. À peu de choses près, il était heureux. À peu de choses près, il avait de la chance. Il n'avait pas tout ce qu'il avait voulu, mais c'était déjà pas mal. Oui, voilà ce dont il avait envie : un après-midi au calme, à l'extérieur de tout. Trente et quelques années de mariage ne l'avaient pas transformé en bloc de pierre, sûrement pas.

Quelques gouttes de silence. Trois pas vers la maison. La main sur le bras de Harry et un mot à l'oreille : « Mon fils. » C'est tout ce qu'il avait besoin de dire, mais pourquoi compliquer les choses ?

Il a levé son verre et trinqué :

— Santé.

— À ceux qui ne tombent pas, a dit Harry.

— Et à ceux qui se redressent.

Soderberg n'était plus si sûr de vouloir se confronter maintenant au funambule : sûrement un tas d'embêtements. Il aurait mieux aimé perdre son temps gentiment devant le grand comptoir, avec son bon copain, et ainsi jusqu'au crépuscule à la santé des dieux.

— Chambre 1A, début de l'audience. Mesdames et messieurs, levez-vous.

La voix de l'huissier lui faisait penser aux cris des mouettes. Une stridence, des phrases qui semblaient se retourner dans le vent. Mais son autorité était incontestable et les murmures ont cessé jusqu'au fond de la salle.

— Silence, je vous prie. M. Soderberg, le président du tribunal.

Il a su aussitôt que l'affaire était pour lui. Les journalistes sur les bancs des spectateurs. Cette allure flasque et ces joues grasses. Chemises ouvertes et pantalons trop grands. Dépoitraillés, pas rasés, chevelus. L'air de sortir d'une poubelle. Trahis par les blocs-notes jaunes qui dépassaient de leurs poches. Le cou tendu pour voir s'ils reconnaissaient quelqu'un à la porte derrière lui. La police surreprésentée à la rangée du devant. Des inspecteurs. Des greffiers, pourtant pas de service aujourd'hui. Des hommes d'affaires, éventuellement les pontes de Port Authority. D'autres encore, peut-être des gardiens, des employés de la sécurité. Il apercevait aussi un grand roux, le dessinateur. Ce qui impliquait une chose : les caméras de télévision étaient dehors, devant l'entrée.

Il sentait l'effet du vin – un chatouillement dans les orteils. Il n'était pas ivre du tout, mais c'était comme un frémissement sous la peau.

— Silence dans la salle. Je déclare l'audience ouverte.

On a appelé neuf prévenus qui sont lentement allés rejoindre leurs places sur le banc contre le mur. La canaille habituelle, deux fripouilles, un type à l'arcade sourcilière ouverte, deux prostituées lessivées et, en queue de cortège, le sourire jusqu'aux oreilles, un jeune individu à la démarche souple – bizarrement vêtu, plein d'assurance et plein d'entrain : cela ne pouvait être que lui.

Un peu d'agitation parmi les spectateurs. Les journalistes ont sorti leurs stylos. Ils semblaient arrosés de l'intérieur.

Le funambule était bien plus petit que Soderberg l'avait imaginé. Malicieux. Chemise et pantalon noirs. De curieux chaussons de danseur. Pâle, fatigué, blond, environ vingt-cinq ans. Il aurait pu être serveur dans le quartier des théâtres. C'était toutefois un homme qui, visiblement, avait confiance en lui – avec une pointe d'orgueil propre à séduire le juge. On aurait dit un Joshua miniature, comprimé, un corps programmé pour une forme de génie, comme dans les applications de Joshua, avec le spectacle pour seul exutoire.

À l'évidence, il n'avait jamais comparu devant un tribunal. La première fois, ils sont tous hébétés, ils arrivent les yeux comme des soucoupes, stupéfaits, effrayés.

S'arrêtant, le jeune homme a examiné la salle d'un mur à l'autre. Mélange fugace de peur et de perplexité. Comme s'il y avait beaucoup trop de mots en ces lieux. Il était mince, souple, vaguement léonin. Avec un regard vif, qui s'est posé sur le pupitre du juge.

Un regard que celui-ci a croisé l'espace d'une demi-seconde. Contraire à ses principes, mais tant pis. Intuitif, le funambule a légèrement hoché la tête – il avait un air enjoué, comme s'il jubilait en silence. Que vais-je faire de lui ? s'est demandé Soderberg. Comment traiter l'affaire ? Il y avait tout de même mise en danger de la vie d'autrui, ce qui pouvait concerner l'étage au-dessus et se terminer aux Assises avec sept ans de prison. Si on essayait plutôt le trouble à l'ordre public ? Il savait que ça ne marcherait pas. Cela resterait un délit mineur, il faudrait s'expliquer avec le procureur. Faire preuve d'intelligence. Sortir quelque chose d'atypique du chapeau. En outre, la presse était là, attentive. Et le dessinateur. Et la télé dans le hall.

Il a fait signe à l'audiencière pour lui glisser à l'oreille :
— À qui le tour ?
Leur gag habituel – les Laurel et Hardy du tribunal.

Elle lui a montré le rôle, il a survolé la page en vitesse, puis jeté un coup d'œil vers la planche au pain. Soupir. Il n'était pas obligé de les prendre dans l'ordre, il pouvait battre les cartes. Mais il a tapoté en haut de la liste du bout son crayon.

L'audiencière s'est avancée en se raclant la gorge :

— Cause numéro 687, l'État contre Tillie Henderson et Jazzlyn Henderson. Veuillez vous lever.

Paul Concrombie, le substitut, a défroissé sa veste. Face à lui, l'avocat commis d'office a rejeté sa crinière en arrière et, s'avançant à son tour, a placé son dossier ouvert sur la tablette. La plus jeune des deux femmes, grande, café au lait, portait des talons jaunes, un bikini fluo sous une ample chemise noire, et un collier de pacotille autour du cou. L'autre avait un maillot de bain une pièce, des escarpins argent, et son visage était barbouillé de mascara. Grotesque, a pensé le juge. Sous le Tombeau la plage. La seconde semblait avoir pas mal navigué. Pas une débutante.

— Vol avec voies de fait. Plainte du 19 novembre 1973.

Elle a soufflé un baiser vers un type sur un banc du fond, qui a rougi en baissant les yeux.

— Ce n'est pas un night-club ici, madame.

— J'vous soufflerais bien quelque chose aussi, m'sieur le juge, mais c'est que j'suis déjà toute essoufflée.

Des rires brefs dans la salle.

— Un peu de décence, madame Henderson.

Il était quasi sûr d'avoir entendu le mot « connard », coincé dans la gorge de cette femme. Pourquoi ces filles-là se mettaient-elles toutes seules dans des situations impossibles, il y a longtemps qu'il se le demandait. Il a parcouru les extraits des casiers judiciaires devant lui. Deux carrières tout à fait glorieuses. La plus âgée de ces dames avait été inculpée environ soixante fois, et la plus jeune suivait la même pente : une infraction succédant à une autre, ça irait de plus en plus vite. Il avait vu ça mille fois. C'était comme ouvrir un robinet.

Soderberg a ajusté ses lunettes puis, s'adossant à son fauteuil, a jeté un regard méprisant au substitut.

— Pourquoi cette attente, monsieur Concrombie ? Les faits se sont produits il y a presque un an.

— D'autres faits se sont ajoutés, monsieur le président. Les prévenues ont été arrêtées dans le Bronx, et...

— La plainte est-elle toujours valide ?

— Oui, monsieur le président.

— Puisqu'il y a eu violences, avez-vous pensé à renvoyer l'affaire devant une autre cour ?

— Oui, monsieur le président.

— Alors que faisons-nous là, monsieur Concrombie ?

Il trouvait son rythme, accélérait la procédure. La panoplie du magicien. Ouvrir sa cape d'un grand geste. Agiter la baguette magique et le lapin disparaît. Il apercevait une rangée de têtes dans la galerie, qui dodelinaient doucement, suivaient le courant, la direction qu'il imposait. Le vin engourdissait peut-être quelques-uns de ses neurones, mais pour l'ensemble il dominait les choses – et il espérait que les journalistes n'en perdaient rien.

— Monsieur le président, j'ai abordé le problème avec leur avocat, M. Feathers, et nous sommes convenus que, dans l'intérêt de la justice... tout bien considéré... nous arrêtons les poursuites engagées contre la fille.

— La fille ?

— Jazzlyn Henderson. Oui, pardonnez-moi, c'est une... association mère-fille.

Un coup d'œil au casier – à sa grande surprise, la mère avait tout juste trente-huit ans.

— Ah oui, vous êtes parentes.

— La vie de famille, m'sieur le juge.

— Madame, je vous prierai de vous taire, pour l'instant.

— Vous m'avez posé une question.

— Monsieur Feathers, veuillez expliquer à votre cliente.

— Mais vous m'avez demandé !

— Vous allez surtout me demander pardon, bientôt.

— Oh.

— Madame Henderson, tenez votre langue, voilà tout. Poursuivez, monsieur Concrombie.

— Eh bien, après avoir étudié le dossier, nous pensons que le parquet ne sera pas en mesure de prouver avec certitude la culpabilité de la prévenue.

— Pour quelle raison ?

— Il y a un problème d'identification.

— Oui ? J'écoute.

— Une confusion lors de l'enquête.

— À savoir ?

— Eh bien, nous avons des aveux, monsieur le président.

— Ah. Dans ce cas, épargnez-moi vos nouvelles certitudes, monsieur Concrombie. Donc, vous renoncez aux poursuites engagées contre Mme, euh, Mme Jazzlyn Henderson ?

— Oui, monsieur le président.

— Toutes les parties sont d'accord ?

Elles acquiescent.

— Entendu. Relaxe.

— Relaxe ?

— Sans blague ? a dit la plus jeune des deux femmes. C'est fini ?

— Terminé.

— Au revoir et merci ? Libérée ?

Il était certain de l'entendre murmurer : « Putain, je fous le camp ! »

— Qu'avez-vous dit ?

— Rien.

Se penchant vers elle, l'avocat lui a glissé une remarque acerbe.

— Rien, monsieur le président. 'scusez-moi. J'ai rien dit. Merci.

— Veuillez la faire sortir.

— Levez le cordon ! a dit une voix.

La jeune femme s'est tournée vers sa mère et lui a planté un baiser sur le sourcil. Mais pourquoi le sourcil ? Fourbue, la mère s'est laissée faire, a caressé la joue de sa fille, l'a

335

tirée un instant vers elle. Soderberg les regardait. Au nom de quelle cruauté impitoyable ces deux femmes étaient-elles une « famille » ?

Ça l'étonnait toujours que les gens se démontrent ainsi de l'affection. L'une des rares choses qui maintenaient son intérêt pour la justice : l'impression de voir la vie toute nue, les amants qui s'embrassent après s'être tapé dessus, les parents qui retrouvent avec bonheur un fils délinquant, l'irruption du pardon dans le tribunal. Oui, c'était rare, mais cela arrivait et, comme dans toute chose, cette rareté était nécessaire.

La jeune femme a déposé trois mots dans l'oreille de sa mère, qui a ri et fait signe de nouveau à l'intention de l'homme sur le banc du fond.

L'huissier n'a pas eu le temps de lever le cordon : la jeune métisse s'en est chargée elle-même. En tortillant des fesses – comme si elle retrouvait le trottoir –, elle a remontée l'allée centrale vers ce type aux tempes grisonnantes. Et elle retirait sa chemise tout en marchant, de sorte qu'elle n'avait bientôt plus que son maillot de bain sur elle.

Quelle impudence. Soderberg a senti ses orteils se dresser dans les chaussures.

— Remettez ça tout de suite !

— Eh, je suis libre, non ? Je suis relaxée et c'est sa chemise, d'façon.

— Remettez-la ! a répété le juge, la bouche près du micro.

— Il voulait que j'sois correcte en ville. Pas vrai, Corrie ? Il me l'a fait envoyer au Tombeau.

La tirant par le coude, l'homme lui chuchotait quelques mots pressants.

— Remettez cette chemise ou je vous condamne pour outrage.

— Monsieur, êtes-vous un parent de cette jeune femme ? a demandé l'huissier.

— Pas exactement, a dit l'homme.

— Alors qui êtes-vous exactement ?

— Un de ses amis.

Un souteneur à l'accent irlandais. Émacié, les joues creuses, le menton levé à la manière des boxeurs d'autrefois.

— Eh bien, l'ami, assurez-vous qu'elle soit correctement vêtue tant qu'elle reste dans ces lieux, a dit le juge.

— Ouais, m'sieur, a fait Jazzlyn. Et ensuite, m'sieur… ?

— Faites seulement ce qu'on vous dit.

— Mais m'sieur le juge…

— Suffit !

Soderberg a donné un coup de marteau.

Il a vu la jeune prostituée embrasser l'Irlandais sur la joue. L'homme s'est détourné, mais pour prendre doucement son visage dans ses mains. Drôle de mac, celui-là. Pas le genre habituel. Qu'importe. Il y en a de toutes les tailles, de toutes les couleurs, de toutes les origines. Et ces filles étaient leurs victimes, c'était ainsi depuis toujours et ça ne changerait jamais. À la vérité, c'était plutôt les crétins de son genre qui devraient croupir en prison. Lâchant un soupir, Soderberg s'est tourné vers le substitut. Un sourcil levé valait une phrase entre eux. Il fallait encore s'occuper de la mère, et ensuite on passerait au morceau de choix.

Le juge a jeté un rapide coup d'œil au funambule, qui n'avait pas bougé. Il paraissait hébété. Son crime à lui était si loin de tout ça qu'il pouvait se demander ce qu'il faisait là.

Soderberg a tapé sur le micro pour avoir l'attention de la salle. Il l'a obtenue.

— Si je comprends bien, nous devons ensuite nous pencher sur le cas de la mère ici présente…

— Tillie, m'sieur.

— Ce n'est pas à vous que je m'adresse, madame Henderson, mais à la défense. Nous avions au départ une plainte pour vol avec voies de fait. Et maintenant nous voulons requalifier le crime en vol simple, c'est-à-dire en délit, n'est-ce pas ?

— En effet, nous avons pensé à cet arrangement. J'en ai débattu avec M. Feathers, a dit le substitut.

— Oui, monsieur le président, a confirmé l'avocat.

— Et donc ?

— La prévenue acceptant de plaider coupable, le ministère accepte la requalification.

— Est-ce bien ce que vous désirez, madame Henderson ?

— Quoi ?

— Plaider coupable ?

— Y dit que je prendrais pas plus de six mois.

— En l'occurrence, le maximum est d'un an.

— Tant que je peux voir les petites...

— Pardon ?

— ... je prendrai ce qui vous plaira, a-t-elle poursuivi.

— Fort bien, nous recevons l'argument de la défense, nous réduisons l'accusation à un vol simple. Êtes-vous consciente que, suite à votre décision, je suis habilité à prononcer une peine d'un an à votre encontre ?

Tillie s'est penchée vers l'avocat commis d'office qui a hoché la tête avec un demi-sourire et posé une main sur son poignet.

— Oui, je sais.

— Vous a-t-on bien expliqué la différence ?

— Ouais, chéri.

— Pardon ?

Quelque part entre les yeux et le fond de la gorge, Soderberg a ressenti une douleur. Un élan de stupeur. Non, elle l'avait appelé « chéri » ? Pas possible. Elle le regardait fixement avec son demi-sourire. Allait-il faire comme s'il n'avait pas entendu ? L'ignorer ? L'inculper d'outrage à la cour ? Mais cela valait-il la peine de faire un scandale ? La salle s'enfonçait dans le silence. L'avocat semblait prêt à mordre sa cliente. Sans se départir de son sourire, elle a haussé les épaules avant de jeter un autre coup d'œil derrière elle.

— Vous ne pensez pas ce que vous dites, madame.

— J'ai dit quoi ?

— Bien, avançons.

— Comme vous voudrez, m'sieur.

— Surveillez votre langage.

— Ouais, cool.

— Ou ça va mal se passer.

— T'as raison.

— Vous êtes consciente qu'en plaidant coupable, vous reconnaissez votre culpabilité ?

— Ouais.

L'avocat a eu un mouvement de recul quand, involontairement, sa bouche a effleuré l'oreille de cette femme.

— Je veux dire, oui m'sieur.

— Vous avez étudié les différents cas avec l'aide juridique et vous êtes satisfaite de ses explications ? Vous plaidez coupable de votre plein gré ?

— Ouais, m'sieur.

— Il n'y aura donc pas de procès contradictoire ?

— Non-non, c'est bon.

— Bien, madame Henderson, vous êtes inculpée de vol simple. Et donc vous plaidez ?

L'avocat s'est encore penchée vers elle.

— Coupable, a-t-elle répété.

— Parfait, veuillez me relater les faits.

— Hein ?

— Dites-moi ce qui s'est passé, madame Henderson.

L'huissier a remplacé l'imprimé jaune réservé aux crimes par l'autre, bleu, utilisé pour les délits. Sur les bancs des spectateurs, les journalistes tripotaient leurs carnets à spirale. Les murmures s'espaçaient. Soderberg regrettait ces lenteurs : il avait hâte de se confronter au funambule.

La prostituée a relevé la tête. À sa façon de se tenir, il savait bien qu'elle l'était, coupable. La posture était révélatrice. Il le voyait toujours.

— Ça fait longtemps maintenant. Moi, je voulais pas y aller, à Hell's Kitchen avec Jazzlyn. Enfin j'veux dire, je voulais pas y aller, quoi. Enfin bon, ce connard, il s'est mis à me débiner.

— Oui, madame Henderson ?

— Comme quoi j'étais rien qu'une vieille peau et tout.

— Votre langage.

— Et son larfeuille est tombé tout cuit, voilà.

— Merci, madame Henderson.

— J'ai pas fini.

— Ça suffira.

— Je suis pas de la mauvaise graine. Je sais ce que vous pensez, mais c'est pas vrai.

— Ça ira comme ça, madame.

— Comme tu voudras, le vioque.

Il a remarqué le sourire narquois d'un huissier ; il a rougi ; il a planté ses lunettes en haut de son crâne ; il a transpercé la fille d'un regard mauvais. Elle lui faisait soudain de grands yeux implorants, et il a cru comprendre ce qu'elle avait d'attirant : même les pieds dans la merde, elle avait de quoi séduire quelqu'un, elle était belle et sauvage à la fois, et l'amour vit de cela.

— Vous affirmez plaider coupable de votre propre gré et non par la contrainte ?

Incertaine, elle s'est penchée vers l'avocat avant de braquer un autre regard lourd sur son juge.

— Non, non, y a pas de contrainte.

— Monsieur Feathers, acceptez-vous une condamnation immédiate, sans délibéré d'aucune sorte ?

— Oui, monsieur le président.

— Madame Henderson, avez-vous quelque chose à ajouter pour votre défense ?

— Je veux aller à Rikers.

— Vous comprenez, madame, qu'il ne revient pas au tribunal de choisir l'établissement qui vous recevra.

— Mais ils m'ont dit que je serais à Rikers. C'est ça qu'ils m'ont dit !

— Et pourquoi, je vous prie, tenez-vous à être là-bas ? Qu'est-ce qu'il peut bien...

— Pour les bébés !

— Vous avez des bébés ?

— Ceux de Jazzlyn.

Elle a fait un geste vers sa fille, avachie sur un banc au fond.

— Fort bien, je ne peux rien vous assurer, mais je rédigerai un mot pour le greffe afin que votre demande soit prise en compte. Le tribunal vous déclare coupable et vous condamne à une peine maximale de huit mois d'emprisonnement.

— Huit mois ?

— Huit mois. Je peux étendre à douze, si vous préférez.

Elle a ouvert la bouche, le cri est resté dans sa gorge.

— Mais ils m'avaient dit six.

— Ce sera huit, madame. Voulez-vous revoir votre défense ?

— Eh merde, a-t-elle dit en haussant les épaules.

Il a vu l'Irlandais sur son banc retenir la jeune prostituée par le bras, puis avancer vers l'estrade dans le but de parler à la mère. Braquant sa matraque sur son ventre, un agent lui a bloqué le passage.

— Silence dans la salle.

— Puis-je dire un mot, monsieur le président ?

— Non. Veuillez vous rasseoir.

Soderberg grinçait des dents.

— Tillie, je reviens, OK ?

— Asseyez-vous, monsieur.

Immobile au milieu de l'allée, le maquereau soutenait le regard du juge. Ses yeux étaient très bleus, ses pupilles minuscules. Soderberg s'est senti nu, découvert, pénétré. On entendait une mouche voler.

— Asseyez-vous ou je fais évacuer la salle.

L'homme a baissé la tête et reculé. Poussant un bref soupir de soulagement, le magistrat a pivoté sur son fauteuil pour saisir le rôle. Une main sur le micro, il a fait signe à l'audiencière.

— Bien, a-t-il murmuré, le funambule à la barre.

Il a aperçu Tillie Henderson, tête baissée, qu'on escortait dehors. Il y avait quelque chose d'étudié, de sautillant, dans sa démarche. Comme si elle aussi repartait au turbin, entre les deux agents. Sa veste était sale et froissée, les manches beaucoup trop longues. On aurait pu y mettre deux comme elle. Elle avait une expression curieuse, vulnérable, avec une touche de sensualité. Les yeux noirs, les sourcils très épilés. Il émanait d'elle un éclat, une lumière. C'était comme s'il la voyait pour la première fois, à l'envers, comme les yeux rencontrent le réel juste avant que le cerveau rétablisse l'image. Une tendresse ciselée dans ses traits. Un long nez sans doute cassé plusieurs fois. Les narines épatées.

Quand elle s'est arrêtée à la porte pour étudier la salle, les deux agents ont fait barrage derrière elle.

Elle a lancé quelque chose à l'intention de sa fille et du mac, mais ses paroles se sont perdues, alors elle a lâché un petit soupir essoufflé, comme en prévision d'un long voyage. Pendant une seconde, elle semblait presque belle. Tournant les talons, elle est partie lentement, la porte s'est refermée, elle s'est évanouie dans son anonymat.

— Le funambule, a répété Soderberg. Assez attendu.

Centavos

AU MOINS, IL Y AURA TOUJOURS ÇA, CE JEUDI MATIN. Mon appartement en rez-de-chaussée, cette maison de bardeaux dans une rue qui en est pleine. Dehors, une once de nuit dans le ciel bleu. C'est une surprise qu'il y ait autant d'oiseaux dans le Bronx. Comme c'est l'été, Eliana et Jacobo n'ont pas école, mais ils sont déjà réveillés. J'entends la télé qu'ils ont mise à fond. On a un vieux poste qui ne reçoit plus qu'une chaîne, et elle repasse tout le temps *La Rue Sésame*. Je me retourne dans les draps vers Corrigan. Il est resté dormir pour la première fois cette nuit. Ça n'était pas prévu, ça s'est passé comme ça, c'est tout. Il a les lèvres sèches, il remue en dormant, et il tire le drap blanc vers lui. Sa barbe ressemble aux images de la météo : des zones claires, obscures, du gris en rafale au menton, un trou noir sous la lèvre. Je n'en reviens pas de voir à quel point une barbe d'un jour peut tout changer – ces poils gris, là surtout où il n'y avait rien la veille.

L'amour a cela de particulier qu'il se révèle dans le corps d'un autre.

Corrigan a encore sa chemise sur un bras. On a fait tellement vite qu'on ne s'est pas complètement déshabillés. Tout est pardonné. Je lui soulève le bras pour défaire ses boutons, des boutons en bois qui passent dans une boucle de tissu. Voilà, je la tire et je l'enlève. Il a le cou bronzé, et la peau blanche en dessous comme une pomme qu'on vient juste de couper. Je pose un baiser sur son épaule. Je vois la trace de sa chaînette autour du cou ; pas la croix qu'il garde toujours sous sa chemise. C'est comme un collier de peau blanche brisé au milieu. Il a aussi des bleus, à cause de cette maladie du sang.

Il ouvre les yeux, bat des paupières avec un grognement qui n'est ni de la douleur, ni de l'étonnement.

— Oh, mais c'est le matin.

— Oui.

— Que fait mon pantalon là-bas ?

— Tu as bu trop de *vino*.

— *De veras* ? Et je… suis devenu acrobate, du coup ?

Des bruits de pas à l'étage, les voisins qui se réveillent. Il attend qu'ils arrêtent, ou recommencent plus tard avec leurs pieds chaussés.

— Et les enfants ?

— Ils regardent *La Rue Sésame*.

— On a beaucoup bu.

— Oui.

— Je n'ai plus l'habitude. Il tend une main hésitante sur ma hanche et la retire.

Ça remue encore au-dessus, un truc lourd chute sur le plancher, ensuite les escarpins font clic-clac. Tous les bruits se donnent rendez-vous chez moi, même ceux du sous-sol. Pour cent dix dollars par mois, j'ai l'impression de vivre dans une radio.

— Ils font toujours autant de raffut ?

— Attends que les gamins se réveillent. Les ados, c'est pas mal aussi…

Il grogne en regardant le plafond. Je me demande à quoi il pense : son Dieu là-haut, mais d'abord les voisins.

— Docteur, j'ai besoin d'aide. Dites-moi quelque chose de merveilleux.

Il sait que j'ai toujours voulu être médecin, que j'ai débarqué du Guatemala avec cette idée en tête, que je n'avais pas pu finir mes études là-bas. Il sait également que je n'y suis pas arrivée ici, je n'ai jamais mis les pieds dans une quelconque fac, et c'était sans doute fichu dès le départ. Mais il m'appelle « docteur ».

— Hm, en ouvrant les yeux ce matin, j'ai diagnostiqué un cas précoce de bonheur aigu.

— Jamais entendu parler.

— Une maladie rare. C'était juste avant que les voisins se réveillent.

— Contagieux ?

— Tu ne sens pas les effets ?

Il m'embrasse sur la bouche et se détache de moi. Le poids insupportable de ses contradictions, la joie et la culpabilité. Allongé sur le flanc gauche, les jambes repliées, il me tourne le dos ramassé sur lui-même, comme s'il voulait se protéger.

La première fois que je l'ai aperçu, il était devant la maison de retraite. Je le voyais derrière les carreaux sales installer Sheila, Paolo, Albee et les autres dans le Bedford. Il s'était battu, il était couvert d'ecchymoses, de coupures au visage, et j'ai pensé tout de suite que c'était le genre de type qu'il fallait éviter. Pourtant il leur était dévoué, fidèle – le mot qui m'est venu à l'esprit : *fidelidad* – et sans doute comprenait-il bien à quoi se résumait leur vie. Il installait des planches à l'arrière de la camionnette pour monter les fauteuils qu'il attachait ensuite avec des sangles. Il avait mis plein d'autocollants sur les vitres, paix, justice, etc. Violent mais avec le sens de l'humour peut-être. C'est plus tard seulement que j'ai appris : il se faisait tabasser par les macs, et il encaissait sans réagir. Il était très dévoué envers les filles aussi, et envers son Dieu, tout en sachant qu'un jour il trouverait ses limites.

Se retournant vers moi au bout d'un moment, il me passe un doigt sur la bouche. Puis, subitement, il dit :

— Excuse-moi.

C'était un peu précipité, hier soir. Il s'est endormi avant moi. On pensera que, pour une femme, c'est excitant de faire l'amour avec un gars quand c'est pour lui la première fois, et c'est vrai – d'y penser, d'y venir –, mais j'avais l'impression de faire l'amour aux années passées et, pour tout dire, il a pleuré sur mon épaule, il ne pouvait plus soutenir mon regard, il n'y parvenait pas.

Quand un homme reste aussi longtemps fidèle à ses vœux, il a droit à tous ses désirs.

Je lui ai dit que je l'aimais, que je l'aimerais toujours, que je me faisais l'impression d'une gamine qui jette un centavo dans la fontaine. Elle a besoin de dire à quelqu'un que c'est un vœu extraordinaire, et pourtant elle sait qu'il faut se taire car elle gâche toutes ses chances de le réaliser. Il m'a dit de ne pas m'inquiéter, qu'on pourrait retirer et remettre des pièces dans la fontaine autant de fois qu'il nous plairait.

Il a voulu essayer encore. Et ce fut encore l'étonnement et le doute, comme s'il n'avait pas confiance en lui, en ce qui arrivait.

Au moment où il se réveille – je n'oublierai jamais cela –, il se tourne vers moi et son haleine a gardé un soupçon du vin que nous avons bu ensemble.

— Mais tu m'as enlevé ma chemise aussi.

— J'ai un truc.

— Ça marche bien, ton truc.

Je glisse une main à sa rencontre sous le drap.

— Il faut boucher la *mirilla*.

— La quoi ?

— La *mirilla*, le judas, la lorgnette si tu veux.

Il y en a une à toutes les portes de l'appartement. Comme si le proprio avait eu un prix de gros, c'est pourquoi il y en a partout. Lorsqu'on colle son œil dessus, la lentille agrandit ou rapetisse la pièce, selon le côté où on se trouve. Depuis la cuisine, l'extérieur a l'air minuscule. Dans l'autre sens, elle est immense. Il y en a une à ma porte, Eliana et Jacobo peuvent me regarder dormir au fond de ma chambre. Ils disent que c'est la porte du cirque, parce que tout est distordu, que je suis gonflée au milieu, le lit et les oreillers sont immenses et les murs arrondis autour. Ils ont découvert ça le lendemain du jour où on a emménagé.

« Maman, t'as les pieds plus grands que la tête ! » J'avais les chevilles qui dépassaient des couvertures. Ça faisait comme du caoutchouc, disait *m'ijo*. Du chewing-gum, a dit *m'ija*.

Corrigan pivote pour sortir du lit. J'observe son dos nu et fin, ses longues jambes. Il va ouvrir l'armoire, suspend sa chemise noire sur un cintre, puis il coince le crochet sur le cadre de la porte, et la chemise recouvre le judas. On entend la télé derrière.

— Il faudrait mettre le verrou aussi.

— ¿ *Estas segura* ? me répond-il.

Quand il dit ces petits trucs en espagnol, c'est comme s'il avait des pierres dans la bouche. Son accent me fait mourir de rire.

— Ils ne seront pas inquiets ?

— Pas si nous ne le sommes pas.

Nu, gêné, il revient au lit, les mains sur son sexe. Il se glisse sous les draps et fredonne, blotti contre mon épaule.

— « Venez-tous-nous-retrouver-1-rue-Sé-sa-me. »

Il chante faux.

Je sais déjà que je reviendrai à cette journée autant que je le voudrai. Que je la garderai en moi, qu'elle restera vivante. Il y a un endroit à l'abri de tout où le présent s'enroule sur lui-même, sans se mélanger à rien. Le fleuve n'est pas à sa source, ni dans la mer ou le confluent, mais au milieu, contenu par ce qui vient et ce qui va. Il suffit de fermer les yeux pour qu'un peu de neige tombe à New York. L'instant d'après, on bronze sur un rocher à Zacapa, et une seconde plus tard, on surfe dans le Bronx, par la seule force de son désir. Les mots sont impuissants à décrire cette sensation-là. Ils refusent d'obéir, lui donnent une forme qui ne lui convient pas. Ils l'inscrivent dans le temps, s'entêtent à figer ce qu'on ne peut arrêter. Essayez de décrire le goût d'une pêche. Essayez seulement. La douceur revient à toutes forces et nous faisons l'amour.

Je n'entends même pas qu'on frappe à la porte, mais Corrigan ne bouge plus, sourit et m'embrasse. Il a une perle de sueur à la naissance des cheveux.

— Hm, Elmo ?

— Je dirais plutôt Mordicus.

Je me lève, je retire la chemise du cintre et je colle un œil à la *mirilla*. Je vois le haut de leurs têtes, ils ont de petits yeux embarrassés. J'enfile la chemise, j'ouvre et je m'agenouille devant eux. Jacobo traîne une vieille couverture, Eliana a un gobelet en plastique dans la main. Bien sûr, il est vide. Ils me disent qu'ils ont faim, d'abord en espagnol puis en anglais.

— Juste une minute.

Je suis une mère lamentable, je ne devrais pas faire ça. Je referme la porte, la rouvre aussitôt et file à la cuisine remplir deux bols de céréales et deux verres d'eau.

— Maintenant soyez sages, *mi niños*. Promis ?

De retour dans la chambre, je jette un nouveau coup d'œil au judas. Ils sont devant la télévision, ils ont déjà renversé des céréales par terre. Je saute sur le lit, je débarrasse le drap et je tire Corrigan vers moi. Son corps s'est détendu, il rit.

Sans perdre de temps, nous recommençons, puis il se douche dans la salle de bains contiguë.

— Dis-moi quelque chose de merveilleux, Corrigan.

— Dans quel genre ?

— Allez, c'est ton tour.

— Eh bien, je viens juste d'apprendre le piano.

— Il n'y a pas de piano.

— Oui, c'est pour ça. Je me suis assis sur le tabouret et je connaissais toutes les notes.

— Ha !

C'est vrai. J'ai la même impression. Je le rejoins à la salle de bains, je tire le rideau et j'embrasse ses lèvres mouillées. Puis j'enfile ma robe de chambre et je vais voir les enfants. Mes pieds nus sur le lino qui se décolle. Mes orteils aux ongles vernis. Je n'en ai pas tout à fait conscience, mais Corrigan est encore dans mes bras, et partout en moi. Tout paraît nouveau, une sensibilité qui ne demande qu'à se réveiller au bout des doigts. S'embraser à la moindre étincelle.

Il ressort avec les cheveux trempés et ses tempes grises ont presque disparu. Il remet son pantalon noir et sa chemise puisqu'il n'a rien pour se changer. Il s'est rasé. J'ai envie de l'engueuler parce qu'il s'est servi de mon rasoir. Il a la peau luisante, à vif.

Une semaine après – après l'accident – je rentrerai à la maison et je ferai claquer mon rasoir sur le bord du lavabo pour récupérer ses poils. Je les arrangerai dans un sens et dans l'autre, pour créer des formes, sans arrêt, comme une obsédée. Je les séparerai un à un, et je les réunirai encore. Je reconstituerai son visage sur la porcelaine.

J'ai vu les radios à l'hôpital. L'ombre boursouflée de son cœur. La cage thoracique enfoncée. L'œdème du myocarde et les veines jugulaires gonflées. Le cœur qui galope, qui s'arrête, recommence. Le médecin lui a fait une ponction entre les côtes. Comme à l'hôpital au Guatemala, pour vider le péricarde. On a enlevé du sang, des sérosités, mais le cœur continuait de gonfler. Son frère n'arrêtait pas de réciter des prières. Ils ont refait une radio. Les jugulaires étaient énormes, le sang circulait mal. Il était déjà tout froid.

Mais pour l'instant les enfants lèvent la tête :

— Salut, Corrie !

Comme s'il n'y avait rien de plus naturel. À la télévision : « Comptez jusqu'à sept. Chantez avec moi. Et les oiseaux sont sortis du gâteau tout chaud. »

— ¡ *Niños, apaguen la tele* !

— Plus tard, maman.

Corrigan s'installe à la petite table en bois, derrière le poste, et me tourne le dos. J'ai des palpitations chaque fois qu'il s'assoit à côté de leur père. Il ne m'a jamais demandé d'enlever la photo et il ne le fera pas. Il sait bien pourquoi elle est là. C'était un homme brutal, mort à la guerre dans les montagnes de Quezaltenango, mais peu importe, tous les enfants ont besoin d'un père. Et puis ça n'est rien qu'une photo. Il n'y a pas de favoritisme, ni rien de tout ça. Elle ne gêne pas Corrigan. Il connaît mon histoire : elle est là, tout entière.

Pendant que je l'observe, je me dis subitement que les jours s'écouleront ainsi. L'avenir se présente comme nous le voyons. Le centre et les écarts. La confiance et les doutes. Il sourit en croisant mon regard. Feuillette un de mes bouquins de médecine. S'arrête sur une page ou une autre, parcourt rapidement, et je sais qu'il ne lit pas. Les dessins des os, des corps, des cartilages.

Il continue comme s'il se cherchait lui-même à l'intérieur.

— Non, dit-il, c'est vrai que ça serait une bonne idée.

— Quoi ?

— D'acheter un piano et d'apprendre.

— C'est ça, et on le met où ?

— On le pose sur la télé. Hein, Jacobo ? Eh, Bo, ça serait pas mal, ça ?

— Nan, dit Jacobo.

Corrigan s'approche du canapé, lui frotte le cuir chevelu.

— Peut-être qu'on en trouvera un avec une télé dedans.

— Nan.

— Mais si, un piano qui fait télé et fabrique du chocolat.

— Nan.

— Sainte télévision, ô drogue des drogues… dit Corrigan en souriant.

Pour la première fois depuis des années, j'ai envie d'un jardin. On s'assiérait dehors à la fraîche, pas trop près des enfants, dans notre coin à nous. Les maisons autour disparaîtraient entre les herbes, on ferait tailler des fleurs sur les pierres du soubassement. J'ai souvent rêvé d'emmener Corrie au Guatemala. Il y a un endroit où on allait avec les copains, quand j'étais gamine, la prairie aux papillons. Il fallait prendre un sentier près de Zacapa, descendre brutalement entre les buissons, et on arrivait à une clairière. Les fleurs rouges ressemblaient à des clochettes, il y en avait des milliers, elles avaient un goût de sucré. Les filles aspiraient doucement la sève entre leurs lèvres pendant que les garçons décortiquaient les papillons. Certains avaient les ailes si colorées qu'elles étaient sûrement pleines de poison. Après, quand je suis arrivée à New York, j'ai loué un appartement dans le Queens, et dans un moment d'égarement je m'en suis fait tatouer un à la cheville, avec les ailes déployées. C'est l'un des trucs les plus bêtes de ma vie. Je me déteste d'être tombée si bas, parfois.

— Tu rêvasses, dit Corrigan en me rejoignant.

— Moi ?

La tête sur son épaule, je l'écoute partir d'un rire qui semble vouloir se propager dans mon propre corps.

— Corrie ?

— Hm ?

— Tu l'aimes bien, mon tatouage ?

Joueur, il me pousse du bout des doigts.

— C'est supportable, dit-il.

— Non, la vérité.

— Mais oui, je l'aime bien.

— ¡ *Embustero* !

Il plisse le front et je traduis :

— Menteur !

— Je ne mens pas. Eh, les petits, je raconte des blagues, moi ?

Ils ne répondent ni l'un ni l'autre.

— Tu vois ? Je te l'avais dit, conclut-il.

J'ai une brusque montée de désir pour lui. Je me penche et l'embrasse. C'est la première fois que j'ose devant les enfants. Ils ne semblent pas le remarquer. J'ai un frisson d'angoisse.

Parfois – d'accord, pas souvent – j'aimerais ne plus avoir d'enfants du tout. Que Dieu les fasse disparaître, une heure, rien qu'une heure, pas plus. Pschitt ! qu'ils s'évanouissent dans un nuage de fumée, puis qu'il me les rapporte, sains et saufs, comme s'ils n'étaient jamais partis. Mais qu'on me laisse seule avec cet homme, Corrigan, un court instant de rien du tout, juste lui et moi, rien que nous.

Je reste calée sur son épaule. Il me caresse le visage d'un air absent. Où est-il ? Tant de choses nous éloignent et pourtant il est magnétique. Il danse et rebondit autour de moi. Je vais lui faire un café à la cuisine. Il l'aime très fort, très chaud, avec trois cuillerées de sucre. Il relève sa cuillère d'un air triomphant, la lèche comme si elle venait de l'aider à traverser une épreuve. Il souffle dessus, la pose sur le bout de son nez et elle se balance devant sa bouche, c'est grotesque.

Alors il se retourne :

— Pas mal, non ?

— ¡ *Que payaso !*

— *Gracias*, dit-il avec son accent impossible, avant de se diriger vers la télévision, la cuillère toujours en équilibre.

Elle se détache, il la rattrape au vol, souffle dessus, et ça marche à nouveau. Les enfants éclatent de rire :

— Moi aussi, moi aussi, moi aussi !

J'apprends ces petites choses. Il est assez ridicule pour se coller une cuillère au bout du nez. Et il aime souffler sur son café, qu'il trouve toujours trop chaud, trois petits coups, un grand coup. Il déteste les céréales. Il a réussi à réparer le grille-pain.

Laissant Jacobo et Eliana devant la télé, il se rassoit pour finir sa tasse, les yeux rivés sur le mur du fond. Je sais qu'il pense à son Dieu, à son Église, le vide que cela représentera s'il quitte l'ordre. On croirait que son ombre vient de jaillir pour se battre contre lui. Je sais tout cela parce qu'il me sourit et il y a tout dans ce sourire, même un haussement d'épaules. Soudain il se relève, s'étire, s'approche du canapé et se laisse tomber à la renverse, entre les enfants, comme s'ils étaient les mieux placés pour le protéger. Il baisse un bras autour de chacun. Je l'aime et le déteste à la fois pour ça. Et le désir remonte, vif comme le sel, dans le fond de ma gorge.

— Faudrait que j'aille travailler.

— Allez, Corrie, reste encore un peu. Ils t'attendront.

— Ouais, dit-il, incrédule.

Il rapproche de lui Jacobo et Eliana, qui se laissent faire. Je voudrais qu'il se décide. L'entendre dire qu'il peut m'avoir, moi, eux et ma petite maison, et garder son Dieu en même temps. Je veux qu'il reste exactement là, sans bouger, sur le canapé.

Je me demanderai toujours ce que c'était, de quelle « beauté » il pouvait bien parler quand il chuchotait dans le noir à l'hôpital. On venait juste de le retrouver, et dans quel état. C'était à propos d'un homme, d'un immeuble, il ne voulait pas oublier. Il mangeait ses mots, je n'ai pas vraiment compris. J'espère qu'il est parti en paix avec lui-même. C'était peut-être un truc banal, ou alors il s'était décidé, il allait quitter l'ordre, et plus rien ne l'empêcherait de rester avec moi. Ou alors il n'y avait rien, juste quelque chose de beau quelque part, pas la peine de s'attarder, quelqu'un qu'il avait rencontré, par hasard, peut-être une histoire avec Jazzlyn, ou avec Tillie, une histoire drôle. Ou au contraire il voulait maintenant se débarrasser de moi, il préférait son Église, poursuivre sa mission, ou alors ne pensait-il à rien, peut-être était-il content, ou souffrait-il le martyre et la morphine avait tout balayé – ça peut être tout ça, ça peut être autre chose, impossible de savoir, pour moi ses derniers mots resteront un mystère.

Il y avait ce type qui se promenait dans les airs, c'est vrai. Corrigan avait dormi cette nuit-là dans le Bedford, à côté du palais de Justice. Il s'était garé dans John Street et on lui avait mis une contredanse. Peut-être qu'en se réveillant tôt le matin, il avait vu ce bonhomme narguer les dieux dans le ciel – un mec qui marchait sur sa croix au lieu de la por-ter. Allez savoir. Ou alors c'était au tribunal, quand ils ont libéré l'acrobate alors que Tillie a pris huit mois, elle, et Corrigan était furieux. Tout ça se mélange, il n'y aura pas de réponse, sans doute croyait-il qu'elle aurait droit à une deuxième chance, plutôt qu'aller en prison, et il était en colère, contre ça ou autre chose.

Il m'a dit un jour qu'il n'y a de meilleure foi qu'une foi chancelante, et je me demande parfois si ce n'est pas ce qu'il faisait tout le temps : la mettre à l'épreuve pour la consolider, et alors je n'ai été qu'une pierre sur son chemin.

Quand ça va mal, très mal, je pense qu'il venait me dire qu'il s'en allait, et il roulait trop vite parce qu'il venait de se décider, et tout était fini, mais d'autres fois, en faisant un effort, je le vois qui sourit à ma porte, qui ouvre les bras, qui ne s'en va plus jamais.

C'est comme ça que je lui dis adieu, aussi souvent que je le peux. C'était, c'est un jeudi matin une semaine avant l'accident, un matin qui a sa place dans tous les autres matins. Il est là entre Eliana et Jacobo, sur le canapé, un bras sur chacun d'eux, sa chemise noire déboutonnée, le regard dans le vide. Il est là et rien ne l'enlèvera. C'est juste un vieux machin marron, aux coussins dépareillés, avec un trou sur l'accoudoir usé. Des pièces de monnaie ont glissé hors de sa poche et se promènent entre les coutures, et je l'emporterai partout avec moi, à Zacapa, à la maison de retraite, enfin où que j'aille.

Alléluia et gloire à tous

ÇA M'A PRESQUE SAUTÉ AUX YEUX QUE LES DEUX PETITES avaient besoin de quelqu'un. C'est des choses qu'on a au fond de soi, ça revenait de loin. Parfois l'orgueil nous pousse à regarder en arrière, et il ne faut pas, mais elles vivent avec nous, ces choses, on les porte comme un lierre qui s'accroche partout.

Je suis la seule fille de six enfants. J'ai grandi dans le sud du Missouri pendant la Grande Dépression. Tout s'effondrait, mais nous nous sommes serré les coudes. Nous habitions une de ces petites maisons pointues, communes aux quartiers noirs de la ville. On n'a jamais verni les lambourdes qui s'affaissaient autour du porche. Le salon occupait tout un côté, nous avions des fauteuils de rotin, un divan rouge foncé, et une longue table en bois brut. C'était en fait le plateau d'un vieux chariot. Les chambres occupaient l'autre côté, où deux chênes bloquaient le soleil à l'est. Je suspendais des clous et des boutons aux branches pour les faire tinter au vent. À l'intérieur, les lattes du plancher étaient irrégulières. La nuit, la pluie clapotait sur le toit en tôle.

Papa disait qu'il aimait bien s'asseoir et écouter les bruits de la maison.

Les jours que je me rappelle le mieux sont les plus simples et les plus ordinaires – je jouais à la marelle sur la dalle de ciment, qui était fissurée, je suivais mes frères dans

355

les champs de maïs, je traînais mon cartable dans la poussière. Nous lisions beaucoup. On avait un genre de bibliobus qui passait dans la rue tous les trois ou quatre mois. Il restait seulement un quart d'heure. Dès que le soleil miroitait devant la clôture brisée, nous partions en courant derrière l'épicerie Chaucers jouer dans un ruisseau qui nous semblait grand comme un fleuve et me paraît aujourd'hui dérisoire. On faisait voguer nos steamers dans les flots, et Nigger Jim filait des avoinées du diable à Tom Sawyer. On n'a jamais trop su quoi faire de Huck Finn, alors il se joignait rarement à nos aventures. Les bateaux en papier tournaient au coin de la boutique et au revoir.

Mon père gagnait sa vie comme peintre en bâtiment, mais il aimait surtout fabriquer les enseignes des commerces en ville. Coucher le nom des notables sur le verre dépoli, en caractères dorés ou argentés, avec des arabesques. Il travaillait aussi pour les négoces, les agences de détectives, et une fois de temps en temps, c'était un musée ou une église qui lui demandait de refaire les panneaux à l'entrée. Bien sûr, ses clients étaient presque tous dans les quartiers blancs, mais quand il restait de notre côté du fleuve, on l'accompagnait avec le matériel pour lui tenir l'échelle, lui passer les pinceaux et les chiffons. Il y avait de tout sur ses enseignes : l'immobilier, les coquillages des rivières, les sandwichs à dix cents. C'était un petit homme toujours tiré à quatre épingles, quelle que soit l'occasion. Il portait des chemises à col amidonné, une épingle sur sa cravate, des revers au pantalon. Il disait avec un grand sourire qu'en forçant un peu, il voyait ses lettrines se refléter sur ses chaussures. Jamais il ne nous a parlé d'argent. Quand la crise est arrivée, il a fait le tour de ses clients pour retoucher leurs enseignes, dans l'espoir qu'ils ne mettent pas la clef sous la porte, qu'ils lui glissent un dollar ou deux dès que les choses s'arrangeraient.

Maman ne s'est jamais plainte de manquer. Elle savait ce que la vie réserve de meilleur et de pire. Lorsqu'elle était petite, les anciens lui avaient tout dit du joug de l'esclavage, de ce qu'ils avaient vécu eux-mêmes, et elle n'avait pas oublié. Elle considérait sagement le prix de la liberté – pour autant qu'on fût libre dans le Missouri de ces années-là.

On lui avait donné, en souvenir, l'acte de propriété qui scellait l'achat de ma grand-mère. Elle l'a longtemps conservé pour ne pas oublier ses origines, jusqu'au jour où elle a eu la possibilité de le vendre – à un conservateur de musée qui arrivait de New York. Elle a placé son gain dans une machine à coudre d'occasion. Elle était bonne couturière, mais son métier était de faire le ménage dans les bureaux du journal de la ville. Elle rentrait le soir avec des quotidiens de tous les États et elle nous lisait ce qu'elle estimait valable, des articles qui ouvraient les fenêtres de la maison – sur des gens qui récupéraient les chats dans les arbres, des boy-scouts qui aidaient les pompiers, des hommes de couleur qui se battaient pour la justice, ce que maman appelait la *droiture*.

Elle n'était pas adepte de Marcus Garvey, ne cédait pas à l'amertume, ne prêchait pas le retour en Afrique. Ce qui ne l'empêchait pas de penser qu'une femme de couleur a tous les droits de s'élever dans le monde.

Maman avait le plus beau visage de toutes les femmes, et peut-être n'en verrai-je jamais de plus beau. Parfaitement ovale, noir comme la nuit. Des yeux qui semblaient l'œuvre de mon père, une bouche légèrement triste, un peu comme un sourire à l'envers, et des dents d'une blancheur extraordinaire. Quand elle souriait pour de bon, son visage s'éclairait littéralement. Elle lisait d'une voix chantante, aiguë, sans doute un héritage de nos aïeux ghanéens qui perçait dans son anglais américain. Elle nous rattachait à une patrie que nous ne connaissions pas.

On m'a laissée dormir avec mes frères jusqu'à l'âge de huit ans. Mais maman m'installait toujours dans leur lit pour nous faire la lecture avant de nous coucher. Elle me prenait ensuite dans ses grands bras jusqu'à mon matelas, posé dans l'étroit couloir devant sa chambre. La maison était petite. Aujourd'hui encore j'entends mes parents chuchoter et rire avant de s'endormir : peut-être est-ce tout ce que je veux me rappeler, peut-être notre histoire devrait-elle rester contenue à cet endroit, dans leurs rires, qu'ils soient le début et la fin de tout. Mais sans doute rien ne commence, rien ne finit, tout se poursuit.

Un soir d'août quand j'avais onze ans, papa est rentré avec des taches de peintures sur ses souliers. Maman, qui faisait du pain, s'est arrêtée pour le regarder. Jamais encore il ne s'était sali au travail. Une petite cuiller est tombée par terre. Un peu de beurre aussi, tandis qu'elle murmurait :

— Sainte Bible, que lui est-il arrivé ?

Pâle et les traits tirés, il a saisi la nappe à carreaux rouges et blancs. Il semblait avaler sa salive et chercher sa voix. Puis il a chancelé et ses genoux ont lâché.

— Mon Dieu, il nous fait une attaque ! a dit ma mère en le recueillant dans ses bras.

Papa avait une petite tête entre ses grandes mains. Il n'arrivait pas à fixer son regard sur elle. Elle a crié en croisant le mien :

— Gloria, va chercher le docteur !

Je suis sortie pieds nus.

La route n'était pas goudronnée et j'ai encore la sensation de mes pas sur la terre battue, l'impression de toujours courir sur cette route. Le médecin était abonné à la gueule de bois. Il cuvait et sa femme ne voulait pas que je le dérange. Elle m'a flanqué deux allers et retours quand je me suis élancée vers l'escalier. Mais j'avais de bons poumons et j'ai hurlé comme une folle. À ma grande surprise, il a surgi en haut des marches et, après m'avoir observée une seconde, s'est muni de sa petite sacoche noire. Pour la première fois de ma vie, je suis montée dans une voiture à moteur. À la maison, papa serrait un bras dans sa main, assis à la table de la cuisine. En réalité, le cerveau n'avait rien, c'était une crise cardiaque, pas terriblement grave. Il n'était pas très affecté, en revanche maman était dans tous ses états. Elle paniquait dès qu'il sortait de son champ de vision, elle craignait qu'il s'effondre à chaque instant. Le journal l'a renvoyée lorsqu'elle a décidé de l'emmener avec elle faire le ménage. Les journalistes ne supportaient pas qu'un homme de couleur touche leurs papiers. Alors qu'une femme, cela ne leur faisait rien.

Un après-midi ils m'ont offert une des plus belles scènes de ma vie – impossible d'oublier. Papa se préparait pour aller à la pêche avec ses copains de la boutique du coin. Il flageolait un peu en rassemblant des affaires disséminées dans la maison. Maman refusait qu'il porte quoi que ce soit, pas même la canne et le moulinet, elle avait trop peur qu'il se fatigue. Il fourrait ses petites boîtes dans le panier à pique-nique en criant qu'il porterait bien ce qui lui plaisait. Et d'ajouter des bières et des sandwichs au thon pour ses amis. On a sifflé dehors, il a filé à la porte et maman l'a rejoint. L'embrassant, il a chuchoté quelques mots à son oreille en lui tapant sur les fesses. Elle a éclaté de rire et j'ai compris bien longtemps après que c'était une blague salace. Maman l'a regardé s'éloigner sans bouger, puis elle a refermé la porte et s'est agenouillée. Elle n'était pas bigote, ça non – elle disait que l'esprit, comme la chair, finissait sous les pelletées de terre –, mais elle s'est mise à prier de toutes ses forces pour qu'il pleuve. Pour qu'il rentre plus tôt et qu'elle puisse le garder avec elle.

Allez vous mesurer, jour après jour, à la force d'un tel amour : qui a vécu ça a du mal à croire qu'il saura jamais en donner autant. J'ai parfois pensé que les enfants nés dans un foyer aussi uni ont de grandes difficultés à se couler hors du moule, à se muer dans une peau qui soit vraiment la leur, tant ils étaient bien dans le cocon.

Je n'oublierai jamais non plus le petit écriteau que mes parents ont peint pour moi quelques années plus tard. C'était après la Deuxième Guerre mondiale, deux de mes frères étaient morts à Anzio, les États-Unis avaient bombardé le Japon, nous avions eu droit aux beaux discours et aux cérémonies bidon. J'étais admise à l'université de Syracuse, dans l'État de New York, et ils m'avaient préparé une jolie pancarte avec des lettres en or – celles que mon père réservait pour les travaux exceptionnels. Elles se détachaient sur un cadre en bois – un losange comme ces cerfs-volants qu'on ne veut pas perdre au vent – et ils le brandissaient devant le bus : « Reviens vite, Gloria. »

Je ne me suis pas pressée. Je ne suis même pas rentrée du tout. Enfin, pas tout de suite. Je suis restée dans le Nord, où je ne faisais pas la fête, non, j'avais plutôt le nez dans mes livres. Et puis je me suis mariée trop vite, je me suis oubliée, n'ai plus pensé qu'à mes trois garçons, et ensuite les années passent, on fait comme les autres, le cœur sous le bras et l'âme en écharpe, on regarde ses chevilles grossir. Quand après une longue absence, je suis finalement repartie en bus dans le Missouri, comme les *freedom-riders*[34], j'entendais parler des canons à eau et de la police, mais surtout j'avais en tête la voix de ma mère : « Mais Gloria, tu n'as rien fait du tout pendant toutes ces années, où étais-tu passée, où traînais-tu, pourquoi n'es-tu jamais revenue, tu ne savais pas que je priais pour qu'il pleuve ? »

*

*   *

Trente ans plus tard, j'ai une tête à fréquenter les églises, dit-on. J'ai beaucoup grossi. J'achète des robes qui me serrent les hanches et maintiennent ma poitrine. J'en ai une toute noire avec une broche dorée que j'épingle à l'épaule gauche. Je porte des mi-bas, j'ai un sac à main blanc à double bandoulière, et les gants assortis que je déroule jusqu'aux coudes.

Je dois avoir un timbre particulier aussi, car quand je parle, les gens ont l'air de croire que je vais entonner un chant de travail ou un gospel. La vérité, c'est que le bon Dieu, je l'ai laissé là-bas dans le Missouri. J'aime mieux rentrer chez moi dans le Bronx, mettre Vivaldi sur la stéréo et me blottir sous les draps, plutôt qu'aller écouter je ne sais quel curé avec ses bons conseils pour changer le monde.

De toute façon n'essayez pas de me caser sur un banc d'église, je ne passe pas entre deux rangées.

Deux mariages malheureux, et mes trois enfants morts. Ils sont partis chacun à sa façon, m'ont laissée avec mon chagrin, et ça n'est pas le Seigneur qui va me les rapporter. Je sais bien que je me suis parfois ridiculisée, mais ce Dieu-là ne s'est pas privé de m'aider. Je l'ai abandonné sans états d'âme. Toute ma vie ou presque, j'ai essayé de faire le bien, mais pas nécessairement dans son Église. Enfin, on me prend pour une grenouille de bénitier et c'est comme ça. Les gens m'écoutent et me regardent comme si j'allais leur ouvrir l'Évangile. Disons qu'on a tous une croix à porter – un certain temps du moins – et Claire me voyait bien sur ce chemin-là.

Je ne me serais jamais disputée avec elle, elle était tout à fait charmante et polie. Pas le genre à m'assommer avec ses larmes. Et si elle en versait une, cela nous arrivait aussi. Apparemment, elle n'était pas très à l'aise entre ses rideaux, ses beaux services, le portrait de son mari au mur, et sa tasse tremblait dans sa soucoupe. Elle donnait l'impression de pouvoir à tout moment sauter par la fenêtre, de s'envoler dans sa robe sans manches, avec ses bras fins, sa mèche blanche, ce long cou veiné de bleu. Les diplômes étaient encadrés dans le couloir et, de toute évidence, elle était née sur la bonne rive du fleuve. L'appartement était propre, impeccable, elle avait une trace d'accent du Sud, donc s'il y en avait une avec qui j'avais des affinités, c'était forcément elle.

La matinée s'écoulait agréablement, comme une journée qui démarre bien.

Il y a eu ce petit sketch à propos du funambule, on est montées sur le toit, puis on est redescendues faire un sort aux doughnuts et continuer à discuter. Le salon était baigné de lumière, avec de hauts plafonds, de jolies moulures, et les meubles étaient bien cirés. Il y avait sur l'étagère une horloge sous cloche avec quatre pieds dorés et, sur la table basse, mes fleurs s'étaient déjà ouvertes à cause de la chaleur.

Je voyais bien que ça les épatait de prendre leur petit-déjeuner à Park Avenue. Quand Claire est partie à la cuisine, elles ont toutes retourné leur tasse pour regarder la marque de fabrique. Janet a même soulevé le cendrier en cristal, malgré les deux mégots. Comme si elle pensait trouver la signature du maître-verrier de la reine Elisabeth. Je n'ai pu retenir un sourire.

— On ne sait jamais, a-t-elle murmuré, opiniâtre.

Presque sans bouger, elle avait une curieuse façon de rejeter ses cheveux derrière ses oreilles. Les narines épatées, Janet a reposé le cendrier d'un air de dire : « Quel culot. » Elle a de nouveau relevé la tête en observant Jacqueline. Toutes deux employaient la langue des femmes blanches, j'ai vu ça suffisamment de fois. Il n'y a que les yeux qui parlent, un petit signe discret, on soutient le regard et puis c'est terminé. Il faut des siècles de pratique pour y arriver, je m'étonne d'en voir certaines encore ouvrir la bouche, parfois.

Claire était à la cuisine. Je devinais sa silhouette fine qui, derrière la porte à claire-voie, s'agitait entre les glaçons et le robinet.

— Juste une minute ! nous a-t-elle dit.

Sur la pointe des pieds, Janet s'est avancée vers le portrait du mari. Un beau tableau, aussi net qu'une photo. Un homme assis sur un fauteuil ancien, avec un veston et une cravate bleue. Il nous fixe d'un air si sérieux qu'on remarque à peine le pinceau. Chauve, le nez pointu, il a une tache dans le cou qui ressemble à une fraise.

— Un balai dans les fesses ! a dit Janet à voix basse, en faisant la grimace.

C'était amusant, et sans doute vrai, mais j'ai eu un petit pincement au cœur en pensant à Claire qui allait revenir d'un instant à l'autre. Je me répétais : « Ne réagis pas, ne réagis pas, ne réagis pas. » Janet a posé sa main sur le cadre.

Marcia avait un sourire mauvais. Jacqueline se mordait la lèvre. Elles se retenaient d'éclater de rire.

La main de Janet dansait devant la cuisse du mari. Marcia s'est adossée au canapé, le poing devant la bouche, comme si elle n'avait jamais rien vu d'aussi comique.

— Mais ne l'excite pas, ce pauvre garçon, a lâché Jacqueline.

Un « chut » et d'autres ricanements. Je me demandais ce qu'elles diraient si c'était moi qui faisais des gestes obscènes devant le tableau. Faudrait voir ça. Bien évidemment, je n'ai pas bougé de mon fauteuil.

Le battant a coulissé et Claire est réapparue, tout empressée, avec une grande carafe d'eau glacée.

Janet s'est écartée du portrait, Marcia a toussoté en regardant ailleurs, Jacqueline a allumé une autre cigarette. Claire m'a tendu l'assiette dans laquelle elle avait disposé les deux bagels et les trois doughnuts : un à la crème, un au sucre glace, et un nature.

— Si j'avale encore quelque chose, vous allez me ramasser dans la rue en petits morceaux, leur ai-je dit.

Ma remarque a fait l'effet d'un ballon qui se dégonfle brusquement et vole en zigzaguant. Je n'avais pas cherché à être drôle, mais ça l'était visiblement, et l'atmosphère s'est détendue. Nous avons recommencé à parler normalement – avec sincérité, des mots qui faisaient du bien, les souvenirs de nos enfants, qui ils étaient, quand ils sont partis, pour quoi ils se sont battus. L'horloge égrenait les secondes sur l'étagère. Claire nous a ensuite emmenées dans le couloir, devant les diplômes et d'autres tableaux encore, jusqu'à la chambre de son fils.

Elle donnait l'impression d'y entrer pour la première fois depuis des années. La porte a couiné sur ses gonds.

On n'avait, semble-t-il, touché à rien. Il y avait des crayons, des taille-crayons, des papiers, un palmarès d'équipes de base-ball, des rangées de livres sur les étagères, une commode haute, en chêne, et un poster de Mickey Mantle au-dessus du lit. Une tache d'humidité ornait le plafond, et les lattes du plancher craquaient. J'étais un peu surprise par cette pièce exiguë – on tenait tout juste à cinq.

— Je vais aérer un peu, a dit Claire.

J'ai pris soin de me placer au bout du lit, à l'endroit le plus stable, pour ne pas le faire grincer. Les mains bien à plat sur le matelas, je me suis adossée au mur qui était frais. Janet s'est assise sur le Sacco, qu'elle a déformé à peine, les autres près de la table de chevet, et Claire sur une petite chaise blanche devant la fenêtre.

— Eh bien voilà, a-t-elle dit.

Comme si elle arrivait à la dernière étape d'un très long voyage.

— C'est charmant, a commenté Jacqueline.

— Tout à fait, a renchéri Marcia.

Le ventilateur s'est mis en route au plafond, et la poussière s'est abattue sur nous comme une pluie de moustiques. Les étagères étaient encombrées de pièces de radio, de plaquettes truffées de machins électroniques, et des câbles pendaient partout. Il y avait aussi des accumulateurs, et trois écrans de télévision sortis de leur boîte.

— Il aimait bien la télé ?

— Oh, ça lui servait pour ses ordinateurs, ça, m'a expliqué Claire.

Elle a saisi une photo de lui sur son bureau, qu'elle nous a tendue. Le cadre était argenté, lourd, avec une étiquette *Made in England* sur la feutrine au dos. Joshua était un petit Blanc avec des boutons sur le menton. Cheveux courts et lunettes de soleil. Pas très à l'aise devant l'appareil de photo. Il ne portait pas d'uniforme. Elle nous a dit que le cliché datait de son bac, avant le discours de fin d'année qu'il allait prononcer. Jacqueline a encore levé les yeux au ciel, mais Claire n'a pas remarqué – plus elle se rappelait son fils et plus elle souriait. Elle a saisi une boule à neige sur la table, pour la secouer. C'était une miniature de Miami et j'ai pensé que son gars avait eu de l'humour. De la neige en Floride. Mais lorsqu'elle l'a remise d'aplomb, la pesanteur avait comme disparu : elle a attendu que tous les flocons soient tombés jusqu'au dernier, et elle l'a retournée à nouveau en continuant avec son Joshua – où il avait étudié, les notes qu'il aimait au piano, ce qu'il avait fait pour son pays, les livres sur les étagères qu'il avait tous lus, la machine à calculer qu'il s'était construit tout seul, puis l'université, une histoire de parc quelque part, on devait sûrement attendre de lui qu'il envoie d'autres hommes sur la lune.

J'avais une fois demandé à Claire si elle pensait que Joshua était l'ami de mes garçons, et elle avait dit oui, mais rien n'était sans doute plus loin de la vérité.

J'admets sans honte m'être laissé gagner par un sentiment de solitude. Comme c'était curieux d'être chacune dans sa petite tour avec l'impérieux besoin de parler, chacune son histoire, un récit bizarrement entamé par le milieu qu'il fallait aider à sortir, pour qu'il ressemble finalement à quelque chose de logique.

J'admets aussi que je l'ai laissée poursuivre, je l'ai même encouragée à continuer. Il y a des années, quand j'étais étudiante à Syracuse, je m'étais créé un style, une façon de m'exprimer pour mettre les gens à l'aise, leur tendre la perche de façon à en dire le moins possible sur moi. En d'autres termes, j'érigeais un mur pour me protéger. Dans les milieux bourgeois, je testais les mérites de mes *diable*, mes *misère*, mes *tonnerre*, tous trois partie intégrante de mon héritage sudiste. Des interjections qui ne m'ont jamais fait défaut, d'heureux suppléants au silence que j'emploie en dernier recours depuis une éternité. Et le piège a fonctionné dans les deux sens. Claire repartait dans son petit monde de gadgets, de câbles et d'ordinateurs, et moi je repartais dans le mien.

Apparemment, elle ne s'en rendait pas compte. Souriante sous sa mèche blanche, elle me regardait, surprise de retrouver ses mots et plus rien ne l'entravait. Elle était l'image du bonheur, toute en pensées et digressions, une chose en amenant une autre, les bons résultats au lycée, le goût pour l'électronique, une affaire de piano en Floride – elle jouait à la marelle dans la vie de son petit.

Il commençait à faire chaud, à cinq dans cette pièce. Le réveil était arrêté sur la table de chevet, les piles étaient sans doute mortes, mais ses aiguilles tournaient à l'intérieur de mon crâne. Je me sentais partir, je ne voulais pas m'endormir. J'ai dû me mordre la joue pour ne pas m'assoupir. Et je n'étais pas la seule, nous étions toutes un peu à cran, j'entendais Jacqueline souffler, Janet toussoter, Marcia s'éponger le front avec son petit mouchoir.

Pressentant une sérieuse attaque de fourmis, j'ai essayé d'agiter mes doigts de pied, de raidir mes mollets, je devais grimacer et faire du bruit en gigotant.

Claire me souriait toujours. C'était un de ces sourires coincés aux commissures, avec une fermeture Éclair au milieu. Je lui souriais aussi en m'efforçant de ne pas montrer que j'étais énervée et mal à l'aise. Ce n'est pas qu'elle m'ennuyait, cela n'avait rien à voir avec ce qu'elle racontait, c'est juste que mon corps se vengeait. J'ai de nouveau plié les orteils, mais rien à faire. Alors, aussi doucement que possible, je me suis mise à taper du genou contre l'armature du lit, pour me débarrasser de ces fourmillements. Claire m'a regardée d'un air déçu et finalement ce n'est pas moi qui me suis levée, mais Marcia, en s'étirant et en bâillant – oui, en bâillant, comme un gamin retire un chewing-gum de sa bouche, pour que l'on comprenne bien : « Désolé, ça me fatigue, je bâille et c'est comme ça. »

— Excusez-moi, a-t-elle dit sans vraiment le penser.

Un ange est passé. On avait l'impression de voir l'air se décomposer, de pouvoir mettre une étiquette sur les particules.

Se penchant vers Claire, Janet lui a tapoté le genou :

— Terminez votre histoire.

— Je ne sais plus où j'en étais. Qu'est-ce que je disais ?

Personne n'a répondu.

— Je disais pourtant quelque chose d'important, s'est reproché Claire.

— Sur Joshua, oui, a fait Jacqueline.

Les yeux de Marcia lançaient des flammes.

— Mais vraiment, je n'arrive pas à me rappeler.

Elle m'a fait un autre sourire Éclair, comme si son cerveau refusait d'accepter l'évidence, puis elle a inspiré profondément et c'est revenu. L'express Joshua repartait à toute allure – il travaillait à l'avènement d'un truc si révolutionnaire, le monde ne saurait jamais ce qu'il avait perdu, son fils poussait l'ingénierie à ses dernières limites, concevait de nouveaux appareils utiles pour toute l'humanité. Des machines qui communiqueraient comme les êtres humains, et c'est elles qui mèneraient un jour les guerres, c'était peut-être difficile à comprendre, mais croyez-moi, insistait-elle, c'est la direction que prennent les choses.

Se relevant, Marcia s'est approchée de la porte en bâillant à nouveau, plus discrètement, et soudain elle a dit :

— Vous n'auriez pas les horaires des ferrys ?

Claire s'est arrêtée net.

— Je ne voulais pas vous interrompre, excusez-moi, a dit Marcia. Mais je ne tiens pas à être coincée au milieu de la foule et des embouteillages.

— C'est l'heure du déjeuner.

— Je sais, mais il y a quand même du monde, parfois.

— Oui, c'est vrai, a glissé Janet.

— On peut se retrouver à faire la queue pendant des heures.

— Des heures.

— Même un mercredi.

— Si on commandait quelque chose ? a proposé Claire. Il y a un nouveau chinois à Lexington.

— Merci, non, vraiment.

Je la voyais qui s'empourprait. Elle a tenté de sourire, un sourire neutre, et j'ai repensé à cette vieille comptine que m'avait apprise ma mère quand j'étais enfant : « Un peu de venin chasse le médecin. »

Claire lissait les plis de sa robe. Puis elle a saisi la photo de Joshua sur le rebord de la fenêtre et elle s'est levée.

— Je ne saurai jamais vous remercier assez d'être venues. Je me demande depuis quand on n'était pas rentré dans cette pièce.

Son sourire aurait brisé le verre.

Marcia lui en a fait un à sa façon : carnassier. Jacqueline s'essuyait le front comme au retour des enfers. La pièce n'était que toussotements, hésitations, interjections débiles, et Claire s'accrochait au portrait de son fils. Puis les banalités ont défilé – merci beaucoup de nous avoir reçues, il en avait du courage, Joshua, retrouvons-nous dès que possible, merveilleux d'avoir un enfant aussi intelligent, ah si, donnez-moi l'adresse de cette pâtisserie pour les doughnuts – tout ce qui leur tombait sous la main pour meubler le silence.

— N'oublie pas ton parapluie, Janet.

— Je suis née avec.

— Il ne va pas pleuvoir, quand même ?

— S'il pleut, aucun taxi ne s'arrêtera.

Dans le couloir, Marcia s'est mis du rouge à lèvres devant le miroir avant d'accrocher son sac à son bras.

— La prochaine fois, faites-moi penser à emmener une tente.

— Une quoi ?

— Une tente. Je la planterai à cet endroit même.

— Ah oui, a fait Janet, quel bel appartement vous avez !

— Le plus beau de l'immeuble, avec terrasse, a renchéri Marcia.

Et les mensonges de se télescoper, et Marcia ne voulait pas être celle qui poserait la main sur la poignée de la porte. Elle se dressait devant le portemanteau aux trois pieds de griffon. Son épaule frottait sur le perroquet, elle ne savait plus où se mettre, et le machin menaçait de s'effondrer avec tous les pardessus.

— Je vous appelle en début de semaine.

— Ce serait fantastique, a dit Claire.

— On reviendra chez moi.

— Bonne idée, formidable.

— On remettra des ballons jaunes, a proposé Janet.

— Des ballons jaunes, il y avait des ballons jaunes ?

— Dans les arbres, oui.

— Je ne me souviens pas, a dit Marcia. Je suis complètement à la masse.

Elle s'est penchée pour murmurer trois mots à l'oreille de Janet et elles ont ricané.

On entendait à l'extérieur le cliquetis de l'ascenseur.

— Une question stupide ? a demandé Marcia d'un air coupable, en posant une main sur le bras de Claire.

— Je vous en prie, je vous en prie.

— Il faut donner un pourboire au liftier ?

— Mais non, bien sûr que non.

J'ai jeté un dernier coup d'œil au miroir dans l'entrée, je vérifiais que mon sac était bien fermé quand soudain Claire, me prenant le coude, m'a attirée vers le salon.

— Voulez-vous encore quelques bagels, Gloria ? a-t-elle dit assez fort pour qu'on l'entende toutes.

— Oh, non, j'en ai eu bien assez.

— Restez juste un instant, a-t-elle ajouté dans un souffle.

Ses yeux étaient légèrement humides.

— Vraiment, Claire, je ne veux plus de bagels.

Un chuchotement :

— Restez.

— Claire…

Je voulais me détacher, mais elle s'accrochait à mon coude comme à une liane sur le point de rompre.

— Moi sans les autres ?

Ses narines frémissaient. À la regarder de si près, on lui aurait donné dix ans de plus. Et cette voix implorante. Janet, Marcia et Jacqueline se bidonnaient devant un tableau au bout du couloir.

Non, je n'avais pas envie de la laisser avec ces miettes sur le tapis, le cendrier à vider, et cela ne m'aurait pas gênée de remonter mes manches, de laver la vaisselle ou ranger les citrons dans un Tupperware. Seulement, j'avais en tête nos marches pour la liberté, et même si elle était sympa, même si elle me souriait, on n'avait pas enduré toutes ces choses, dix ou quinze ans plus tôt, pour faire le ménage dans un appartement de Park Avenue. Ce n'était pas contre elle. Elle avait ces grands yeux, pleins de générosité. J'aurais pu simplement me rasseoir sur le canapé, et elle aurait fait mes quatre volontés, mais on ne s'était pas battus pour ça non plus. Je n'ai pu m'empêcher :

— Misère.

À la porte, Jacqueline se raclait la gorge comme avant de prendre la parole.

— Coca-Cola, un, deux, trois[35] ! a dit Marcia.

Janet tapait du pied, Jacqueline toussait, Marcia arrangeait ses mèches devant la glace en murmurant.

Je n'aurais jamais cru que cela puisse arriver – trois Blanches d'un côté qui m'attendaient pour partir, une quatrième de l'autre qui cherchait à me retenir. Un dilemme comme celui-là, non. J'étais pieds et poings liés sur un cheval au galop, et mon cœur battait la chamade. Les yeux embués de larmes, Claire me regardait d'un air impatient. Je n'avais que deux possibilités, soit je rejoignais les filles et, en bas de l'ascenseur, c'était la rue et au revoir, soit je ne bougeais pas. Si je marquais une préférence, je risquais d'être exclue des prochaines matinées, alors tant pis, elle avait beau être adorable, avoir un bel appartement, j'ai reculé avec un pieux mensonge.

— Il faut que je rentre dans le Bronx, je répète cet après-midi avec la chorale.

Mentir ne faisait pas de bien. Claire a dit qu'elle comprenait, bien sûr, et « Que je suis bête ! », puis elle m'a gentiment embrassée sur la joue. Ses lèvres ont glissé contre ma barrette, dans les cheveux, et elle a ajouté :

— Ce n'est pas grave.

Je n'ai pas de mot pour décrire son expression, et il ne doit pas y en avoir beaucoup. C'était comme une vague, une lame de fond, impossible à expliquer. J'avais la sensation que mes vertèbres se détachaient, la peau me serrait, mais que pouvais-je lui dire ? Elle m'a pris le poignet et l'a serré en marmonnant encore qu'elle comprenait, elle ne voulait pas que je manque ma répétition. Je me suis détachée. Cette fois, j'ai pensé que c'était fini, tout allait bien, la voie était libre, quelques sourires dans le couloir, et oui, la prochaine fois ce serait chez Marcia. Mais je me disais qu'il n'y aurait sans doute pas de prochaine fois, c'était navrant, on risquait de renoncer, nous avions chacune eu notre tour, et nos garçons deux heures pour retrouver une vie, voilà, c'était fini.

Claire a appuyé sur le bouton de l'ascenseur, le liftier a ouvert la grille, je suis entrée la dernière. Claire m'a rattrapée par le coude et m'a encore tirée vers elle, tout près, le visage voilé de tristesse.

— Je ne demande pas mieux que vous payer, Gloria, a-t-elle murmuré.

*

* *

Ma grand-mère était une esclave, comme sa propre mère. Mon arrière-grand-père avait réussi à s'émanciper selon les lois du Missouri. Il gardait une porte ouverte dans sa mémoire, pour ne jamais oublier la brûlure des fouets. Je sais une chose ou deux sur ce que les gens veulent acheter, et comment ils pensent l'obtenir. Les marques qui restent aux chevilles des femmes. Les cicatrices qu'on rapporte des champs. On m'a dit le prix de l'enfant adjugé et vendu, j'ai lu l'existence des bateaux-cercueils, et les fers aux poignets, et ce qu'on faisait aux filles à la puberté. Ils aimaient que leurs draps soient bordés serrés, qu'une pièce de monnaie puisse rebondir dessus. J'ai entendu les sudistes en cravate et chemise amidonnée. J'ai vu les poings brandis, j'ai scandé avec les miens, j'étais dans un de ces bus quand ils soulevaient leurs enfants devant les fenêtres pour qu'ils nous insultent. Je connais l'odeur du gaz CS, c'est beaucoup moins sucré qu'on le dit.

Se mettre à oublier c'est déjà être perdu.

Claire a paniqué en refermant la bouche ; sa tête un tourbillon autour des yeux ; aspirée par ces mots qu'elle venait de prononcer ; un tremblement à la base des paupières. Ouvrant une main molle et résignée, elle l'a contemplée comme si elle disparaissait derrière ce membre incertain.

Je suis montée sans plus attendre dans la cabine.

— Bon après-midi, madame Soderberg, a dit le liftier.

La démission et la tendresse sur le visage de Claire.

Quand la porte s'est refermée, Marcia a poussé un soupir de soulagement et Jacqueline s'esclaffait.

— Chut, a fait Janet, qui fixait la nuque du jeune homme en se retenant de rire.

Sans doute avaient-elles envie de se défouler, d'y aller de leurs petits commentaires – « Je ne demande pas mieux que vous payer, Gloria » –, mais il n'était pas question que je rentre dans ce jeu. J'étais sûre qu'elles avaient entendu, et il faudrait qu'elles analysent et dissèquent cette phrase jusqu'à plus soif, dans un café ou un snack quelque part, et je ne voulais plus rien entendre, ni portes, ni tasses, ni soucoupes, ni personne. J'avais l'intention de les laisser, de partir me promener, de me vider la tête, de planer une seconde, de mettre un pied devant l'autre en malaxant les choses.

La lumière rebondissait en bas sur le carrelage clair. Le portier nous a arrêtées :

— Excusez-moi, mesdames, mais Mme Soderberg vient de m'appeler, elle souhaiterait vous revoir un instant.

Marcia a poussé un long soupir, Jacqueline pensait qu'elle nous donnerait le reste des bagels, que c'était à se tordre de rire, moi je sentais la chaleur me monter aux joues.

— Je m'en vais, ai-je annoncé.

— Ouh, il y en a qui sortent de leurs gonds, a dit Marcia qui, se rapprochant, m'a posé une main sur le bras.

— J'ai ma répétition à la chorale

— Sans blague, a-t-elle fait en plissant les paupières.

Je l'ai dévisagée un instant, puis j'ai ouvert la porte et remonté l'avenue, leurs regards brûlants dans mon dos.

— Gloria ! Gloria !

Autour de moi, un ballet de jambes solides et de souliers cirés. Les hommes d'affaires, les docteurs, les bourgeoises bien sapées partaient déjeuner. Les taxis passaient avec leur panneau brusquement éteint pour cette femme de couleur, même avec sa plus jolie robe, au soleil de midi, en plein été. Des fois que je les emmènerais là où il ne faut pas, loin de l'argent et des œuvres d'art, dans le Bronx où rien ne brille et surtout pas l'or. Tout le monde sait que les taxis ne prennent pas les Noires, elles ne laissent pas de pourboire, ou trois boutons de culotte, voilà ce qu'ils pensent, on n'y changera rien, *freedom-riders* ou pas. Et donc un pied devant l'autre, et on recommence. J'avais mes bonnes chaussures en cuir, celles que je mets pour aller à l'Opéra, et d'abord ça allait, enfin pas trop mal, ensuite j'oublierais ma solitude en marchant.

Encore un « Gloria ! » dans mon dos, mon propre nom qui s'éloignait de moi.

Je ne me suis pas retournée. J'étais certaine que Claire me courait après, je me demandais sans cesse si j'avais bien agi, à la laisser toute seule dans la chambre de son fils avec les pièces de radio, les bouquins, le base-ball, les boules à neige, les crayons et les taille-crayons rangés sur les étagères. Son visage me poursuivait, la tristesse se glissait dans ses yeux.

Passez piétons, attendez.

Je n'avais envie que d'une chose, rentrer, me terrer chez moi, loin des carrefours et des feux rouges. M'éloigner de la honte, ou de la colère, voire de la jalousie – simplement être là-bas, les verrous fermés, une aria sur la stéréo, enveloppée dans une voix, sur mon vieux canapé cassé, à tout noyer jusqu'à ce qu'il n'y ait plus rien.

Passez piétons, attendez.

D'un autre côté, je me disais que j'avais eu tort de réagir ainsi, je prenais sans doute tout de travers, et à la vérité cela n'était qu'une Blanche toute seule à Park Avenue. Qui avait perdu son gars comme j'en ai perdu trois, et elle était gentille, n'avait rien exigé, elle m'avait invitée, embrassée sur la joue, servi un bon café, et puis elle avait lâché une connerie, une imbécillité, et moi j'en profitais pour tout fiche en l'air. J'aimais bien qu'elle s'affaire autour de nous, elle ne voyait pas à mal, elle n'était peut-être pas très à l'aise. Les gens sont parfois bien, ou à moitié bien, ou juste un quart, et ça passe constamment de l'un à l'autre – mais même le dimanche, personne n'est parfait.

Je l'imaginais là-bas en train de regarder l'ascenseur, la danse des numéros jusqu'au rez-de-chaussée, et se mordre les doigts pendant qu'on descendait. Prête à se gifler d'avoir été aussi lourde, puis courir à l'interphone pour nous supplier.

Mal au ventre et un point de côté au bout d'un kilomètre. Essoufflée, je me suis reposée sous un auvent dans la 85e, pour réfléchir, mais je me suis dit non, je continue tout droit, je me le dois à moi-même, et au point où j'en suis on ne va pas m'arrêter.

On a parfois des idées folles. Je rentre à la maison à pied, même si j'en ai pour une semaine, eh bien on marchera tous les jours, bon Dieu, mais j'y arriverai, dans le Bronx.

Je n'entendais plus ni Marcia, ni Janet, ni Jacqueline. J'étais soulagée dans un sens qu'elles m'aient lâchée, je n'avais pas cédé, je ne m'étais pas retournée. Allez savoir ce que je leur aurais dit si elles m'avaient filé le train. Mais j'étais désolée aussi que Claire n'ait pas insisté. Je le méritais. J'aurais aimé qu'elle me tape sur l'épaule, qu'elle m'implore, pour être bien sûre que cela comptait, que nos enfants comptaient. Je ne voulais pas en rester là, avec mes petits.

J'ai levé la tête sur Park Avenue, large et grise, avec une légère pente en chemin, comme un escalier au carrefour. J'ai resserré les boucles de mes chaussures et j'ai traversé au passage piétons.

*
* *

J'ai quitté le Missouri à dix-sept ans grâce à la bourse que m'a donnée l'université de Syracuse. Cela n'engage que moi, mais je ne me suis pas si mal débrouillée. J'avais un joli brin de plume, comme on dit, j'étais bonne en histoire contemporaine et donc on m'invitait, avec d'autres jeunes femmes de couleur, dans d'élégantes demeures. Lambris, bougeoirs, verres de cristal. On nous demandait de parler du débarquement à Anzio, des Tuskegee Airmen, de William Du Bois, de notre émancipation, et que penserait Lincoln de notre réussite ? Ces messieurs dames nous écoutaient d'un œil vitreux. Comme s'ils tenaient à croire ce qu'on leur disait, mais doutaient eux-mêmes d'être là.

Et la soirée passait, j'étais un peu raide au piano, non je n'avais pas le jazz au bout des doigts. Je n'étais pas la négresse qu'ils voulaient. Il leur arrivait de relever la tête, ébahis, comme au sortir d'un cauchemar.

Le doyen d'une fac ou d'une autre nous reconduisait à la porte. Je savais que la fête commençait réellement une fois qu'il la refermait.

Quand je me retrouvais sur la pelouse, je ne voulais pas retourner aux dortoirs. Alors je me promenais en ville, à Thorden Park, dans les jardins de White Chapel, parfois jusqu'à l'aube indécise, avec mes semelles trouées.

À l'université, j'ai passé beaucoup de temps à serrer mon cartable sur ma poitrine, à faire la sourde oreille aux sollicitations des membres de la fraternité qui auraient bien aimé m'accrocher à leur tableau de chasse. En safari à Syracuse, ces jeunes.

Certes, le Missouri me manquait avec ses petites routes de campagne, mais mes parents n'auraient pas compris que je renonce à ma bourse. Ç'aurait été l'échec pour eux. Loin de ma réalité, ils imaginaient leur petite fille en train de creuser les vérités profondes de l'Amérique, dans ces endroits où de jeunes femmes bien élevées franchissent le seuil de l'opulence. J'avais avec moi tout le charme du Sud et cela me profiterait, pensaient-ils. Les lettres de mon père commençaient par : « Ma glorieuse Gloria. » Je répondais sur du papier pelure que j'adorais mes cours d'histoire, ce qui était vrai. Que j'aimais me promener dans les bois. Vrai aussi. Que j'avais toujours du linge propre dans ma chambre. Vrai encore.

Cela faisait beaucoup de vérités peu sincères.

J'ai cependant été reçue avec mention très bien. L'une des toutes premières Noires de l'établissement à avoir cet honneur. J'ai monté les marches et contemplé la foule des toges et des mortiers, qui m'a réservé des applaudissements stupéfaits. Il pleuvait légèrement sur l'esplanade. J'ai longé, terrifiée, la rangée de mes condisciples. Papa et maman, venus exprès du Missouri, m'ont embrassée. Vieux, à bout de course, ils se tenaient la main comme s'ils n'étaient plus qu'un. Nous sommes allés fêter ça dans un Denny's[36]. Maman disait que les gens de couleur en avaient fait, du chemin. Je me suis ratatinée sur la banquette. Ils m'avaient laissé un peu de place à l'arrière dans la voiture. Je leur ai dit non, j'aimais autant rester un petit peu plus longtemps si ça ne les dérangeait pas. Je ne me voyais pas rentrer déjà.

— Ah, ont-ils dit à l'unisson, avec un demi-sourire, c'est qu'on est du Nord maintenant.

Un demi-sourire de douleur, appelons ça une grimace.

Ma mère me regardait dans le rétroviseur tandis qu'ils s'éloignaient – mais c'était plutôt moi qui m'éloignais. Un geste d'au revoir, elle criait par la fenêtre qu'ils m'attendraient.

Les foucades de l'amour, et un premier mariage. Originaire de Des Moines, mon futur mari suivait des études d'ingénieur. C'était une personnalité connue des meetings de la cause : il était incollable sur tous les sujets. Il portait la coupe afro assez court, avec des reflets cannelle. Une vilaine peau et un beau nez de travers. Lorsqu'il ajustait ses lunettes, précisément, c'était avec le médium. Le soir où je l'ai rencontré, il expliquait que l'Amérique n'avait pas conscience de vivre sous la censure, et qu'il en serait ainsi tant que les droits naturels n'étaient pas étendus à tous. Il parlait bien de *droits naturels*, et non de droits civiques. La salle était stupéfaite. J'avais le désir à la gorge. Son regard m'a trouvée. Il était mince, avec quelque chose de juvénile, et une bouche pleine. Nous nous sommes fréquentés six semaines avant de sauter le pas. Mes parents, et mes deux derniers frères, sont montés en voiture pour le mariage. On avait réservé une salle délabrée de la banlieue. Nous avons dansé jusqu'à minuit, puis les musiciens sont partis, leurs cuivres entre les jambes, et tout le monde a récupéré son manteau. Papa n'avait pratiquement pas ouvert la bouche. Il m'a embrassée sur la joue, m'a dit qu'on ne voulait plus de ses enseignes, qu'on mettait des néons partout, mais s'il pouvait en suspendre une au-dessus de la Terre, il ferait savoir que j'étais sa fille.

Ma mère m'a prodigué ses conseils – je n'en ai pas retenu un seul – et mon mari m'a emportée.

Je lui ai souri, il m'a souri, et on a aussitôt compris que nous nous étions trompés.

Certains pensent que l'amour est au bout de la route et que, si on a la chance de le trouver, on s'arrête. D'autres vous diront que c'est plutôt une embardée, un vol plané, et la plupart de ceux qui ont un peu de jugeote savent qu'il change au fil du temps. Selon l'énergie qu'on lui consacre, on le garde, on s'y accroche ou on le perd. Sauf que, parfois, il est absent dès le premier jour.

Notre lune de miel fut un désastre. Un soleil froid traversait les fenêtres de notre pension, dans une petite ville au nord de New York. Il paraît que bien des maris ne touchent pas leur femme le soir des noces. Ça ne m'a pas alertée.

Enfin, au début. Allongé sur le canapé, il ne dormait pas, il semblait fiévreux. Je ne voulais pas le brusquer. Il m'a répété gravement qu'il était fatigué, que la pression avait été rude toute la journée – je devais apprendre des années plus tard que la cérémonie avait englouti les économies de ses parents. De temps à autre, quand je l'écoutais parler, lorsqu'il appelait pour me dire qu'il ne rentrait pas, je sentais encore une vague poussée de désir. Comme si les mots avaient un faible pour lui, sa parole quelque chose de magique, puis un jour, sa voix a commencé à m'agacer, il finissait par ressembler aux murs de ses hôtels, il en absorbait les couleurs et ils l'engloutissaient.

C'était comme s'il n'avait plus de nom.

En 1947, après onze mois de mariage, il m'a annoncé qu'il était à la recherche d'une autre case qui lui irait mieux. Lui, qui avait été la star des meetings. « Une autre case. » J'ai eu l'impression qu'on me sciait le crâne. Je l'ai quitté.

J'ai inventé toutes sortes d'excuses, de mensonges compliqués, pour ne pas rentrer chez mes parents. Ils poursuivaient ensemble, eux – pourquoi leur faire du mal ? Je ne pouvais supporter l'idée qu'ils sachent, c'était comme un serpent enroulé dans mon sein. Je ne leur ai même pas dit que j'avais divorcé. Quand j'appelais ma mère, je prétendais qu'il prenait un bain, qu'il jouait au basket en bas, qu'il était parti à Boston pour un entretien avec une société d'études. Je tirais le fil du téléphone jusqu'à la porte d'entrée, j'appuyais sur la sonnette et :

— Faut que je te quitte, maman, Thomas reçoit des amis.

Il avait retrouvé un nom en partant. Thomas. Je l'ai tracé en bleu sur le miroir de la salle de bains avec mon eyeliner. Je me regardais dans la glace derrière les lettres.

J'aurais dû revenir dans le Missouri, trouver un emploi stable, me rapprocher des miens, peut-être dénicher un mari qui n'ait pas peur des réalités, et je ne l'ai pas fait. Je faisais semblant de croire que j'allais me décider, mais mes parents n'ont pas attendu jusque-là. Ma mère a disparu d'abord, puis mon père, brisé, une semaine après. Je me rappelle avoir pensé qu'ils étaient partis en amoureux. Ils ne pouvaient pas vivre séparément. C'était comme si, toute leur vie, ils avaient respiré l'un pour l'autre.

Un signal s'était allumé en moi, un vide bordé de colère, et je voulais voir New York. Cette ville qui dansait, disaient-ils. J'ai débarqué à la gare routière avec deux élégantes valises, un chapeau et des talons aiguilles. Des hommes m'ont proposé de porter mes bagages. La tête haute, j'ai remonté Eighth Avenue. Sans eux. J'ai loué une chambre dans un meublé, je me suis inscrite à un programme de bourses qui ne m'a jamais répondu. Alors j'ai pris le premier job qui s'est présenté, à l'hippodrome de Belmont Park, comme employée derrière un guichet. Nous acceptons parfois des choses qui ne sont vraiment pas pour nous. On fait comme si, on croit qu'on s'en débarrassera comme d'un manteau, et le manteau devient une seconde peau. J'étais réellement surqualifiée, mais j'ai signé. J'allais chaque jour à l'hippodrome. Je pensais que ça ne durerait qu'un moment, quelques semaines. Une déviation sur la route d'une jeune femme qui avait une idée du plaisir sans l'avoir goûté. J'avais vingt-deux ans. Je voulais simplement mettre un peu de frisson dans ma vie : sortir les objets de mes jours et les réunir autrement, sans obligations derrière moi. Et puis j'aimais la musique des galops. Le matin avant les courses, je me promenais devant les stalles, pour humer les odeurs de foin, de savon, de sellerie.

J'entretiens l'idée que, d'une certaine façon, on continue de vivre dans les endroits qu'on a quittés. J'aimais voir les chevaux de près. Leurs flancs bleus comme des ailes d'insecte. Les effets de crinière. C'était le Missouri à New York. Le parfum de la maison, des champs et des ruisseaux.

Un homme est arrivé avec une étrille à la main. Il était grand, noir, élégant. Même en salopette. Un sourire radieux et des dents blanches.

Mon deuxième et dernier mariage m'a laissée au dixième étage d'une cité du Bronx avec trois garçons. Et dans un sens, les deux petites aussi, je suppose.

Il faut parfois monter assez haut pour voir ce que le passé fait du présent.

*

* *

J'ai continué tout droit le long de Park Avenue jusqu'à la 116e. Au passage piétons, j'ai commencé à me demander comment, exactement, j'allais traverser le fleuve. Il y avait toujours les ponts, mais j'avais les chevilles enflées et le cuir me cisaillait l'arrière du pied. J'avais fait exprès d'acheter ces chaussures une demi-taille au-dessus de la mienne, pour ces dimanches à l'Opéra où, m'enfonçant dans mon fauteuil, je les retire discrètement pour avoir un peu frais. À force de frotter, elles m'avaient entaillé la peau. J'ai tenté d'adapter mon pas, mais c'était encore pire, les entailles se creusaient. J'avais une pièce pour le bus, un jeton pour le métro, mais je m'étais promis de rentrer par mes propres moyens, de mettre un pied devant l'autre jusqu'au bout. Alors j'ai poursuivi.

Harlem donnait l'impression d'une ville assiégée – clôtures, rampes et barbelés, les radios qui gueulaient, les enfants dans les rues. Dans les étages élevés, des femmes accoudées aux fenêtres semblaient regarder un paysage qui, dix ans plus tôt, était peut-être moins sordide. En bas, des mendiants hirsutes faisaient la course dans leurs chaises roulantes avant l'arrêt des voitures au feu : le gagnant ramassait la pièce et ils prenaient ça très au sérieux.

J'apercevais les chambres dans les maisons : un pot en émail blanc derrière une vitre, un journal ouvert sur une table ronde, un abat-jour à plis au-dessus d'un fauteuil vert. Quels bruits faisait la vie à l'intérieur ? Ça ne m'avait jamais traversé l'esprit, et je me rendais soudain compte que toute chose a New York est bâtie sur une autre, aussi bizarre soit-elle, rien n'existe séparément, tout est lié.

La douleur fusait à chaque pas, mais je tenais le coup. Il y a pire qu'une paire d'escarpins déformés. Un air à la mode me revenait en mémoire, cette chanson de Nancy Sinatra avec ses bottes qui sont « faites pour marcher ». Je me suis dit qu'en fredonnant, j'oublierais d'avoir mal. « *One of these days these boots are gonna walk all over you*[37]. » D'un carrefour au suivant. Les fissures qui se prolongent sur le trottoir. Voilà comment nous avançons, les uns comme les autres : c'est toujours plus facile l'esprit occupé. Un coin de rue, un refrain. Petite, quand je rentrais à la maison à travers champs, mes chaussettes se tassaient dans mes chaussures.

Le soleil était encore dans le ciel. Cela faisait au moins deux heures que j'étais partie, je ne m'étais pas pressée.

De l'eau coulait dans le caniveau : un peu plus haut, des enfants avaient ouvert une bouche d'incendie et dansaient en slip sous le jet. Leurs petits corps noirs et luisants étaient superbes. Sur le seuil des immeubles, les grands regardaient leurs jeunes frères et sœurs trempés, en regrettant peut-être leur âge.

J'ai traversé la rue car j'étais à l'ombre.

Depuis mon arrivée à New York, j'avais été agressée sept fois. C'est quasiment inévitable. On le sent venir, même derrière soi, c'est un courant d'air, une intensité dans la lumière, une intention ou un éclair. Caché derrière une poubelle, à quelques mètres, sous une casquette ou un pull-over. Le regard qui fuit et qui revient aussitôt. Et quand ça tombe, en l'espace d'une seconde, on n'est plus de ce monde. On habite dans le sac à main qui fout le camp devant soi. C'est cette sensation-là. Ma vie qui s'en va dans la rue, deux chaussures qui l'emportent au loin.

Et là, c'est une jeune fille, portoricaine, qui sort d'un hall d'immeuble sur la 127ᵉ. Seule. Crâne. L'ombre de l'échelle d'incendie sur son visage. Des yeux de droguée, un couteau sous le menton et j'ai déjà vu ce regard : elle s'égorgera toute seule si je lui échappe. Elle a une couche d'argent vif sur les paupières.

— Il y a déjà assez de malheur, lui dis-je avec ma voix de messe, mais elle braque l'arme sur moi.

— Le sac !

— Pas besoin d'en rajouter, non ?

Elle passe la lame sous la bandoulière.

— Les poches !

— Vous n'êtes pas obligée !

— Ta gueule.

Le sac s'est calé sur l'angle de son coude. Le poids devait indiquer qu'il ne contenait rien, à part un mouchoir et quelques photos. Agile, elle s'est penchée vers moi et la lame a tranché la poche de ma robe. Je l'ai sentie contre ma hanche. J'y avais mis mon porte-monnaie, mon permis de conduire, deux autres photos de mes garçons. Elle a déchiré l'autre couture.

— Grosse conne.

Et elle a disparu.

La rue vibrait autour de moi. Ma faute et ma faute seulement. Des aboiements ont jailli. J'ai pensé un instant que je n'avais plus rien à perdre, sinon ma dignité, je n'avais qu'à la suivre, lui arracher mon sac volé. C'est surtout les photos que je voulais. J'ai marché jusqu'à l'angle, elle était déjà loin. Mes photos étaient par terre, alignées. J'ai ramassé ce qui me restait de mes enfants. J'ai vu les yeux d'une femme, plus âgée que moi, derrière sa fenêtre. Des fleurs artificielles, des saints en plâtre sur le rebord, et le cadre en bois pourri autour. J'aurais troqué ma vie contre la sienne. Elle a reculé et refermé le battant. J'ai posé mon sac blanc proprement sur le perron et je suis repartie. Elle n'aurait qu'à le garder. Sans les photos.

J'ai levé la main au carrefour, un taxi clandestin s'est arrêté tout de suite.

Il a ajusté son rétro pour me regarder monter.

— Ouais ? a-t-il dit en tapotant sur son volant.

Essayez de peser les jours sur une balance.

Il a crié :

— Eh, m'dame, on va où ? !

Allez peser.

— La 75ᵉ au coin de Park.

Pourquoi là ? Aucune idée. Il y a des choses qu'on n'explique pas. J'aurais aussi bien pu rentrer chez moi, j'avais dix fois de quoi le payer. L'argent était caché sous le matelas. Pour autant que je sache, le Bronx était plus près que chez Claire. On s'est engagés dans le flot et je ne lui ai pas demandé de rebrousser chemin. L'appréhension me gagnait au fil des rues.

Le portier l'a appelée, elle est descendue en courant et elle est allée régler la course. Claire m'a examinée en vitesse – une petite digue de sang s'était formée sur la couture du talon, et la poche de ma robe bâillait. Quelque chose s'est délié, comme un tour de clef, et Claire s'est adoucie. L'entendre dire mon nom m'a gênée un instant. Le bras sur mon épaule, elle m'a conduite à l'ascenseur, puis le couloir et sa chambre à coucher. Les rideaux étaient tirés. Elle sentait très fort le tabac, avec un peu de parfum frais.

— Voilà, a-t-elle dit comme s'il n'y avait que cet endroit au monde.

Je me suis assise sur le drap impeccable pendant qu'elle me faisait couler le bain. L'odeur des sels a flotté jusqu'à moi.

Je me voyais dans le miroir de la coiffeuse. J'avais l'air essoufflée, fourbue. Le bruit des robinets couvrait ce qu'elle disait.

En revanche, le drap gardait la forme de son corps de l'autre côté du lit. Elle avait passé un moment allongée, peut-être à pleurer. J'ai eu envie de me couler dans son empreinte, de l'agrandir trois fois. La porte s'est ouverte doucement.

— On va arranger ça, a-t-elle dit.

Elle est venue vers moi, m'a menée par le coude jusqu'à la salle de bains, m'a installée sur le tabouret de bois près de la baignoire. Le poing à demi fermé, elle a vérifié la température. J'ai roulé mon collant. Un peu de peau s'est détaché de l'arrière des talons. J'ai pris place sur le bord avant de mettre mes jambes dans l'eau. Le bain piquait. L'eau a dilué le sang coagulé sur mes pieds. Des traînées rouges s'en échappaient comme d'un curieux coucher de soleil.

Claire a étendu une serviette blanche sur le carrelage, puis elle m'a donné des pansements, par le bout autocollant. Elle avait détaché le film de papier. Je n'arrivais pas à m'ôter de l'esprit qu'elle allait m'essuyer les pieds avec ses cheveux.

— Ça va, lui ai-je dit.

— Qu'est-ce qu'ils vous ont volé ?

— Mon sac, c'est tout.

Montée d'angoisse : qu'elle n'imagine pas que j'avais en tête ce qu'elle avait proposé plus tôt, ma récompense, ma bourse d'esclave.

— Il n'y avait pas d'argent, lui ai-je appris.

— On va de toute façon appeler la police.

— La police ?

— Eh bien oui.

— Claire...

Elle a posé sur moi deux yeux inexpressifs où la lumière est peu à peu entrée. Les gens croient avoir percé le mystère de votre propre peau. Erreur. Seul celui qui la porte sait ce qu'il a sur le dos.

Je me suis penchée pour appliquer les pansements, qui n'étaient pas tout à fait assez grands. Ils collaient sur la plaie et j'avais déjà mal à l'idée de les retirer.

— Vous savez le pire ?

— Non ?

— Elle m'a traitée de grosse.

— Je suis navrée, Gloria.

— C'est votre faute, Claire.

— Comment ?

— Votre faute.

— Ah.

Les nerfs à vif dans la voix.

— Je vous avais dit que je ne dois pas manger de dough-nuts.

— Oh !

Elle a renversé la tête, elle a allongé le cou puis le bras vers ma main.

— Gloria, la prochaine fois, à l'eau et au pain sec.

— Bah, une petite pâtisserie.

Je me suis essuyé les orteils. Elle allait me toucher l'épaule quand elle s'est brusquement relevée :

— Il vous faut des chaussons.

Farfouillant dans l'armoire, elle en a ressorti une paire, en feutre, et un peignoir qui devait appartenir à son mari, car je n'aurais pas tenu dans le sien. Refusant tout net, je l'ai accroché à la porte.

— Sans vouloir vous vexer, lui ai-je dit.

Je pouvais remettre ma robe, déchirée ou pas. Claire m'a reconduite au salon. Rien n'avait été débarrassé, mais une bouteille de gin trônait au milieu de la table, plus vide que pleine, et des glaçons fondaient dans un bol. Claire avait pressé les quartiers de citron qu'on n'avait pas touchés. Elle a levé la bouteille à bout de bras en haussant les épaules puis, sans rien me demander, m'a servi un verre.

— Désolée, j'y vais avec les doigts, a-t-elle dit en ajoutant de la glace.

Je n'avais pas bu d'alcool depuis des années. Cette fraî-cheur au fond de la gorge et, pendant trente secondes, rien n'avait d'importance.

— Ouh que ça fait du bien

— Ça guérit parfois.

Le soleil brillait dans son verre, ricochait sur le zeste et semblait colorer sa main. Elle avait l'air de soupeser la terre entière.

— Gloria, a-t-elle dit en s'adossant au cuir blanc.

— Hm ?

Elle regardait, par-dessus mon épaule, un tableau à l'autre bout de la pièce.

— Franchement.

— Franchement ?

— Je n'ai pas l'habitude de boire, vous savez. Mais aujourd'hui, après… tout ce qu'on s'est dit. Je crois que j'ai été un peu ridicule.

— Pas du tout.

— Je n'ai pas raconté de bêtises ?

— Pas une seule.

— Je déteste me couvrir de ridicule.

— Ce n'était pas le cas.

— Vraiment ?

— Vraiment.

— La vérité n'est pas ridicule.

Elle agitait son verre et regardait l'alcool danser sur les parois, le cyclone dans lequel elle voulait se couler.

— Du moins en ce qui concerne Joshua. Pas le reste. Je veux dire, ce que je me suis sentie bête quand je vous ai proposé de l'argent. J'avais seulement besoin de quelqu'un. De quelqu'un près de moi, quoi. C'était égoïste de ma part, et je m'en veux terriblement.

— Ça arrive.

— Ma langue a fourché, a-t-elle fait en se détournant. Je vous ai appelée quand vous êtes partie. J'ai failli vous courir après.

— Et moi, j'avais besoin de marcher, Claire, c'est tout.

— Les autres se fichaient de moi.

— D'aucune façon.

— Je ne pense pas les revoir.

— Mais si, bien sûr qu'on les reverra.

Poussant un long soupir, elle a vidé son verre, s'en est servi un autre – sans trop insister sur le gin, cette fois, et avec beaucoup de tonic.

— Pourquoi êtes-vous revenue, Gloria ?

— Pour l'argent, bien sûr.

— Pardon ?

— Je plaisante, Claire, je plaisante.

Le gin me déliait la langue.

— Ah, je suis un peu lente, cet après-midi.

— En fait, je n'en sais rien, lui ai-je dit.

— Je suis contente que vous soyez revenue.

— Je n'avais rien de mieux à faire.

— Vous êtes drôle.

— Ce n'est pas drôle.

— Non ?

— C'est la vérité.

— Mais ? J'avais oublié. Et votre répétition ?

— Ma quoi ?

— La chorale. Votre répétition.

— Je ne chante pas, Claire. Nulle part. Désolée.

Elle a ruminé ça un instant avant d'afficher un grand sourire.

— Vous restez un moment, quand même ? Pour reposer vos jambes ? Restez dîner. Mon mari devrait être là vers six heures. D'accord ?

— Oh, je ne crois pas que ça soit raisonnable.

— Vingt dollars l'heure ?

— Là, je ne peux pas refuser.

Nous sommes restées un moment agréable sans rien dire, Claire glissait un doigt sur le bord de son verre, et soudain elle s'est comme réveillée.

— Parlez-moi de vos garçons, encore.

Ça m'a énervée. Je n'avais pas envie de penser à eux. Bizarrement, je ne demandais qu'à me laisser envelopper par quelqu'un, faire partie d'un endroit qui n'était pas le mien. J'ai calé un morceau de citron sous ma lèvre. L'acidité m'a donné des frissons. J'aurais souhaité prendre une autre direction.

— Puis-je vous demander quelque chose, Claire ?

— Bien sûr.

— Vous pourriez mettre un peu de musique ?

— Comment ?

— Je dois être encore un peu assommée, vous savez.

— Quel genre de musique ?

— Ce que vous aurez. Ça me… enfin, ça me détend. J'aime bien être immergée dans un orchestre, voyez ? Vous n'avez pas de l'opéra ?

— Je crois que non. Vous aimez l'opéra ?

— Tout mon argent y passe. Chaque fois que je peux, je vais au Met. Au poulailler, tout en haut. Je quitte mes chaussures et je me laisse porter.

Elle s'est rapprochée de l'électrophone. Je n'ai pas vu la pochette du disque qu'elle a choisi. Elle l'a nettoyé avec un chiffon doux, puis elle a posé l'aiguille. Ses gestes étaient étudiés, étroits. comme s'il fallait tout faire pour sortir de l'ordinaire. Et les haut-parleurs ont chanté. C'était du piano, puissant mais dur : on voyait les marteaux frapper les cordes.

— C'est un Russe, a-t-elle dit. Il couvre une octave d'une seule main.

*
*   *

Je n'ai pas pleuré le jour où mon second mari a choisi un autre chemin que moi pour finir dans l'oubli. Elle avait quelques années de moins, et il avait tendance à s'habiller trop grand. Il m'a laissée avec mes trois garçons et mes trois fenêtres sur la Deegan. Je l'ai bien pris. Quand je l'ai vu partir, j'ai pensé qu'on n'avait pas le droit d'être aussi seul, et après tant pis. Ça ne m'a pas crevé le cœur de lui fermer ma porte, ni de toucher une pension alimentaire.

L'été dans le Bronx, c'était la canicule, et l'hiver on gelait. Mes gars portaient des grosses casquettes avec des rabats sur les oreilles. Qu'ils ont laissées tomber pour se faire la coupe afro. Ils planquaient leurs crayons dans leurs cheveux. On savait s'amuser. Un après-midi qu'il faisait vraiment chaud, on a tourné pendant une heure avec nos caddies autour des bacs à surgelés, à Foodland, pour ne pas exploser.

C'est le Vietnam qui m'a fichue par terre. La guerre m'a piqué mes trois gamins sous le nez. Elle les a cueillis dans leur lit, secoué les draps, elle a dit : « Je les prends. »

J'ai un jour demandé à Clarence pourquoi il s'en allait. Il a vaguement parlé de liberté, mais en fait il s'ennuyait. Brandon et Jason m'ont dit la même chose quand leurs ordres d'incorporation ont atteri dans la boîte – les seules lettres que personne ne volait jamais, dans cette cité. Le facteur arrivait avec des sacs entiers de chagrin. L'héroïne circulait partout, à l'époque, et j'ai pensé que mes gars avaient raison, finalement, de se détacher. J'en avais vu tant, de ces gamins avachis dans les coins, l'aiguille plantée dans une veine, les petites cuillers qui dépassaient d'une poche de chemise.

Je leur ai souhaité tout le bonheur possible et ils se sont envolés. Aucun des trois n'est revenu.

Chaque fois qu'une jolie branche pousse sur mon arbre, il faut que le vent vienne la briser.

Assise dans le salon, je regardais les soap-opéras à la télé. J'ai dû manger, il faut croire, boulotter. Ce que je trouvais. Toute seule. Un rempart de Saltines et de Velveeta autour de moi, à changer de chaîne, de cracker, de fromage, tout pour ne pas y repenser, repousser tout souvenir. Mes chevilles gonflaient comme des ballons. Chacune a sa croix à porter, mon sort n'est peut-être pas pire qu'un autre.

Et tout retourne finalement en musique. La seule chose qui m'ait jamais sauvée : les grandes voix. Des années se cachent sous une simple sonorité. J'ai commencé à écouter la radio le dimanche, à convertir en billets d'opéra les maigres indemnités que me versait l'État. Ces voix, c'est comme si elles remplissaient la maison. Un déluge de notes dans le Bronx. Je mettais le volume si fort, parfois, que les voisins se plaignaient. J'ai acheté un casque, d'énormes écouteurs qui me mangeaient la tête. J'évitais de me regarder dans la glace. Mais il y a un pouvoir là-dedans, un pouvoir de guérison.

Cet après-midi-là aussi, chez Claire, j'ai laissé la musique s'enrouler sur moi : ce n'était pas de l'opéra, mais du piano, un plaisir nouveau qui me transportait.

Elle a passé trois ou quatre disques. Quand j'ai rouvert les yeux dans l'après-midi, ou au début de la soirée, je ne sais plus, elle me posait un plaid sur les genoux. Le verre aux lèvres, elle s'est rassise sur le cuir blanc.

— Vous savez ce que j'aimerais faire ?

— Non, quoi ?

— Fumer une cigarette, maintenant, tout de suite, dans le salon.

Elle farfouillait sur la table à la recherche d'un paquet.

— Mon mari a horreur que je fume à la maison, a-t-elle poursuivi.

Il ne restait qu'une cigarette qu'elle a pointée sur sa bouche du mauvais côté. J'ai craint qu'elle allume le filtre, mais elle l'a remise dans le bon sens en riant. Les allumettes étaient mouillées, le souffre s'éparpillait.

Quand je me suis redressée pour attraper une autre pochette d'allumettes, elle a posé une main sur la mienne.

— Je crois que je suis un peu pompette, a-t-elle dit, d'une voix toujours distinguée.

J'ai eu alors une peur horrible – qu'elle essaie de m'embrasser, ou je ne sais quel cinéma dont parlent les magazines. On ne se maîtrise plus, parfois. J'ai senti un vide à l'intérieur de moi, une vague de froid qui me balayait le corps comme le vent dans la rue. Mais il ne s'est rien passé du tout, elle s'est tout simplement rassise en soufflant la fumée au plafond, et nous avons profité de la musique.

Elle s'est levée peu après pour faire réchauffer une tourte au poulet et mettre le couvert pour trois. Le téléphone a sonné sans qu'elle s'en inquiète :

— Je suppose qu'il est en retard.

Elle a fini par répondre. J'entendais sa voix sans vraiment comprendre. Le combiné tout près de la bouche, c'était des « Chéri », des « Sollie », des « Je t'aime moi aussi », mais l'échange était rapide, sec, comme si elle était seule à parler. J'avais la curieuse impression qu'à l'autre bout du fil, il n'y avait que le silence.

— Il traîne au bistro qu'il aime bien, m'a-t-elle dit. Ils arrosent ça, avec le procureur.

Ce qui ne me dérangeait pas franchement. Je ne mourais pas d'envie que le mari descende de son tableau au mur pour me la jouer copain, mais Claire a pris un air lointain, comme si elle voulait que je lui pose des questions, alors je ne me suis pas fait prier. Elle s'est lancée dans une longue histoire de promenade, elle était partie seule et cet homme est venu vers elle dans un pantalon de flanelle blanche, l'ami d'un poète célèbre, ils s'échappaient à Mystic les week-ends, ils allaient dans un petit restaurant écluser des Martini, et ainsi de suite, elle n'arrêtait pas de regarder vers la porte, d'attendre qu'il apparaisse.

L'écoutant à moitié, je pensais que si un observateur invisible avait été là, il nous aurait sûrement trouvées bizarres, à échanger des propos décousus à la tombée de la nuit.

*

* *

Je ne sais plus comment je suis tombée sur la petite annonce dans les dernières pages du *Village Voice*. Je n'entretiens pas un intérêt particulier pour ce journal, mais je devais l'avoir sous la main, par hasard, et le hasard a voulu que j'y fasse attention. Quand je pense en plus que c'est Marcia l'auteur de l'annonce… Enfin bref, je me suis assise dans mon petit coin-cuisine pour écrire, et j'ai dû la recommencer cinquante ou soixante fois, cette lettre. Et de répéter que j'étais une femme de couleur, vivant dans un endroit détestable que je m'efforçais de garder propre et accueillant, mariée deux fois, les trois enfants que j'avais perdus, l'envie de retourner dans le Missouri sans jamais en trouver le courage ni faire le moindre effort, et je serais si heureuse de rencontrer d'autres personnes comme moi, ce serait un tel plaisir. À chaque fois, je déchirais la feuille. Ça n'allait jamais. À la fin, j'ai écrit tout simplement : « Bonjour, je m'appelle Gloria, j'aimerais aussi qu'on se rencontre. »

*
*　*

Le mari est quand même arrivé en titubant à dix heures du soir. On l'entendait déjà dans le couloir :

— Chérie, c'est moi !

Il s'est figé au milieu du salon comme s'il s'était trompé d'appartement. Il a même tapé sur sa poche au cas où il n'aurait pas sorti les bonnes clefs.

— Il y a un problème ? a-t-il demandé.

Avec quelques années de plus, c'était bien le bonhomme du portrait. Sa cravate était de travers sur sa chemise encore boutonnée. Le crâne chauve et luisant, l'attaché-case en cuir avec le fermoir en argent. Claire m'a présentée. Il s'est ressaisi, il est venu me tendre sa main. Il dégageait une douce odeur de vin.

— Enchanté, a-t-il dit, d'un air de se demander pourquoi il devrait l'être, mais il fallait bien, la politesse l'exigeait.

Cette main boudinée était chaude. Il a calé sa serviette contre la table basse en tordant le nez devant le cendrier.

— Les filles font la fête ?

Claire l'a embrassé sur la pommette, près des paupières, lui a desserré sa cravate.

— J'ai invité quelques amies.

Il a levé la bouteille de gin à la lumière.

— Viens t'asseoir avec nous, l'a-t-elle prié.

— Je file à la douche, ma chérie.

— Allez viens, assieds-toi.

— Je suis crevé. Mais tu vas voir, il faut que je te raconte.

— Quoi ?

— Ah, quelle histoire !

Il commençait à déboutonner sa chemise et, pendant une seconde, j'ai cru qu'il allait l'enlever devant moi, un gros poisson blanc au milieu du salon.

— Un funambule dans le ciel entre les tours. Au World Trade.

— Ah oui, on sait.

— Ah bon ?

— Mais oui, comme tout le monde. On a dû en parler jusqu'en Russie.

— C'est moi qui l'ai eu à l'audience.

— Ah oui ?

— J'ai trouvé la condamnation idéale.

— Quoi, on l'a arrêté ?

— Mais bien sûr qu'on l'a arrêté. Je vais tout vous raconter, mais d'abord j'ai besoin d'une douche.

— Sol, a dit Claire en tirant sur sa manche.

— Une seconde, une seconde, j'arrive.

— Solomon !

Il a jeté un coup d'œil vers moi.

— J'ai besoin de me rafraîchir.

— Non, dis-nous, a-t-elle insisté en se relevant. Dis-nous, s'il te plaît.

Nouveau coup d'œil. Je voyais bien que ça l'ennuyait que je sois là, moi la femme de ménage, le témoin de Jéhovah qui avait réussi à s'immiscer, le gâte-sauce qui l'empêchait de se faire mousser. Il a défait un autre de ses boutons. Comme s'il ouvrait une porte dans sa poitrine tout en voulant me pousser dehors.

— Le proc voulait qu'on se fasse un peu de pub. Toute la ville parle de ce type. Alors on préfère ne pas le garder au trou. Et Port Authority a besoin de les remplir, ces tours. Elles sont à moitié vides. Bref, ça arrange tout le monde. Seulement, il faut bien l'accuser de quelque chose, ce petit bonhomme, hein ? Faire preuve d'imagination !

— Oui.

393

— Il a plaidé coupable et on l'a condamné à payer un cent par étage.

— Ah.

— Un cent par étage, Claire. Cent dix étages : ça fait un dollar dix. Tu piges ? Le procureur était aux anges. Tu vas voir dans le *New York Times* demain.

Avec sa poitrine molle et sa chemise ouverte, il est allé au bar se servir un bon verre d'un liquide ambré, qu'il a porté à ses narines en poussant un soupir ravi.

— Je l'ai aussi condamné à donner une autre représentation, a-t-il continué.

— Il va recommencer ? a dit Claire.

— Oui, à Central Park. Pour les enfants. Nous serons aux premières loges, d'ailleurs. Ah, tu vas voir le personnage, Claire. C'est vraiment quelque chose.

— Il refait le même coup ?

— En toute sécurité, cette fois.

Elle a balayé la pièce du regard comme si elle voulait rassembler tous les tableaux au même endroit.

— Pas mal, hein ? Un penny par étage !

Très content de lui, il frappait dans ses mains. Baissant les yeux, Claire semblait regarder sous le plancher, jusqu'au sol, la terre en dessous, le magma, le centre de l'univers.

— Devine comment il a fait pour le tendre, son câble ? lui a demandé Solomon deux fois de suite.

Il a même toussé, le poing devant la bouche.

— Mais je ne sais pas, Sol.

— Fais un effort.

— Ça m'est un peu égal.

— Allez !

— Il l'a... lancé ?

— Ça pèse cent kilos, Claire, ce truc. Il m'a tout raconté au tribunal. Ça sera à la une des journaux, demain. Allez, devine !

— Avec une grue, peut-être ?

— Il n'avait pas d'autorisation. Il a préparé ça de nuit.

— Je ne sais pas, Solomon. On s'est réunies avec des amies aujourd'hui. On était quatre, cinq avec moi, et...

— Avec un arc et une flèche !

— ... on a parlé un moment.

— Il mériterait qu'on le prenne dans les forces spéciales, ce garçon ! Il m'a tout expliqué. C'est un copain qui a envoyé un fil de pêche avec un arc et une flèche ! Contre le vent ! Il a si bien visé qu'elle est tombée juste à la limite de la tour. Ensuite, le fil était accroché à un autre, et encore à un autre. Vraiment incroyable, non ?

— Si, si, a-t-elle dit.

Il a posé son verre rond qui a claqué sur la table, et il a reniflé sa manche.

— Bon, j'ai besoin d'une douche.

S'avançant vers moi, il a repensé à sa chemise qu'il a tirée sur sa poitrine sans la reboutonner. Et maintenant il sentait le whiskey.

— Euh, a-t-il dit. Excusez-moi, je n'ai pas bien entendu votre nom.

— Gloria.

— Bonsoir, Gloria.

J'ai ravalé ma salive. En fait, il voulait dire « au revoir » et je ne vois vraiment pas ce qu'il attendait que je réponde. Je lui ai serré la main, il m'a tourné le dos et il est parti dans le couloir.

– Enchanté, a-t-il poursuivi en chemin

Il fredonnait quelque chose. Un jour ou l'autre, ils vous tournent le dos. S'en vont. C'est écrit dans le marbre. Je suis venue et j'ai vu. Ils font tous ça.

Claire haussait les épaules en souriant. À l'évidence, elle aurait préféré me présenter quelqu'un de mieux, qu'elle avait eu de bonnes raisons d'épouser, elle aurait aimé que je confirme, mais non, il me rejetait pratiquement et elle avait envie de tout, sauf de ça. Elle était rouge comme une pivoine.

— Une seconde, Gloria, m'a-t-elle dit.

Elle s'est élancée à sa suite. Leurs voix indistinctes dans la chambre, l'eau qui coulait dans la baignoire. Peut-être un ou deux mots plus hauts que l'autre. À ma surprise, ils sont revenus très vite, ensemble. Comme s'il s'était détendu et radouci à son contact : c'était presque un autre homme. Ça doit être ça, être mariés. Ou ça l'était. Ou ça pourrait. On tombe le masque, on accepte la lassitude, on se penche sur les années passées, on les garde dans son cœur, car c'est ce qui compte le plus.

— Je suis navré pour vos enfants, a dit M. Soderberg.

— Merci.

— Je regrette d'avoir été un peu brusque.

— Ce n'est pas grave.

— Veuillez m'excuser.

Faisant demi-tour, il a ajouté, tête baissée :

— Mon gars aussi me manque, parfois.

Et il n'était plus là.

J'ai toujours su, je pense, qu'il est frustrant de n'être qu'une seule personne. La clef est sur la porte, on peut toujours l'ouvrir.

Claire se tenait devant moi, le sourire jusqu'aux oreilles.

— Je vous raccompagne.

Ses mots étaient un baume au cœur, mais je lui ai répondu :

— Non, Claire, ça ira, ne vous inquiétez pas. Je vais prendre un taxi.

— Je vous raccompagne, a-t-elle répété d'une voix soudain parfaitement nette. S'il vous plaît. Gardez les chaussons. Je vais chercher un sac pour vos talons. La journée fut longue, j'appelle une voiture.

Elle a fouillé dans un tiroir et trouvé un petit agenda. J'entendais l'eau couler dans la baignoire. Un coup de bélier dans les tuyaux, un gémissement dans le mur.

*

* *

396

Il faisait nuit dehors. Adossé à la portière, un monsieur nous attendait en fumant une cigarette. C'était un de ces chauffeurs à l'ancienne, avec cravate, costume et casquette à visière. Jetant aussitôt son mégot, il s'est précipité pour nous ouvrir. Montant la première, Claire s'est glissée à l'autre bout de la banquette avec un sursaut agile des jambes. Le conducteur m'a pris le coude pour m'aider à m'installer.

— En route, a-t-il dit d'une grosse voix empruntée.

Je me donnais l'impression d'être la vieille Eliza de *La Case de l'oncle Tom*, mais en fait il était poli, il essayait plutôt de me mettre à l'aise.

Quand je lui ai indiqué l'adresse, il a hésité un instant, avant de hocher la tête et de monter à son tour.

— Mesdames.

Nous avons roulé en silence. Sur le pont, Claire s'est retournée un instant pour regarder Manhattan. Des torrents de lumières, les fenêtres des bureaux suspendues dans le vide, les mares sous les lanternes, les phares des véhicules en sens inverse. Un défilé de colonnes de béton, les piliers nus coiffés de poutrelles métalliques, un curieux assemblage figé au-dessus du fleuve mobile.

Puis le Bronx, les bodegas fermées, les chiens devant les portes. Étendues de gravats, tubes et tuyaux enchevêtrés, briques éparses et dalles brisées. La voie ferrée au-delà, les ombres furtives sous la passerelle, la nuit comme un incendie. De la fumée s'échappait même des fenêtres fermées.

Des silhouettes traînaient entre les poubelles et les piles d'immondices.

— New York, a-t-elle soupiré en me regardant. Tous ces gens. Vous êtes-vous jamais demandé ce qui nous fait tenir ?

Un grand sourire entre nous. Ce que nous avions déjà lu dans nos yeux, la route que nous suivions. Il serait difficile de nous enlever cette amitié. Je pourrais l'immerger dans ma vie et elle s'en sortirait aussi. Qu'elle en fasse autant avec moi, j'avancerais à tâtons mais je ne me perdrais pas. J'ai pris sa main dans la mienne. Je n'avais plus d'appréhension. Un arrière-goût de fer dans la gorge, comme si je m'étais mordu la langue et qu'elle avait saigné, mais ce n'était pas désagréable. Les lumières ricochaient dehors. J'ai repensé aux fleurs que je mettais dans les bidons de mon père, quand j'étais gamine. Elles s'allongeaient un instant sur la surface, puis la tige était aspirée, ensuite les pétales, et elles s'ouvraient dans le noir de l'encre.

Il y avait toute une agitation quand nous sommes arrivées. Personne ne nous a remarquées. Nous avons longé la clôture à l'ombre de la Deegan. Les glissières de sécurité vibraient derrière les réverbères. Les cigales de la nuit n'étaient pas là, mais il y avait deux jeunes femmes en jupe courte à l'entrée. L'une des deux pleurait sur l'épaule de l'autre.

J'avais toujours ignoré les tapins. Je ne leur en voulais pas, mais je ne les plaignais pas. Elles avaient leurs maquereaux et des messieurs blancs pour ça. Leur vie, leur choix.

— Madame, a dit le chauffeur.

J'avais toujours la main de Claire dans la mienne.

Je lui ai souhaité une bonne nuit, j'ai ouvert la portière et alors je les ai vues dans un halo. Deux petites filles adorables.

Je les connaissais, je les avais déjà remarquées. C'étaient les filles d'une prostituée qui habitait deux étages au-dessus. Des années durant, j'avais refusé tout contact. Je croisais la mère dans l'ascenseur, c'était une gosse elle-même, jolie, perverse, et je préférais regarder le panneau avec les ronds de lumière.

Un homme et une femme escortaient ces enfants dans l'allée. D'évidence, les services sociaux. Effrayés sous leur peau blanche, et on ne voyait qu'eux dans le noir.

Les gamines avaient des robes roses avec un petit nœud au-dessus de la poitrine, des rangs de perles dans les cheveux, et elles portaient des tongs. Deux ou trois ans au plus, on aurait dit des jumelles, même si ce n'en était pas.

Elles souriaient toutes les deux, ce que je trouve tellement bizarre quand j'y repense. Parfaitement inconscientes de ce qui leur arrivait, elles semblaient en pleine forme.

— Elles sont craquantes, a dit Claire, terrorisée.

Le moteur au ralenti, une voiture de police était garée un peu plus loin. Guindés, l'œil terne, les deux Blancs poussaient les gamines à travers la petite foule qui s'était formée. Certains leur faisaient signe, se penchaient pour leur dire quelque chose, essayaient de les prendre dans leurs bras, mais les deux Blancs ne voulaient rien savoir.

La vie vous dit parfois ce que vous avez à faire avec une telle clarté qu'on se passe de raisons.

— Ils les emmènent ? a dit Claire.

— Il faut croire.

— Où vont-elles aller ?

— Dans un établissement quelque part.

— Mais elles sont toutes petites.

Les gosses étaient à l'arrière de la voiture. L'une d'elles s'était mise à pleurer devant l'aile, agrippée à l'antenne qu'elle ne voulait pas lâcher. Le type de la mairie a voulu l'en détacher, mais rien à faire. Arrivant de l'autre côté, sa collègue a déplié les doigts de l'enfant un par un.

Je suis descendue. Tout d'un coup, je n'avais plus le même corps et je savais courir. Non pas sur le trottoir, mais au milieu de la rue. J'avais toujours les chaussons de Claire aux pieds. J'ai crié :

— Une seconde !

Moi qui croyais tout fini depuis longtemps, emballé, nettoyé. Mais rien ne se termine. Si je dois vivre jusqu'à cent ans, je vivrai encore ce moment.

— Attendez !

Janice – la plus âgée – a lentement lâché prise et m'a tendu les bras. Cette sensation, je ne savais plus ce que c'était depuis des années. Jazzlyn, la petite, pleurait tout ce qu'elle savait. Je me suis retournée vers Claire, qui avait allumé le plafonnier dans la voiture. Elle avait l'air heureuse et terrifiée.

— Vous les connaissez, ces enfants ? m'a demandé un policier.

J'ai dû répondre que oui.

Oui, c'est ce que j'ai dit, pas si mal comme mensonge :

— Oui.

LIVRE QUATRE

« Un vent m'appelle au large,
qui rugit sur les flots »

Octobre 2006

ELLE SE DEMANDE SOUVENT CE QUI LE RETIENT si haut dans les airs. Quelle sorte de glu ontologique ? Cette silhouette habitée, plaquée contre le ciel, une minuscule esquisse devant l'immensité. Un mince fil tendu entre les deux toits et l'avion par-dessus. Ses mains sous le balancier et l'espace au-delà.

La photo a été prise le jour du décès de sa mère, c'est notamment ce qui l'a séduite : le fait, tout simplement, qu'une chose aussi belle ait pu avoir lieu en même temps. Elle l'a trouvée, jaunissante, abîmée, il y a quatre ans dans un vide-grenier à San Francisco. Au fond d'un carton plein d'autres photos. Le monde finit par livrer ses surprises. Elle l'a achetée, fait encadrer et, depuis, elle la suit d'hôtel en hôtel.

Un homme là-haut dans les airs, tandis que l'avion s'engouffre, semble-t-il, dans un angle de la tour. Un petit bout de passé au croisement d'un plus grand. Comme si le funambule, en quelque sorte, avait anticipé l'avenir. L'intrusion du temps et de l'histoire. La collision *des* histoires. Nous attendons une explosion qui ne se produit pas. L'avion disparaît, l'homme arrive à l'extrémité. Rien ne s'écroule.

C'est pour elle un instant qui fait date, un individu seul qui finalement triomphe, comme un héros mythique, de bien plus grand que lui. La photo est devenue un de ses objets fétiches – il manquerait sans elle une chose à sa valise, comme une sangle ou une serrure. Elle l'emporte toujours en voyage avec quelques autres souvenirs : une parure de perles, une mèche de cheveux de sa sœur.

Au contrôle de sécurité à Little Rock, elle attend derrière un grand type en jean et blouson de cuir usé. Les cheveux châtains, sans doute la quarantaine – soit cinq ou six ans de plus qu'elle –, avec une sorte d'élégance désinvolte. La file avance, et il l'imite d'un pas alerte. En se rapprochant de lui, elle lit l'étiquette sur son sac : *Doctors Without Borders*[38].

L'agent de sûreté se hérisse en examinant son passeport.

— Transportez-vous des liquides, monsieur ?

— Pas plus de quatre litres.

— Je vous demande pardon ?

— Quatre litres de sang. Je vais essayer de ne pas en mettre partout.

Il tapote sur sa poitrine en s'esclaffant. Elle reconnaît l'accent italien, le ton chantant, les syllabes ourlées. Souriant, il se retourne vers elle pendant que l'agent se redresse, le jauge comme un tableau et déclare :

— Monsieur, veuillez quitter la file, je vous prie.

— Comment ?

— Je vous demande de vous mettre sur le côté. Maintenant.

Deux autres agents surgissent.

— Écoutez, je plaisantais, dit l'Italien.

— Veuillez nous suivre, monsieur.

— Ça n'est qu'une plaisanterie, c'est tout !

On le pousse vers un bureau derrière.

— Je suis médecin, explique-t-il. Je dois livrer quatre litres de sang. Ça n'était peut-être pas très drôle, d'accord.

Il ouvre les bras pour plaider sa cause, un des agents en profite pour lui faire une clé et la porte du bureau claque derrière eux.

Le mécontentement gagne le groupe de voyageurs et elle sent un souffle glacé le long de son cou tandis que l'employé la dévisage à son tour. Elle pose délicatement sur le plateau le flacon de parfum qu'elle a inséré dans un sachet aux dimensions autorisées.

— Pourquoi prenez-vous ça en cabine, madame ?

— Ça pèse moins de cent grammes.

— Pour quelle raison voyagez-vous ?

— C'est personnel. Je vais voir une amie.

— Votre destination ?

— New York.

— Voyage d'affaires ou de détente ?

— Détente.

Le mot bute dans le fond de sa gorge.

Maîtresse d'elle-même, entraînée, elle répond calmement et, lorsqu'elle passe le portique de détection, elle tend automatiquement les bras bien que l'alarme ne se déclenche pas.

L'avion est presque vide. L'Italien arrive finalement, lent, gêné, penaud. Les épaules voûtées comme s'il se trouvait trop grand, et la tignasse en pétard. Sa barbe d'un jour fait une tache grise sur son menton. Il croise le regard de Jaslyn lorsqu'il s'engage dans la rangée précédente. Un va-et-vient de sourires. Elle l'entend retirer son blouson, se poser avec un soupir.

Lorsque, en cours de vol, elle commande un gin-tonic, il tend un billet de vingt dans l'allée pour régler la consommation.

— C'était compris avec le reste, autrefois, dit-il.

— Vous aimez le luxe ?

Elle s'en veut, elle aurait préféré éviter ce ton cassant, mais cela arrive parfois, les mots sortent de travers, comme si elle était sur la défensive depuis le départ.

— Non, dit-il, le luxe et moi, ça fait deux.

Il n'est pas très soigné : son col est ouvert, sa poche de poitrine est ornée d'une tache d'encre. C'est le genre d'homme à se couper les cheveux tout seul devant la glace. Pas l'Italien standard, mais c'est quoi après tout, un Italien standard ? Elle en a assez qu'on lui répète qu'elle n'est pas

405

comme les autres Afro-Américaines, comme s'il n'existait qu'une seule boîte, étiquetée *Normaux*, de laquelle il faut absolument sortir, qu'on soit polonais, suédois ou mexicain. En quoi ne serait-elle pas normale ? Parce qu'elle ne porte pas de créoles en or, ni de vêtements amples, qu'elle avance prudemment et s'emploie à maîtriser ce qui l'entoure ?

— Alors, qu'est-ce qu'ils vont ont dit, finalement, à l'aéroport ?

— Qu'on n'est pas là pour plaisanter.

— Dieu bénisse notre pays.

— Et la police les mauvais plaisants. Vous connaissez celle...

— Non, non !

— ... du type qui va chez le docteur avec une carotte dans le nez ?

Elle sourit déjà. Il fait un geste vers le siège près d'elle, de l'autre côté de la rangée.

— Oui, je vous en prie, répond-elle.

Elle s'étonne d'être aussi vite à l'aise, de l'inviter à se rapprocher, même de se tourner vers lui. Elle appréhende souvent les gens de son âge, leurs attentions et leurs désirs. Elle est belle, élancée, avec une peau cannelle, des dents très blanches et une bouche grave. Elle ne se maquille pas et ses yeux sombres, qui semblent vouloir s'évader de sa beauté, accentuent la force étrange qui se dégage d'elle. On est souvent frappé, on craint même son intelligence, extérieure, détachée. Une vraie extraterrestre. Elle tente parfois de dissiper le trouble, elle s'arc-boute contre la gêne pour chaque fois, oppressée, tomber à la renverse. Une eau qui frémit au fond d'elle – cette ascendance sauvage – mais ne bout jamais vraiment.

C'est l'une des supérieures, au travail, dont on dit qu'elle a un sang de glace. Lorsqu'on diffuse des blagues sur l'intranet, on la met rarement en copie, ce qu'elle aimerait beaucoup, mais non, elle reste dans l'impasse, même ses proches collègues l'oublient. Les bénévoles de la fondation parlent dans son dos. Quand elle enfile jean et T-shirt pour les rejoindre sur le terrain, elle a toujours la même raideur, les épaules droites, quelque cnose de maniéré.

— ... et le médecin lui dit : « J'ai vu tout de suite ce qui ne va pas. »

— Oui ?

— Vous ne mangez pas correctement.

— *Mamma mia !* fait-elle en se penchant dangereusement vers lui.

Quatre mignonnettes de gin tremblotent sur son plateau. Elle le trouve déjà bien trop compliqué. Génois, divorcé, deux enfants en bas âge. Il a travaillé en Afrique, en Russie, à Haïti, puis deux ans comme médecin dans le Ninth Ward[39] de La Nouvelle-Orléans. Il vient juste de s'établir à Little Rock, où il gère un dispensaire itinérant pour les anciens combattants.

— Pino, dit-il en tendant sa main.

— Jaslyn.

— Et vous ?

— Moi ?

Le regard charmeur.

— Et vous, que faites-vous ?

Que lui dire ? Qu'elle est issue d'une longue lignée de prostituées, que sa grand-mère est morte dans sa cellule, qu'adoptée en même temps que sa sœur elle a grandi à Poughkeepsie, que maman Gloria massacrait des airs d'opéra en déambulant dans les pièces ; que Yale lui a ouvert ses portes, que Janice a préféré s'engager dans l'armée ; qu'elle a raté son examen à l'école d'art dramatique ; qu'elle s'était appelée Jazzlyn et qu'aujourd'hui c'est Jaslyn ; que la honte n'a rien à voir là-dedans, absolument rien ; que Gloria le disait elle-même : on passe sa vie à se révolter contre la honte, ça ne devrait pas exister.

— Je fais un peu le travail d'un comptable.

— D'un comptable ?

— Au sein d'une petite fondation qui aide les gens avec leurs problèmes d'impôts. Je n'aurais jamais pensé faire ça, enfin, quand j'étais petite, mais ça ne me déplaît pas. C'est bien. Vous savez, on va dans les parcs à caravanes, les hôtels, tout ça. Après Katrina et Rita. Il faut remplir les déclarations, réunir des tas de choses. Parce que, bien souvent, ils n'ont même plus leurs papiers d'identité.

— Dieu bénisse votre pays.

Elle l'étudie avec méfiance, mais peut-être est-il sincère. Même par les temps qui courent, c'est après tout possible.

Il parle encore, et elle comprend que son accent embrasse plusieurs continents, qu'au fil de ses voyages il a fait le plein de sonorités. Voilà qu'il évoque son adolescence à Gênes quand, aux matchs de football, il soignait les supporters blessés dans les bagarres.

— C'était pas beau, dit-il. La Sampdoria et la Lazio, par exemple…

— Comment ?

— Ça ne vous dit rien, tout ça, hein ?

— Non, rit-elle.

Il ouvre le capuchon d'un autre mini-bouteille, en verse la moitié dans chacun de leurs verres. Elle s'aperçoit qu'elle continue de se détendre à son contact.

— Il y a longtemps, j'ai travaillé chez McDonald's, moi, confie-t-elle.

— Sans blague ?

— Sans blague. Je voulais être comédienne. C'est la même chose, en fait. On apprend ses répliques : Je vous sers des frites ? C'est votre tour, vous prenez un cornet ?

— Cinéma ?

— Théâtre.

Elle tend le bras vers son verre, le saisit et boit. C'est la première fois depuis des années qu'elle s'ouvre ainsi à un inconnu. Comme si elle mordait dans un abricot.

— Santé, dit-elle.

— *Salute.*

L'avion vire au-dessus de la ville. Une pluie battante sur les hublots. New York et ses lumières dans les nuages, une armée de silhouettes moites comme des fantômes.

— Et maintenant ?

Il fait un geste vers la nuit qui enveloppe l'aéroport.

— Pardon ?

— Vous séjournez un moment ?

— Je viens rendre visite à une vieille amie.

— Ah. Vieille ?

— Très vieille.

Lorsqu'elle était gamine, et moins timide, elle adorait jouer à un jeu devant leur petite maison de Poughkeepsie. Cela consistait à courir aussi vite que possible en mettant un pied sur le trottoir et l'autre dans la rue. C'était un peu acrobatique : une jambe restait tendue, la seconde devait plier.

Claire venait leur rendre visite dans une voiture avec chauffeur. Elle l'a regardée un jour s'exercer ainsi, et elle était ravie. Selon elle, Jaslyn battait des entrechats, et une, et deux, et trois et quatre, et ainsi de suite.

Elle allait ensuite s'asseoir avec Gloria dans le jardin à l'arrière, près de la clôture rouge, à côté de la piscine en plastique. Elles étaient si dissemblables, Claire avec sa jupe stricte, Gloria en robe à fleurs. Comme si elles aussi, bien qu'appartenant au même corps, couraient sur deux niveaux.

Pino n'a pas de valise mais attend avec elle près du tapis roulant. Elle frotte nerveusement ses mains. Pourquoi cette raideur persistante à l'intérieur ? Les deux gin-tonics n'ont pas fait tant d'effet. Elle le voit lui aussi tendu, qui se dandine d'un pied sur l'autre, ajuste la sangle de son sac. Elle aime cette impatience, il redevient entier, terrien. Il lui a déjà proposé de prendre le même taxi jusqu'à Manhattan. Il séjourne dans le Village, il a envie d'écouter du jazz.

Elle se retient de lui dire qu'il n'a pas le profil, il fait plutôt folk-rock, il serait plus à sa place dans une chanson de Dylan. Elle le verrait bien avec un texte de Springsteen dans sa poche. Mais du jazz, non. Quoique ce genre de paradoxe lui plaise. Elle aimerait lui lancer, à brûle-pourpoint · « J'aime les gens qui arrivent à me déstabiliser. »

Elle passe tant de temps à rêver des phrases qu'elle ne prononce jamais. Si seulement elle trouvait l'inspiration de lui dire qu'elle veut l'accompagner, dans un club ou un autre, à la lumière d'un abat-jour à franges, dans les frémissements du saxo, glisser sur la minuscule piste et se coller contre lui, peut-être même laisser ses lèvres lui frôler le cou.

Elle observe les bagages qui commencent à tourner en rond : le sien n'est pas là. Sous l'œil amusé des parents, un groupe de gamins à l'autre bout joue à monter et descendre sur le tapis roulant. D'un air sévère, elle fait un signe au plus jeune, maintenant perché sur une grosse valise rouge. Elle se retourne vers Pino :

— Vous avez des photos de vos enfants ?

Question idiote, maladroite. Elle a parlé sans penser, trop près de lui, trop curieuse. Mais il fait défiler les images sur son portable et lui montre une jeune adolescente, brune et grave et jolie. Il en cherche ensuite une de son fils, et voilà qu'un agent de la sécurité leur fonce dessus.

— Pas de téléphones mobiles dans le terminal, monsieur.

— Pardon ?

— Ni téléphones, ni appareils photo.

— Ce n'est pas votre jour, sourit-elle en se penchant pour recueillir son sac de voyage.

— Peut-être, dit-il. Qui sait ?

Ils se remettent en route quand retentit un cri. Les gamins ont eux aussi maille à partir avec les autorités. Jaslyn et Pino se regardent en riant. Elle se sent brusquement très jeune, soulevée par une vague de légèreté, un frisson de séduction.

Une fois dehors, il parle de prendre le Queensboro Bridge, si elle n'a rien contre. Il la déposera avant de poursuivre jusqu'au Village.

Il connaît donc New York. Pas son premier séjour, il est en terrain conquis. Encore une surprise. Elle a toujours pensé que c'est un des charmes de cette ville : d'où qu'on arrive, on se sent ici chez soi au bout de quelques instants.

Sabine Pass et Johnson's Bayou, Beauregard et Vermillion, Acadia et Iberia, Merryville et DeRidder, Thibodaux et Port Bolivar, Napoleonville et Slaughter, Point Cadet et Casino Row, Moss Point et Pass Christian, Escambia et Walton, Diamondhead et Jones Mill, Americus, America.

Un déluge de noms dans sa tête.

Il pleut. À l'abri sous l'auvent, il sort des cigarettes de sa poche intérieure. Il tapote sous le paquet pour en dégager une et la lui offre. Elle refuse d'une mimique. Fumer, elle faisait ça à Yale il y a longtemps, presque tout le monde fumait au théâtre, mais c'est fini à présent.

Elle est contente de le voir en griller une, le vent pousse la fumée vers elle, elle gardera son odeur sur sa peau, dans ses cheveux.

Le taxi glisse dans les rues mouillées. Le plus gros de l'orage est passé, c'est la dernière averse, épuisée, sans bourrasque, sans effets. Il lui tend sa carte avant que la voiture s'immobilise dans Park Avenue. Puis il la reprend un instant pour griffonner au dos le numéro de son portable.

— Cossu, dit-il en jetant un coup d'œil à la marquise.

Il va retirer du coffre le petit sac de Jaslyn, se penche pour l'embrasser sur chaque joue. Elle sourit en voyant qu'il a un pied sur la chaussée et l'autre sur le trottoir.

Il farfouille dans sa poche. Elle se détourne et entend brusquement un clic. Il l'a prise en photo avec son téléphone. Elle ne sait comment réagir. Il l'effacera, la rangera, en fera son fond d'écran ? Elle s'imagine là, numérisée, pixellisée avec les enfants, dans sa poche, sa boîte de jazz, son dispensaire, chez lui.

Elle ne s'y était jamais résolue avec un homme, mais elle lui donne sa propre carte, la glisse dans la poche de sa chemise, et la plaque avec sa paume. Elle sent de l'intérieur son visage se durcir malgré elle. Trop direct. Aguichant. Facile.

Adolescente, elle était tellement perturbée de savoir que sa mère et sa grand-mère étaient des filles des rues. Elle avait peur que ça lui retombe dessus un jour. De s'enticher de l'amour. Elle craignait que ça soit sale. Que ses camarades l'apprennent. Ou pire : et si, contre sa volonté, elle demandait de l'argent à un garçon ? Au lycée, elle avait été la dernière parmi ses amies à en embrasser un sur la bouche. Un autre l'avait surnommée la Très Chaste Reine Africaine. Un premier baiser entre le cours de sciences et celui d'écosoc. Le visage rond et les yeux noirs, il l'avait plaquée contre la porte qu'il maintenait avec son pied. Il avait fallu qu'un prof frappe avec insistance pour qu'ils relâchent leur étreinte. Main dans la main, son boy-friend l'avait raccompagnée par les rues de Poughkeepsie. Gloria avait souri jusqu'aux oreilles en les apercevant depuis le perron. Ils étaient sortis ensemble jusqu'à l'université. Elle avait même pensé à l'épouser, mais il avait préféré Chicago et un job dans le commerce. Rentrant seule ce jour-là, elle avait pleuré toute la journée.

Gloria lui avait appris qu'il était nécessaire d'aimer le silence, mais qu'il fallait en passer par les bruits.

— Alors vous m'appellerez ? lui demande-t-elle.

— Mais oui, je vous appellerai.

Elle lève un sourcil :

— C'est vrai ?

— Bien sûr.

Enjoué, il feint de lui donner un coup d'épaule. Comme dans un dessin animé, elle fait mine d'encaisser, les bras ouverts en battant en l'air. Elle ne sait pas pourquoi, mais sur l'instant ça lui est égal, c'est magnétique, elle rit.

Il l'embrasse de nouveau, malin et rapide, sur la bouche cette fois. Elle regrette presque que ses collègues ne soient pas là pour la voir saluer un médecin italien à Park Avenue, dans le froid, la pluie, le vent, la nuit. Qu'une caméra cachée leur renvoie son image jusqu'aux bureaux de Little Rock, qu'ils lèvent les yeux de leurs formulaires quand elle lui fait un petit geste et qu'il remonte à l'arrière, le bras tendu, le sourire et une ombre sur le visage.

Les pneus sifflent quand la voiture redémarre. Jaslyn recueille dans ses mains l'eau qui goutte sous la marquise et se mouille quelques mèches.

Elle n'est pas revenue depuis des années, mais le portier lui sourit. Il est gallois, il chantait le dimanche quand Gloria l'amenait, petite, avec sa sœur. Elle ne se rappelle pas son nom. Sa moustache est devenue grise.

— Mademoiselle Jaslyn ? Depuis le temps !

Alors elle se souvient : Melvyn. Il lui prend son petit sac et elle s'attend à ce qu'il ajoute : « Qu'est-ce que vous avez grandi ! »

Non, il lui apprend, avec un sourire soulagé, qu'il fait les nuits maintenant.

Elle se demande si elle doit l'embrasser – ça ferait beaucoup dans la même soirée – et il résout le problème en tournant les talons.

— Melvyn, vous n'avez pas changé.

Il sourit encore, en se tapant sur le ventre. Elle n'aime pas les ascenseurs, préférerait l'escalier, mais un jeune homme est là, avec casquette et gants blancs.

— Madame, dit-il.

— Combien de temps restez-vous, mademoiselle Jaslyn ? demande Melvyn, et la grille se referme déjà.

Elle sourit du fond de la cabine.

— J'appelle l'appartement, dit-il, qu'on sache que vous êtes arrivée.

Le liftier regarde droit devant lui. Prend bien soin de l'Otis. N'engage pas la conversation, la tête légèrement levée, le corps qui semble compter la mesure entre les étages. Elle se figure qu'il sera encore là dans dix, vingt ou trente ans. Elle aimerait se rapprocher, lui faire « Bouh ! » à l'oreille, mais elle se contente d'observer le panneau, les boutons blancs qui s'allument l'un après l'autre.

Il baisse la manette, la cabine s'aligne parfaitement au niveau du sol. Il glisse un pied sur le palier pour attester de son savoir-faire. Un jeune amoureux des choses précises.

— Première porte à droite, madame.

L'infirmier, un grand Jamaïcain, ouvre la porte. Jaslyn et lui sont un instant embarrassés – l'idée que, d'une façon ou d'une autre, ils devraient se connaître. Hésitations, silences… la nièce de Mme Soderberg… oui, entrez… enfin, je ne suis pas sa nièce, c'est comme ça qu'elle m'appelle… bien sûr, mais veuillez entrer… j'ai téléphoné tout à l'heure… oui, je sais, elle dort maintenant, mais entrez, s'il vous plaît… comment va-t-elle ?… euh, bien…

Un « bien » qui s'étire, un temps mort, pas une affirmation. Claire n'est pas bien du tout, elle est au fond du puits.

Jaslyn perçoit des voix : peut-être la radio ?

L'appartement a l'air coulé dans la gelée. Quand, avec sa petite sœur, Gloria les emmenait en ville, elle était terrifiée par cette entrée sombre, les toiles et l'odeur du vieux bois. Elles se tenaient la main en suivant Gloria dans le couloir. Le pire était le portrait du défunt au mur. Il était peint de telle façon que ses yeux vous suivaient partout. Claire en parlait constamment, Solomon aimait ci, Solomon aimait ça. Elle avait vendu quelques-uns des tableaux – même le Miró – pour réduire les frais, mais Solomon était resté.

L'infirmier la débarrasse de son sac qu'il cale au pied du perroquet.

— Je vous en prie, dit-il, la main tendue vers le salon.

Stupéfaite, elle voit six personnes, la plupart de son âge, autour de la table et sur le canapé. En tenue décontractée, un cocktail à la main. Elle sent son cœur frapper contre ses côtes. L'apercevant, ils se figent eux aussi. Tiens, tiens. Les vraies nièces, les vrais neveux, peut-être ? La chanson de Salomon, le Cantique des cantiques. Il est mort depuis quatorze ans, mais elle le retrouve sur leurs visages. Avec cette mèche blanche dans ses cheveux, l'une est sûrement la nièce de Claire.

Ils ne la quittent pas des yeux. L'air est soudain glacial. Elle regrette de n'être pas montée avec Pino qui, doucement, calmement, aurait pris avec elle la situation en main. Du moins aurait-il attiré leur attention. Elle a encore son baiser sur ses lèvres et passe un doigt dessus, comme pour en garder le souvenir.

— Jaslyn, dit-elle, bonsoir, avec un signe de la main

Un geste idiot, presque présidentiel.

— Bonsoir, répond une grande brune.

La sensation d'être clouée au sol. Un des neveux traverse le salon d'un pas sûr. Quelque chose de l'étudiant boudeur, figure ronde, chemise blanche, blazer bleu, pochette rouge.

— Tom, dit-il. Ravi de vous rencontrer, Jaslyn, finalement.

À la façon dont il prononce son nom, on pourrait croire qu'il a marché dessus dans la rue, et le « finalement » a des airs de reproche. Il la connaît donc. Il a entendu parler. Il pense sans doute qu'elle vient gratter. Soit Mademoiselle l'orpailleur. À la vérité, elle n'en a rien à foutre et, si elle héritait de quelque chose, elle le donnerait sans doute

— Un verre ?

— Ça va, merci.

— On s'est dit que notre tante n'aimerait pas qu'on se laisse aller, même dans un moment aussi grave.

Il baisse la voix :

— On a fait des Manhattans.

415

— Comment est-elle ?

— Elle dort.

— Il est tard, je suis vraiment navrée.

— Il y a aussi du Coca, si vous voulez.

— Est-elle...

Elle ne parvient pas à terminer sa phrase. Les mots restent en l'air entre eux deux.

— Elle n'est pas bien, dit Tom.

Ce mot encore. Un son creux qui se réverbère d'étage en étage. Sans bruit final. L'eau dévale dans le puits.

Ça la dégoûte qu'ils boivent, mais elle ferait sans doute mieux de se joindre à eux, de ne pas s'exclure inutilement. Mais que Pino revienne, qu'il les charme un peu, puis qu'il l'emporte, elle pose la tête sur son épaule de cuir, un bras solide dans la nuit.

— Je boirai peut-être quelque chose, en fait, dit-elle.

— Et donc, qu'est-ce qui vous amène ? demande Tom.

— Pardon ?

— Je veux dire, vous faites quoi à présent, en somme ? Quelque chose pour les démocrates, non, il me semble ?

Elle entend un petit ricanement. Tous l'observent, absolument tous, comme si elle faisait enfin son entrée en scène.

Elle aime ceux qui ont la force de s'élever au-dessus des corvées, pour qui la souffrance est une condition, pas une malédiction. Ils étalent leur vie devant elle, ce qu'il reste, quelques feuilles de papier, un bulletin de salaire, un chèque de l'aide sociale. Elle fait le total. Elle connaît tout, les crédits d'impôt, les vides juridiques, les accès, les impasses, les coups de téléphone à donner. S'efforce de dénoncer le prêt immobilier quand la tempête a emporté la maison, les traites de l'assurance quand la voiture a coulé. Elle intercepte la facture des petits cercueils blancs.

À Little Rock, ses collègues de la fondation s'attirent tout de suite la sympathie des gens. Ça va moins vite avec elle.

Bien qu'ils aient toute son attention, ils sont plus réticents. Mais au bout d'une heure, ils finissent par s'ouvrir.

Comme s'ils se parlaient à eux-mêmes, qu'elle faisait l'effet d'un miroir et remodelait leur récit.

De sombres confessions qui éveillent son intérêt, et elle aime voir l'émotion jaillir lorsqu'ils y trouvent un sens nouveau :

« Je l'aimais vraiment. »

« Je lui portais secours quand l'eau l'a emporté. »

« Mon mari avait versé un acompte pour la cuisinière. »

Ils n'ont pas le temps de s'apercevoir que la déclaration est déjà remplie, les coordonnées de la banque recopiées, ils n'ont plus qu'à signer ce qu'elle leur tend. Parfois ils mettent un siècle avant de le faire, car les langues se délient, ils ont tant d'autres choses à dire, sur les voitures qu'ils avaient, leurs amours, leurs affections. C'est un besoin profond de se livrer, de raconter quelque chose, aussi insignifiant, inconséquent soit-il.

Les écouter revient un peu à écouter un arbre – en scrutant bien l'écorce, on trouve toujours la marque de l'eau.

Elle a rencontré cette vieille femme, neuf mois auparavant, assise dans une chambre d'hôtel à Little Rock, sa robe déployée sur ses jambes. Et Jaslyn essaie de comprendre pourquoi le fonds de retraite a interrompu ses versements.

— Mon fils était facteur, lui dit cette femme. Là-bas, dans le Ninth Ward. C'était un bon gars. Vingt-deux ans. Il ne rechignait pas à travailler tard, s'il fallait ça, pour bosser, il bossait. Les gens étaient contents d'avoir ses lettres et qu'il frappe à leur porte. Ils comptaient sur lui. M'écoutez ?

— Oui, madame.

— Et ensuite l'ouragan. Il ne revenait pas. J'avais préparé le dîner, j'attendais. J'habitais au deuxième étage. J'attends, j'attends, mais rien. J'ai attendu deux jours avant de partir à sa recherche. Je suis descendue, et il y avait tous ces hélicos dans le ciel, qui faisaient comme si on n'était pas là. J'ai pataugé dans la rue, enfin, pataugé, j'avais de l'eau

417

jusqu'au cou, j'ai bien failli couler. Mais pas de trace de lui nulle part, jusqu'à ce que j'arrive près du *check-cashing store*[40], et là, je vois le sac de courrier en train de flotter. Je le mets à l'abri et je me dis : « Mon Dieu »…

Les doigts se resserrent sur la main de Jaslyn.

— … j'étais sûre qu'il arriverait en nageant au coin de la rue. J'ai regardé partout, mais il n'était nulle part. Je ne l'ai jamais revu. J'aurais préféré me noyer, finalement. Deux semaines plus tard, on l'a découvert tout en haut d'un arbre en train de pourrir au soleil. Dans son costume de facteur. Vous imaginez ? Un arbre qui devient une prison.

La femme se lève, traverse la chambre et ouvre le placard en formica.

— Je l'ai toujours, ce sac, voyez ? Prenez-le si vous voulez.

Jaslyn le prend et regarde : les enveloppes sont toutes intactes.

— Oui, débarrassez-moi, s'il vous plaît. J'en peux plus de le savoir là.

Elle a emporté le sac à Natural Steps, où se trouve un lac, à une trentaine de kilomètres de Little Rock. Elle a marché dans l'argile molle, le long de la rive, au crépuscule. Jaillissant deux par deux, les oiseaux tournoyaient dans le ciel, leurs ailes rougeoyaient au coucher du soleil. Elle ne savait pas quoi faire de tout ce courrier. Assise dans l'herbe, elle s'est mise à trier magazines, prospectus, lettres réexpédiées avec la mention : « Cette lettre s'était perdue, j'espère qu'elle arrivera, cette fois. »

Elle a brûlé toutes les factures, sans en oublier une. Le téléphone. L'électricité. Le Trésor public. Des embêtements qui ne servaient plus à rien, non.

Elle se tient près de la fenêtre et il fait noir en bas. Le salon bavarde. Elle pense à un battement d'ailes blanches. Le verre à cocktail paraît fragile. Qu'elle le serre un peu trop et il risque de se briser.

Elle est venue passer un jour ou deux avec Claire. Dormir dans la chambre d'amis. L'accompagner au seuil de la mort, comme Gloria six ans plus tôt. Le long voyage en voiture vers le Missouri. Gloria le sourire aux lèvres. À l'avant, Janice conduisait. Les jeux de regards dans le rétroviseur. Toutes deux poussant Gloria dans son fauteuil sur la rive. « Le long de ce fleuve paresseux où le chant du merle illumine un nouveau matin[41]. » C'était une fête, ce jour-là. Elles s'étaient plantées dans le bonheur avec l'intention de le garder. Elles avaient jeté des bâtons dans les remous qu'elles regardaient tourbillonner. Étalé une couverture, pique-niqué de sandwiches au Wonder Bread. Au milieu de l'après-midi, Janice s'était mise à pleurer, comme un orage soudain, pour la seule raison qu'elles avaient débouché une bouteille. Jaslyn lui avait jeté un mouchoir roulé en boule, et Gloria s'était moquée d'elles. Elle avait depuis longtemps vaincu le chagrin, disait-elle, c'est fatigant, trop de gens veulent aller au ciel, refusent de mourir. La seule chose qui valait une larme, ce sont toutes ces beautés que la vie peut offrir, et dont le monde n'a pas les moyens.

Elle avait encore le sourire lorsqu'elle s'est échappée, le soleil dans ses yeux, et elles avaient refermé ses paupières. Remontant la colline avec le fauteuil, elles s'étaient arrêtées un instant pour contempler le paysage bientôt grouillant des insectes du soir.

Deux jours plus tard, elles l'avaient inhumée derrière la maison de son enfance. Gloria avait expliqué à Jaslyn que si les gens ont décidé de l'endroit où ils seront enterrés, c'est qu'ils savent d'où ils viennent. Un courte cérémonie tranquille, juste elles et le pasteur. Ils l'ont mise en terre avec une des vieilles enseignes de son père et la boîte à couture qu'elle avait gardée de sa mère. Pas plus mal qu'autre chose, comme façon de s'en aller

Oui, pense-t-elle, elle aimerait passer un instant avec Claire aussi, dans le silence, laisser le temps glisser. Elle a même emporté son pyjama, son peigne, sa brosse à dents. Mais l'évidence lui dit qu'elle n'est pas la bienvenue.

Elle avait oublié qu'il y avait d'autres qu'elle, tant d'autres autour d'une vie, d'enveloppes jamais ouvertes.

— Puis-je la voir ?

— Je crois qu'il ne faut pas la déranger.

— Je passerai juste la tête par la porte.

— Il est un peu tard. Elle dort. Je vous ressers un verre, euh… ?

La voix de Tom reste suspendue, la question inachevée, comme s'il cherchait son nom. Pourtant il le connaît, son nom. Imbécile. Lourdaud gras et grossier, qui s'approprie le chagrin et convie à la fête.

— Jaslyn, fait-elle avec un mince sourire.

— Un autre verre, Jaslyn ?

— Non, merci. J'ai une chambre au St. Regis.

— Au Regis, trop cool.

C'est l'hôtel le plus chic qui lui vienne à l'esprit, le plus cher aussi. Elle ne sait pas vraiment où il se trouve, quelque part dans le quartier, mais l'expression de Tom a changé – ses lèvres s'ouvrent sur des dents très blanches.

Elle glisse une serviette sous son verre avant de le poser sur la table basse, également en verre.

— Eh bien, je vais vous dire au revoir. Ravie de vous avoir rencontré.

— Laissez-moi vous raccompagner.

— Non, ce n'est pas la peine.

— Mais si, bien sûr.

Elle se raidit quand il lui touche le coude, résiste à l'envie de lui demander s'il pratiquait le bizutage à l'université.

— J'y arriverai très bien seule, lui dit-elle devant l'ascenseur.

Il se penche pour l'embrasser. Elle lui offre son épaule, qui lui frôle le menton.

— Au revoir, fait-elle, presque à la cantonade.

En bas, Melvyn lui appelle un taxi, et la revoilà seule, comme si ces quelques instants n'avaient même pas eu lieu. Elle vérifie qu'elle a toujours en poche la carte de

Pino. La retourne dans ses doigts avec l'impression qu'il entend le téléphone sonner dans sa poche.

La seule chambre de libre au St. Regis coûte quatre cent vingt-cinq dollars. Elle pense à chercher un autre hôtel, ou à appeler Pino, mais finalement elle pose sa carte de crédit sur le comptoir. Ses mains tremblent : c'est presque un mois et demi de loyer à Little Rock. La réceptionniste demande ses papiers d'identité. Le couple avant elle n'en a pas présenté, mais pas la peine de relever leur couleur de peau.

La chambre est minuscule, la télévision collée sous le plafond. Jaslyn appuie sur la télécommande. La tempête est passée. Pas d'ouragans cette année. Les résultats du foot, du base-ball, six morts de plus en Irak.

Elle s'affale sur le lit, les bras derrière la tête.

Peu après le début de la seconde guerre d'Afghanistan, elle a séjourné en Irlande. Pas longtemps. C'était censé être des vacances. Janice, en mission, supervisait l'arrivée des avions américains à l'aéroport de Shannon. On leur crachait dessus dans les rues de Galway lorsqu'elles sortaient du restaurant. « *Fucken Yankees go home*[42]. » On ne les traitait pas encore de négresses. mais ça n'a pas raté quand, après avoir loué une voiture, elles se sont retrouvées du mauvais côté de la chaussée.

L'Irlande l'a étonnée. Elle s'attendait à des routes perdues dans la verdure, bordées de haies, à des hommes très bruns, à de jolies chaumières blanches isolées sur les collines. Il y avait à la place des toboggans et des rampes d'autoroute, des ivrognes au visage de pierre qui leur faisaient la leçon sur les relations internationales. Elle se recroquevillait dans sa coquille pour ne pas les entendre. Elle n'avait de Corrigan que des bribes, il était mort dans le Bedford avec sa mère et elle voulait en savoir plus. Janice était tout le contraire, le passé l'embarrassait, ne pas s'encombrer avec ça. Le passé : un avion qui rapporte les cadavres du Moyen-Orient.

Elle est donc partie à Dublin sans sa sœur. Sans raison, des larmes s'étaient amassées sur ses cils, elle avait battu des paupières en fixant le pare-brise, et respiré à fond, les lèvres closes au long du chemin.

Elle n'avait pas eu de mal à joindre le frère de Corrigan, P-DG d'une start-up qui avait ses bureaux dans une tour de verre au-dessus de la Liffey.

— Passez me voir, avait-il dit au téléphone.

Dublin, ville champignon. Des néons sur le fleuve, agrémentés de mouettes. À soixante ans passés, Ciaran avait une presqu'île de cheveux en haut du front et parlait à moitié américain – sa société était également implantée dans la Silicon Valley. Costume impeccable, chemise de marque au col ouvert, sans cravate, quelques touffes de poils gris. Dans son bureau, il lui a offert la version longue de la vie de Corrigan – un homme rare, a-t-elle pensé, un révolutionnaire.

Les grues dansaient dehors à l'horizon. En Irlande, la lumière semble très patiente. Il l'a emmenée, de l'autre côté du pont, dans un pub abrité au fond d'une ruelle, un vrai pub, chêne et senteurs de malt. Une rangée de tonnelets métalliques dehors. Elle a commandé une pinte de Guinness.

— Ma mère était-elle amoureuse de lui ?

Il a ri :

— Oh, je ne crois pas, non.

— Sûr ?

— Ce jour-là, il la raccompagnait chez elle, c'est tout.

— Bon.

— Il était amoureux d'une autre femme. D'Amérique latine, je ne sais plus quel pays. Le Nicaragua ou la Colombie.

— Ah.

Il fallait quand même que sa mère ait été amoureuse une fois.

— Quel dommage, a-t-elle dit, les yeux humides.

Elle a frotté sa manche sur ses paupières. Surtout ne pas verser une larme. Exhibitionniste, sentimentale, et puis quoi encore ?

Ne sachant que faire, Ciaran est sorti appeler sa femme sur son portable. Au comptoir, Jaslyn buvait une deuxième pinte, un peu étourdie mais elle avait moins froid. Peut-être Corrigan avait-il aimé sa mère sans rien dire, un de ces coups de foudre qui se déclarent sur le tard et allaient-ils ensemble dans une chambre quelque part. Elle aurait eu quarante-cinq ou quarante-six ans aujourd'hui. Elles auraient pu être amies. Elles auraient parlé de tout ça, dans un café aussi, un moment devant une bière. Non, c'était totalement ridicule. Comment Jazzlyn aurait-elle fait pour s'exfiltrer de cette vie et se réinsérer ? En réchapper intacte ? Avec quoi, une serpillière, des plumeaux, la pelle et le petit balai ? Allez, chérie, prends mes cuissardes, fous-les dans le chariot, le grand Ouest est à nous. Absurde. Mais bon. Rien qu'une soirée. Avec ma mère qui vernissait ses ongles, peut-être, voir comment elle servait le café, ou enlevait ses chaussures, quelques fragments de l'ordinaire. Lorsqu'elle se faisait couler un bain. Qu'elle fredonnait un air, complètement faux. Qu'elle coupait le pain. N'importe quoi. « Un long fleuve tranquille, et le bonheur pour nous deux[43]. »

Revenant brusquement, Ciaran lui a demandé, avec un accent bien américain cette fois :

— Devinez qui vient dîner chez nous ?

Il avait une Audi métallisée toute neuve. La maison était juste au bord de la mer, chaulée, avec une grille en fer forgé noir. Celle où il avait grandi avec son frère. Il l'avait vendue autrefois et rachetée plus d'un million de dollars.

— Vous vous rendez compte ? Au-dessus du million !

Sa femme Lara taillait les rosiers dans le jardin avec un sécateur. Gentille, mince, douce, avec un chignon gris et les yeux les plus bleus, deux gouttes d'un matin de septembre. Elle a enlevé ses gants, ses mains étaient un puzzle de couleurs. Prenant Jaslyn dans ses bras, elle l'a serrée plus longtemps que de mesure : elle sentait la peinture.

Les murs à l'intérieur étaient garnis de tableaux. Tous trois armés d'un verre de vin blanc sec, ils ont fait le tour du propriétaire.

Jaslyn aimait ces toiles : Dublin réduite à une série de traits, d'ombres et de teintes. Après avoir publié un album, Lara en avait vendu quelques-unes dans les expos en plein air de Merrion Square, mais elle avait perdu, selon elle, son savoir-faire américain.

Elle avait quelque chose d'un perdant magnifique.

Ils se sont assis au fond dans la véranda. Des arêtes de lumière dans le ciel. Ciaran parlait d'immobilier, mais en fait, se disait Jas, leurs mots évoquaient des pertes sans profit, ces choses enfouies que les années leur avaient nié.

Ils sont allés après le dîner jusqu'à la tour Martello et puis demi-tour. Un pinceau avait éparpillé les étoiles. La marée était loin, au bout d'un long banc de sable dans le noir.

— Là-bas, c'est l'Angleterre, a dit Ciaran sans raison apparente.

Il a posé sa veste sur les épaules de Jas, Lara a pris la jeune femme par le coude, et ils sont revenus, bras dessus, bras dessous. Elle s'est détachée d'eux aussi finement que possible. Puis la route tôt le matin pour Limerick. Janice était resplendissante : elle avait fait la connaissance de quelqu'un. Il en était à sa troisième mission, disait-elle, incroyable. Avant d'ajouter, l'œil coquin, qu'il chaussait du quarante-six.

Mutée depuis deux ans à l'ambassade de Bagdad, Janice envoie une carte de temps en temps. L'une d'elle représente une femme en burka. Elle a écrit derrière : « Bikini irakien. »

La clarté d'une aube d'hiver. Elle découvre au matin que le petit-déjeuner n'est pas compris. Ne lui reste qu'à sourire. Quatre cent vingt-cinq dollars, le petit-déj' en sus.

En remontant dans sa chambre, elle fait main basse sur les savons, shampooings, gels douche, nettoyants à chaussures, mais laisse un pourboire pour la femme de ménage.

Parcourt les environs à la recherche d'un café, au-delà de la 55ᵉ.

Le monde entier est un Starbucks, mais pas ici.

Elle se décide devant un petit deli. La crème dans la tasse. Le bagel avec du beurre. Repart vers la maison de Claire, lève la tête depuis la rue. Un bel immeuble en brique, avec des corniches. Trop tôt pour une visite. Le sac en bandoulière, demi-tour vers le métro.

L'énergie spontanée du Village la séduit. Les guitares déboulent dans les escaliers de secours. Le soleil sur les brownstones, les jardinières, les hautes fenêtres.

Elle porte un corsage à col ouvert sur un jean serré, et se sent à l'aise, comme si les rues la libéraient.

Un homme la croise, avec un chien sous sa chemise. Elle se retourne sur leur passage. Le chien monte sur l'épaule de son maître et la regarde avec de grands yeux tendres. Elle lui fait un petit signe et il retrouve son abri.

Elle aperçoit Pino dans un café de Mercer Street. Aussi simple qu'elle l'avait imaginé. sans savoir pourquoi, elle était convaincue qu'elle tomberait sur lui. Elle avait pensé à l'appeler, mais s'était ravisée. Plutôt aller sur place, le débusquer parmi la multitude. Voûté au-dessus de sa tasse, il lit *La Repubblica*. Elle craint soudain la présence d'une autre femme, un rendez-vous qui arrivera peut-être, mais finalement qu'importe.

Elle commande un café, le rejoint à sa table, s'assied. Il cale ses lunettes sur son crâne et s'adosse à sa chaise en riant.

— Comment avez-vous fait ?

— Mon GPS intime. C'était bien, le jazz ?

— C'était du jazz. Comment va votre amie ?

— Je ne sais pas très bien pour l'instant.

— Pour l'instant ?

— J'irai la revoir tout à l'heure. Je peux poser une question ? Je veux dire, enfin, qu'est-ce qui vous amène ici ? À New York ?

— Vous voulez vraiment que je vous dise ?

— Oui, je crois.

— Vous allez trouver ça curieux.

— Ah.

— Je viens pour acheter un jeu d'échecs.

— Un quoi ?

— Entièrement fait main. Par un artisan de Thompson Street. Je l'ai commandé, il est prêt. J'avoue que c'est un peu une obsession, chez moi. En fait, c'est pour mon fils. Les pièces sont en bois rare du Canada. Et le type est une pointure.

— Vous avez fait le voyage depuis Little Rock pour un jeu d'échecs ?

— Je devais avoir besoin de m'aérer la tête.

— Sans blague ?

— Et, euh, je l'apporte à mon fils à Francfort. Histoire de passer quelques jours, de se marrer tous les deux. Ensuite, retour au boulot à Little Rock.

— Votre empreinte carbone, ça va ?

Il sourit et vide sa tasse. Elle sait déjà qu'ils passeront la matinée ensemble, laisseront filer les heures, déjeuneront tôt, il placera une main sur son cou qu'elle prendra sous la sienne. Puis ils iront à son hôtel, feront l'amour, ouvriront les rideaux, se raconteront, plaisanteront, elle s'endormira une main sur sa poitrine. Elle l'embrassera avant de partir et plus tard, en Arkansas, il lui laissera un message sur le répondeur, elle aura son numéro devant elle le soir à la permanence, en attendant de décider.

— Une autre question ?

— Oui ?

— Il y a combien de photos de femmes dans votre téléphone ?

— Pas beaucoup, dit-il en riant. Et vous ? Combien d'hommes ?

— Des millions.

— Ah oui ?

— Des milliards, en fait

Elle n'est revenue qu'une fois sous la Deegan, dix ans plus tôt, juste à la fin de ses études. Voir l'endroit où sa mère et sa grand-mère avaient arpenté le trottoir. Elle a loué une voiture à JFK, et s'est bientôt retrouvée dans les embouteillages, pare-chocs contre pare-chocs, sur au moins huit cents mètres devant elle. Un coup d'œil au rétro, c'était pareil derrière. En sandwich dans le Bronx.

Le comité d'accueil du retour aux sources.

Elle n'avait pas revu le quartier depuis l'âge de cinq ans. Elle se rappelait les couloirs gris pâle, et une boîte aux lettres bourrée de prospectus. Rien d'autre.

Après avoir tiré le frein à main, elle pianotait sur l'auto-radio quand un mouvement a attiré son attention, plus loin dans la rue. Étrange et impérial, un homme s'élevait au-dessus d'une limousine. Elle a d'abord aperçu la tête, puis le torse est sorti par le toit du long véhicule. L'homme a pivoté brusquement, comme si on venait de lui tirer dessus. Jaslyn s'attendait franchement à voir le sang gicler sur la carrosserie. Mais il a simplement tendu un bras, tel un agent de police au carrefour. Et de refaire volte-face, et ainsi de suite, de plus en plus vite. Il ressemblait à un curieux chef d'orchestre, en costume et cravate. Celle-ci, raide, tournait avec lui comme l'aiguille d'une montre. Prenant appui sur le métal blanc, il s'est hissé entièrement hors de la limo, et il s'est campé sur le toit, jambes écartées, mains ouvertes, à engueuler les gens.

Elle a remarqué alors les conducteurs descendus prendre l'air, certains le bras sur la portière ouverte, une rangée de têtes qui pirouettaient toutes dans le même sens, comme des tournesols. Un genre de secret entre elles. Une femme à proximité s'est mise à klaxonner, puis un cri, et Jaslyn a découvert un coyote qui marchait au milieu de la rue. Trottinant au soleil, s'arrêtant çà et là, comme à la porte d'un pays merveilleux.

Au lieu de remonter vers le nord, l'animal, impassible, cheminait vers le centre-ville. Assise derrière son volant, elle l'a regardé approcher. Changeant de voie deux voitures plus loin, il est passé sous sa vitre. Il n'a pas levé la tête, mais elle a distingué le jaune de ses yeux.

Elle a suivi sa progression dans le rétroviseur. Elle voulait lui crier de faire demi-tour, il se trompait de sens, il fallait au contraire reculer, courir vers la liberté. Soudain, derrière elle, des gyrophares dansaient. Les Services vétérinaires. Munis de filets, trois hommes encerclaient un groupe de véhicules.

Elle a confondu la détonation avec le bruit intempestif d'un pot d'échappement.

Elle aime le mot « mère » et les contradictions qu'il recèle. Peu lui importent l'adjectif – vraie, adoptive, biologique – et tous les types d'autres mères au monde. Gloria était la sienne. Jazzlyn aussi. Deux inconnues sur le perron au coucher du soleil, assises ensemble sans pouvoir énoncer ce que l'autre savait, et qui donc sans un mot assistaient à la tombée de la nuit. L'une a dit au revoir, la seconde a attendu.

Ils s'explorent lentement, timidement. Hésitent, reculent avant de fusionner à nouveau, et elle se rend compte qu'elle n'a jamais vraiment connu le corps d'un autre. Ils restent ensemble allongés en silence, s'effleurent, puis elle se relève et s'habille sans bruit.

Un peu minables, ces fleurs, pense-t-elle en les achetant. L'emballage est cireux, les boutons trop minces, elles ont une drôle d'odeur, comme si quelqu'un dans le deli les avait aspergées de parfum artificiel. Mais il n'y a pas de fleuriste à proximité. Le soir arrive, la lumière diminue. Son corps vibre encore sur le chemin de Park Avenue, la main de Pino à sa hanche.

Dans l'ascenseur, l'odeur empire. Elle aurait dû persévérer, trouver un fleuriste digne de ce nom, mais il est trop tard maintenant. Arrivée au dernier étage, elle sent ses chaussures qui s'enfoncent dans la moquette épaisse. Il y a un journal par terre près du paillasson, l'efficace hystérie de la guerre, dix-huit morts aujourd'hui.

Un frisson le long des bras.

Elle sonne, cale le bouquet contre la porte en entendant les verrous tourner.

C'est de nouveau l'infirmier jamaïcain qui ouvre. Son visage rond est détendu sous de courtes dreadlocks.

— Oh, bonsoir.

— Il y a toujours du monde ?

— Comment ?

— Je me demandais si les autres étaient encore là.

— Le neveu fait la sieste dans une des chambres.

— Il est là depuis longtemps ?

— Tom ? Il a dormi ici, hier soir. Cela fait plusieurs jours déjà. Il reçoit des gens.

Un moment d'hésitation pendant lequel l'infirmier tente de comprendre pourquoi exactement elle revient, ce qu'elle veut, combien de temps elle va rester. Sans lâcher le cadre de la porte, il se penche et la met dans la confidence :

— Il a invité des agents immobiliers, vous savez, à l'apéritif.

Jaslyn hoche la tête en souriant : cela n'a pas d'importance, elle refuse de s'en émouvoir.

— Vous pensez que je peux la voir ?

— Mais je vous en prie. Vous savez qu'elle a eu une attaque ?

— Oui.

Elle s'arrête dans le couloir.

— Elle a reçu ma carte ? Une grande carte un peu bête.

— Ah, c'est vous ? Oui, elle est marrante, celle-là. J'aime bien.

Sa main effleure le mur, puis indique la chambre.

Jaslyn avance dans la pénombre, comme si elle entrouvrait un voile. Elle se fige avant d'actionner la poignée en verre. Clic. La porte pivote. L'impression de mettre un pied dans le vide. La pièce est sombre, chargée, lourde. Un discret triangle de lumière entre les rideaux mal fermés.

Jaslyn reste immobile, le temps de s'habituer à l'obscurité. Elle a envie de la trouer, pousser les rideaux, entrebâiller la fenêtre, seulement Claire dort, les paupières closes. Jas tire une chaise près du lit, près du support à perfusion. On a débranché le goutte-à-goutte. Sur la table de nuit, un verre. Une paille. Un crayon. Un journal. Et la carte de vœux, au milieu de nombreuses autres. Elle plisse les yeux. « Retape-toi vite, ma petite cocotte. » Elle se demande si c'était vraiment drôle, quelque chose de plus sage, de plus tendre aurait été mieux adapté à la situation ? Allez savoir. On ne peut jamais savoir. Peut-être Claire a-t-elle ri.

Sa poitrine qui gonfle et s'affaisse. Le corps dans un mince abandon. Les seins rétrécis, les cernes profonds, la gorge plissée, le jeu des cartilages. Toute sa vie peinte sur elle et qui s'estompe maintenant. Un bref clignement des paupières. Jas se rapproche. Une bouffée d'air fétide. Clignement. Et brusquement un regard fixe, le blanc des yeux dans le noir. Claire les ouvre plus grands encore, ne sourit pas, ne dit rien.

Une secousse sur les draps. Jaslyn observe la main, la gauche. Les doigts se soulèvent et retombent comme sur le clavier d'un piano. Le jaunissement agité de l'âge. Ceux que nous rencontrons, pense-t-elle, ne sont jamais ceux que nous quittons.

Tic-tac.

Rien pour se distraire du crépuscule, sinon la pendule, dans un temps ni très loin du présent, ni distant du passé, l'inexplicable incidence d'un matin sur l'autre, les choses les plus simples, les nervures dans le bois du lit qui se révèlent au jour, un reflet de nuit qui persiste dans ces vieux cheveux. L'humidité sur la poche de survie, la courbe d'un pétale de soie, le cadre ébréché de la photo, la forme ronde de la tasse, les gouttes de thé dans la soucoupe. La grille inachevée de mots croisés, le crayon mal posé, le boutgomme sur le plat de la table, la mine pointée au bord, instable. Fragments d'un règne humain. Jaslyn replace le crayon comme il faut, puis se lève et contourne le lit. Elle pose ses mains sur l'appui de la fenêtre. Sépare les rideaux, rompt le triangle, soulève à peine le châssis, sent le vent ricocher sur sa peau : cendre et poussière, une clarté qui expurge la noirceur des choses. Ce qu'à petits pas nous faisons, nous imposons de la lumière et nous l'entretenons. Elle remonte la vitre un peu plus haut. Les sons dehors se détachent lentement, voitures, bourdonnements métalliques, grues, cris d'enfants, terrains de jeux, les branches des arbres qui se fouettent sur l'avenue.

Le rideau retombe, mais un trait de clarté s'est inscrit sur le sol, comme une allée. Jas revient vers le lit, retire ses chaussures, les lâche sur le tapis. Claire entrouvre à peine les lèvres. Sans parler, mais son souffle a changé, un répit mesuré.

Pas à pas, pense Jaslyn, nous trébuchons dans le silence, à petits bruits, nous trouvons chez les autres de quoi poursuivre nos vies. Et c'est presque assez.

Doucement, elle s'assied au bord du lit, allonge les jambes et les pose sur le matelas, en prenant bien soin de ne pas faire de secousses. Elle redresse l'oreiller, se penche sur la bouche de Claire pour retirer un cheveu.

Elle a de nouveau cet abricot en tête, sans savoir pourquoi, mais c'est ainsi, il est là, la couleur de sa peau, et cette saveur sucrée.

Tourne le monde. Sous nos pas hésitants. Cela suffit.

Elle s'allonge près de Claire, par-dessus le drap. La trace imperceptible d'une haleine de vieille femme. Le tic-tac. Le ventilateur. Le vent.

Le vaste monde.

Remerciements

Le 7 août 1974, Philippe Petit a marché sur un câble entre les tours du World Trade Centre. Si j'ai incorporé son aventure dans mon roman, tous les autres événements et personnages sont fictifs. J'ai interprété librement sa performance, en m'efforçant toutefois de restituer fidèlement le contexte et l'époque. Les lecteurs intéressés par Philippe Petit, funambule, trouveront son récit personnel dans son ouvrage *Trois Coups* (Herscher, 1983). La photographie de la page 297 est reproduite avec l'autorisation de son auteur, Vic DeLuca, © REX Images. Je tiens à témoigner ma plus vive reconnaissance à ces deux artistes.

Le titre de ce roman « Et que le vaste monde poursuive sa course folle vers d'infinis changements » est emprunté au poème *Locksley Hall* d'Alfred Lord Tennyson, lui-même influencé par *Les Mu'allaquât*, ou « *Les Suspendues* », sept longs poèmes arabes du VIe siècle. Quand Tennyson parle de « pilotes abattant leurs dispendieux tourments dans le crépuscule mauve », *Les Mu'allaquât* demandent : « Y a t-il quelque espoir que cette désolation m'apporte le réconfort ? » La littérature nous rappelle que toute la vie n'est pas déjà écrite : il reste tant d'histoires à raconter.

Je remercie chaleureusement les nombreuses personnes qui m'ont apporté leur concours – les officiers de police qui m'ont guidé dans la ville ; les médecins qui, patiemment, ont répondu à mes questions ; les informaticiens qui m'ont pris par la main dans le labyrinthe ; tous ceux, aussi, qui m'ont aidé au cours de l'écriture et des relectures. Le fait est que le clavier de l'écrivain est un clavier à plusieurs mains. Je crains d'en oublier quelques-uns, mais j'exprime toute ma gratitude, pour leur assistance et leur soutien, à Roger Hawke, Jay Gold, Joseph Lennon, John McCormack, Ed Conlon, Maria Venegas, Justin Dolly, Mario Mola, le Dr James Marion, Terry Cooper, Cenelia Arroyave, Paul Auster, Kathy O'Donnell, Thomas Kelly, Elaina Ganim, Richard Price, Alexandra Pringle, Jennifer Hershey, Millicent Bennett, Giorgio Andrew Wylie, Sarah Chalfant et tous à la Wylie Agency ; Françoise Triffaux, Caroline Ast, et tous chez Belfond à Paris. Merci également à Phillip Gourevitch et à la *Paris Review*. À mes étudiants et collègues d'Hunter College, en particulier à Peter Carey et Nathan Englander. Enfin, je ne remercierai jamais assez Allison, Isabella, John Michael et Christian.

Notes

1. Long poème en prose d'Allen Ginsberg.
2. *Cf.* James Joyce, *Finnegans Wake*.
3. *I Love Lucy* : sitcom des années 50, avec un couple vedette. *The Brady Bunch* : autre sitcom (années 70), type comédie familiale.
4. « Toute la pluie tombe sur moi. » « Quand les saints défileront dans la rue. » « Ne pousse pas ta grand-mère par la portière du bus » (sur l'air de youpi-ya-ya-youpi-youpi-ya...).
5. Les buanderies sont souvent communes, en sous-sol, dans les immeubles new-yorkais.
6. Littéralement : « coup de chance ». Une cible figure sur le paquet et *lucky strike* peut se traduire par « dans le mille ».
7. *Palo Alto Research Centre* (Centre de recherches de Palo Alto).
8. Neuf activistes anti-guerre du Vietnam qui firent sauter le bureau de recrutement de Catonsville dans le Maryland.
9. Évacuation sanitaire aérienne.
10. *System operators.*
11. Livre pour enfants d'Ernest Lawrence Thayer, écrit en 1888.
12. Abréviation de *White Anglo-Saxon Protestant*, et qui veut aussi dire « guêpe ».
13. *Feet of Clay* chanté par Sinatra.
14. Autorisation du Bureau des narcotiques américain.
15. Devise des États-Unis : « L'unité dans le nombre. »
16. Le « Rendez-vous des chasseurs ».
17. La formule rituelle étant : « jusqu'à ce que la mort nous sépare » (*until death do us part*).
18. D'une façon générale : dispositif de piratage des réseaux téléphoniques.
19. Un ancien service de British Telecom, qui permettait d'écouter des extraits d'un disque.
20. *Scholastic Aptitude Test* : test standard d'admission aux universités américaines.
21. Le lévrier : emblème des bus Greyhound.

22. *Jigsaw* et *puzzle* sont synonymes.

23. Mam'zelle Bonheur.

24. Littéralement « la cuisine de l'enfer », quartier situé au sud-ouest de Central Park (a servi de cadre à *West Side Story*).

25. *Royal Air Force*, armée de l'air britannique.

26. *Chico and the Man* (1974-78), la première sitcom américaine où l'action se situe dans un quartier latino (à Los Angeles).

27. Scatman Crothers, acteur et musicien, tenait un rôle dans cette sitcom.

28. En anglais, perdre sa cerise (*cherry*) veut dire se faire dépuceler.

29. « Cette putain de New York. »

30. Immeubles en pierre brune souvent associés aux quartiers chic de New York.

31. Un des chefs de l'équipe qui, en 1972, a placé des micros au siège du Parti démocrate dans l'immeuble du Watergate.

32. Capitale de l'État de New York.

33. « Le pouvoir repose sur le peuple. »

34. « Voyageurs de la liberté » (années 60) : militants pour les droits civiques qui, bravant l'opprobre et les violences, se déplaçaient en bus vers les États du Sud pour faire reconnaître une décision de la Cour suprême des États-Unis, censée abolir la ségrégation dans les transports.

35. Référence au film de Billy Wilder *One, Two, Three* (1961).

36. Chaîne de restaurants populaires.

37. « Un de ces jours, ces bottes finiront par te marcher dessus. »

38. Médecins sans frontières.

39. Quartier « chaud », ravagé par l'ouragan Katrina.

40. « Boutique d'encaissement de chèques » : officines qui se substituent aux banques (service plus rapide avec commission) et proposent souvent des prêts à court terme.

41. *Lazy River*, Hoagy Carmichael et Sidney Arodin, 1930.

42. « Putain de Ricains, rentrez chez vous. »

43. « *Up a lazy river* », *cf.* note 41.

Collection « Littérature étrangère »

Composé par Nord Compo Multimédia
7, rue de Fives, 59650 Villeneuve-d'Ascq

Cet ouvrage a été imprimé en France par

CPI
Bussière

à Saint-Amand-Montrond (Cher)
en octobre 2009

N° d'édition : 4506/04. — N° d'impression : 092780/4.
Suite du premier tirage.
Dépôt légal : août 2009.